SŁOWNIK
POLSKICH
PRZEKLEŃSTW
I WULGARYZMÓW

**Słowniki
Języka
Polskiego**

WYDAWNICTWO
NAUKOWE
PWN
WARSZAWA
1995

SŁOWNIK
POLSKICH
PRZEKLEŃSTW
I WULGARYZMÓW

Maciej Grochowski

Redaktor
Elżbieta Sobol

Projekt graficzny okładki
Maryna Wiśniewska

Redaktor techniczny
Anna Więcek

ISBN 83-01-11788-5

SPIS TREŚCI

PRZEDMOWA

Słownik polskich przekleństw i wulgaryzmów (dalej w skrócie *SPPiW*) już ze względu na sam charakter omawianego w nim słownictwa, z powodu zarówno brzmienia, jak i treści notowanych wyrazów, może być dla wielu czytelników publikacją kontrowersyjną. Jej cel wymaga więc komentarza.

Ani autor, ani wydawca nie zamierzają bynajmniej kwestionować powszechnie panującej w społeczeństwie opinii, że mówienie w sposób wulgarny należy do zachowań niezgodnych z przyjętą normą obyczajową, i że z reguły stanowi świadectwo niskiego poziomu kultury. Publikacja *SPPiW* nie może też w żadnym stopniu przyczynić się do rozpowszechniania, ani tym bardziej do reklamy, wyrazów wulgarnych. Po pierwsze dlatego, że wyrazy takie używane są z ogromną częstotliwością w tzw. żywej mowie przez niemałą część społeczeństwa. Są to użycia spontaniczne, często stanowią przejaw całkowitego braku samokontroli mówiących. Takiemu stanowi rzeczy w żaden sposób nie dałoby się przeciwdziałać. Po drugie, z dużą dozą prawdopodobieństwa można przyjąć, że odbiorcami *SPPiW* nie będą osoby całkowicie pozbawione świadomości językowej, które nie zdają sobie sprawy z tego, że używanie wulgaryzmów stanowi naruszanie tabu i podlega społecznej dezaprobacie.

SPPiW jest publikacją naukową. Został on jednak opracowany w taki sposób, by mogli z niego korzystać również czytelnicy nie mający wykształcenia językoznawczego. Opisy jednostek prezentowane są w sposób dość popularny, często nawet uproszczony, w każdym razie bez nadmiernej formalizacji. Opracowywaniu opisów towarzyszyła intencja, by były one w miarę jednorodne i porównywalne, by wiernie przedstawiały obraz sposobów użycia jednostek. Naukowy charakter tej pracy wynika z przyjęcia (1) określonych założeń teoretycznych w zakresie semantyki i pragmatyki, (2) danej koncepcji jednostki

7

leksykalnej i zasad rejestracji jednostek, a także (3) określonych konwencji opisu jednostek leksykalnych w artykułach hasłowych. Publikacja oparta na takich podstawach ma służyć celowi poznawczemu, mianowicie rejestracji i interpretacji faktów językowych. Istnienie faktów empirycznych (wyrażeń tu przytaczanych, a nie używanych) dla nikogo nie może być kontrowersyjne, fakty bowiem nie podlegają negacji. Dążenie do osiągnięcia celu poznawczego — bez względu na ludzkie postawy wobec obiektu poznania — nie jest objęte żadnym tabu.

Zakładając, że słowniki przyczyniają się, co najmniej w pewnym stopniu, do pogłębienia świadomości językowej odbiorców, można przyjąć, że istotnym celem poznawczym, któremu ma służyć ten słownik jest uświadomienie odbiorcom, jak rozległy jest zasięg dwóch zjawisk językowych: z jednej strony sfery jednostek, które są używane nie po to, by za ich pomocą przekazywać jakieś informacje (chodzi tu o zbiór przekleństw — wyrażeń informacyjnie pustych), a z drugiej strony sfery jednostek, za pomocą których komunikuje się identyczne treści (chodzi tu o zbiór wulgaryzmów znaczących). Problemy te omawiane są szerzej we *Wstępie* do *SPPiW*.

Pomysł opracowania *SPPiW* zrodził się w trakcie badań autora dotyczących zależności między różnymi rodzajami konwencji językowych a możliwościami poprawnego definiowania znaczeń jednostek leksykalnych (por. M. Grochowski, *Konwencje semantyczne a definiowanie wyrażeń językowych*, Warszawa 1993). W świetle rozważań nad zakresem pojęcia znaczenia przyjęta została jego węższa interpretacja, umożliwiająca z kolei wyodrębnienie klasy jednostek semantycznie pustych (nie przekazujących informacji). Analiza wielu jednostek silnie nacechowanych pragmatycznie doprowadziła do wniosku, że opisu treści nie należy łączyć z opisem (z konieczności o wiele bardziej subiektywnym) oceny emocjonalnego stosunku mówiącego do świata. Ocena ta jest zmienna, zależy bowiem od wielu parametrów zewnętrznojęzykowych, takich jak wiek mówiącego, przynależność do środowiska społecznego, poziom wykształcenia i kultury. Rozważania teoretyczne nad wymienionymi zagadnieniami stały się podstawą badań empirycznych, którymi objęto m.in. jednostki znaczeniowo puste (przekleństwa) i jednostki, na które nałożone jest tabu (wulgaryzmy) — zob. M. Grochowski 1990, 1991.

Przekleństwa ani wulgaryzmy współczesnego języka polskiego nie stanowiły dotychczas przedmiotu systematycznej analizy — ani gramatycznej, ani semantycznej. Brak jest prac teoretycznych dotyczących miejsca tych klas jednostek w systemie leksykalnym języka polskiego, a także w podsystemie jednostek nacechowanych pragmatycznie. Nie podejmowano prób systematycznej rejestracji ani charakterystyki wyrażeń tworzących wyróżnione podzbiory.

W słownikach ogólnych współczesnego języka polskiego (w *Słowniku języka polskiego* pod red. W. Doroszewskiego, w *Słowniku języka polskiego* pod red. M. Szymczaka, w *Małym słowniku języka polskiego* pod red. S. Skorupki, H. Auderskiej, Z. Łempickiej) słownictwo wulgarne zostało świadomie zredukowane do niewielkiej liczby wybranych haseł. Dopiero *Suplement* (do trzytomowego *Słownika języka polskiego*) pod red. M. Bańki, M. Krajewskiej i E. Sobol (Warszawa 1992, I wydanie) rozszerzył nieco zbiór wyrazów wulgarnych, zawiera jednak zaledwie 33 hasła z kwalifikatorem *wulg.* Z założenia nie koncentrowano się w *Suplemencie* na opisie wielo-znaczności wyrażeń, ani na rejestracji związków frazeologicznych. Znaczącą liczbę nowych wielosegmentowych jednostek wulgarnych, a także ich wielostronną interpretację (gramatyczną, semantyczną i pragmatyczną) przedstawili A. Bogusławski i J. Wawrzyńczyk w pracy *Polszczyzna, jaką znamy. Nowa sonda słownikowa* (Warszawa 1993).

Całkowicie odmienny status mają popularne słowniki dwu- i wielo-języczne, których celem jest rejestracja wulgaryzmów określonego języka i ich odpowiedników w innych językach. Niedawno został wydany w Polsce słownik angielskich wulgaryzmów i ich polskich ekwiwalentów — M. Widawskiego *The Fucktionary. Słownik wyrażeń z „fuck"* (Gdańsk 1994). Niemały zbiór jednostek wulgarnych języka angielskiego przytoczył M. Widawski w swojej wcześniejszej pracy *Słownik slangu i potocznej angielszczyzny* (Gdańsk 1992).

Dla porządku należałoby odnotować wydanie prawie całkowicie niedostępnego w Polsce słownika S. Kielbasy *Dictionary of Polish Obscenities* (Buffalo 1978), zawierającego 491 haseł, oraz — w latach dziewięćdziesiątych łatwo dostępnego na polskim rynku — anonimo-wego *Słownika wyrazów brzydkich* (*obelżywe słowa, wulgarne wyrażenia, przekleństwa polsko-angielsko-niemiecko-francusko-włosko-hiszpańskie*), obejmującego 303 hasła polskie w I wydaniu (Kraków: Total Press 1992) i 262 hasła w II wydaniu (Kraków 1994), rozszerzonym o odpowiedniki rosyjskie i słowackie. Hasła zamieszczone w obu tych słownikach tworzą zbiory z pragmatycznego punktu widzenia hetero-geniczne, słowniki rejestrują bowiem — oprócz wybranych wulgaryz-mów języka ogólnopolskiego — wiele wyrazów potocznych, wyrazów używanych wyłącznie w gwarach środowiskowych (zwłaszcza w gwarze więziennej), a także indywidualizmy.

Słownik wyrazów brzydkich jest pod każdym względem publikacją niepoważną: (1) obejmuje zbiór haseł ustalony w sposób przypadkowy (por. np. typowo potoczne *Co jest grane?*, *facet, osioł*, wulgarne *dupa, kurwa*, idiolektalne *bebzon* 'brzuch', *gównomularz* 'formularz', *rzęch* 'stary samochód'), (2) nie odróżnia haseł słownikowych od pojedynczych wyrazów, związków frazeologicznych i konstrukcji składniowych, w wyniku czego układ wyodrębnionych ciągów liter języka polskiego, stanowiących podstawę dla ekwiwalentów języków obcych (ekwiwalentów dobranych notabene często nietrafnie), jest kompletnie przypadkowy (np. wyraz *chuj* można znaleźć w ciągu *Ty chuju!* pod literą *T*, a *napalony na* — w ciągu *Jestem napalony na...* pod literą *J*; niezależnie od tego wyodrębnione jest hasło *napalać się*, pod którym nie figuruje imiesłów *napalony*), (3) nie zawiera żadnej interpretacji językowej zarejestrowanych ciągów.

W ostatnich latach wzrasta liczba publikacji rejestrujących słownictwo o węższym niż język ogólnoliteracki zasięgu użycia, wydawane są liczne słowniki poświęcone m.in. gwarom środowiskowym; por. np. L. Kaczmarek, T. Skubalanka, S. Grabias, *Słownik gwary studenckiej* (Lublin 1994; przygotowany do druku w 1974 roku i zablokowany przez cenzurę), K. Czarnecka, H. Zgółkowa, *Słownik gwary uczniowskiej* (Poznań 1991), K. Stępniak, *Słownik gwar środowisk dewiacyjnych* (Warszawa 1986), K. Stępniak, Z. Podgórzec, *Słownik tajemnych gwar przestępczych* (Londyn 1993). Wśród licznych wulgaryzmów zarejestrowanych w tych słownikach dominują jednostki nie używane w języku ogólnoliterackim bądź używane w znaczeniach nie znanych językowi ogólnoliterackiemu. Jest to charakterystyczne przede wszystkim dla słowników K. Stępniaka.

Niewątpliwie zasługuje na uwagę popularny słownik wyrazów wulgarnych U. Tuftanki, *Zakazane wyrazy. Słownik sprośności i wulgaryzmów* (Warszawa 1993), rejestrujący — jak podaje autor we wstępie — około 3000 jednostek. Ogromna ich liczba to wyrażenia mające środowiskowy zasięg użycia, niemało miejsca zajmują w tym słowniku również archaizmy. Wiele artykułów hasłowych zawiera bogatą dokumentację źródłową, opartą m.in. na tekstach klasyków literatury pięknej. Interpretacja materiału językowego w tym słowniku jest dość lakoniczna: charakterystyka nazw części ciała i czynności fizjologicznych przesłania złożony problem wieloznaczności wyrażeń. Autor pracy popularnej nie stawiał sobie jednak takiego zadania, jak opis gramatyczny i semantyczny wyrażeń z punktu widzenia określonej koncepcji języka.

Z przedstawionego w sposób skrótowy obrazu stanu badań

leksykograficznych nad przekleństwami i wulgaryzmami języka polskiego wynika jednoznacznie, że odrębnego słownika naukowego, rejestrującego i interpretującego jednostki tych klas, nie ma. Intencją autora prezentowanego *SPPiW* jest wypełnienie tej istotnej luki w badaniach nad słownictwem współczesnego języka polskiego.

Autor jest w pełni świadom nie tylko tego, że niniejszy słownik może być publikacją kontrowersyjną ze względu na samą jej tematykę (co zostało już zasygnalizowane w pierwszym akapicie *Przedmowy*), ale również i tego, że j e s t publikacją kontrowersyjną z punktu widzenia zakresu rejestrowanego materiału i koncepcji jego opracowania. Przyjęte zostały określone konwencje terminologiczne, w tym również dotyczące sposobu rozumienia pojęć tytułowych (przekleństwo, wulgaryzm) oraz niedostatecznie jeszcze rozpowszechnione konwencje zapisu jednostek i układu informacji w artykułach hasłowych. Wszystkie te zasady postępowania badawczego omówione zostały w poszczególnych paragrafach *Wstępu*.

Praktyczne dostosowanie się do przyjętych konwencji w trakcie opisu poszczególnych jednostek było często bardzo trudne. Analizie konkretnych wyrażeń towarzyszyły nie kończące się wątpliwości autora. Przekazanie słownika do druku wymagało w końcu rozstrzygnięcia wielu wątpliwości w sposób arbitralny. Odpowiedzialność za to ponosi tylko autor.

Redakcji Słowników Języka Polskiego Wydawnictwa Naukowego PWN serdecznie dziękuję za umożliwienie mi publikacji *Słownika*. Elżbiecie Sobol i Mirosławowi Bańce wyrażam głęboką wdzięczność za liczne dyskusje dotyczące interpretacji materiału językowego, wiele istotnych uwag krytycznych, nieocenioną pomoc w pracach redakcyjnych, życzliwość i wyrozumiałość w okresie przygotowywania pracy do druku. Serdeczne podziękowania składam Małgorzacie Berze, która dostarczyła mi wiele cennego materiału tekstowego i po przeczytaniu artykułów hasłowych wypowiedziała szereg cennych uwag krytycznych. Wdzięczny jestem Zygmuntowi Saloniemu za wnikliwą lekturę *Słownika* i szczerą krytykę merytoryczną i redakcyjną.

WSTĘP

1. Pojęcie przekleństwa

Przekleństwo jest pojęciem niejednoznacznym. Można wyróżnić co najmniej trzy jego sensy, oznaczając je za pomocą umownych etykietek: wartościujący, instrumentalny, wyrażeniowy. Sens wartościujący w sposób adekwatny odzwierciedla jednostka leksykalna *ktoś przeklina kogoś za coś*, a także derywowana od niej jednostka *ktoś przeklina coś*; por. np.

Maria przeklina córkę za to, że roztrwoniła wszystkie oszczędności przeznaczone na kupno fortepianu.
Ewa przeklina stanie w kolejkach do sklepów i urzędów.

Za pomocą tych jednostek komunikowana jest czyjaś negatywna ocena określonego działania danej osoby lub pewnego rodzaju działań potencjalnych.

Sens instrumentalny przekleństwa jest motywowany utrwaloną w kulturze ludowej i religijnej wiarą w magiczną moc słów, w to, że poprzez wypowiadanie określonych formuł słownych (klątw, zaklęć) mogą spełniać się wyrażone w nich życzenia ludzi, by komuś stało się coś złego. Taki sens oddaje jednostka leksykalna *ktoś rzuca przekleństwo na kogoś*, a także równoznaczna z nią, mniej rozpowszechniona, jednostka *ktoś przeklina kogoś*. Por. np.

Matka rzuca przekleństwo na (przeklina) pierworodną córkę.
Dziadek rzucił przekleństwo na wnuka i ten kompletnie wyłysiał.

Oba scharakteryzowane w skrócie i uproszczeniu sensy pojęcia przekleństwa są znacznie mniej rozpowszechnione od tzw. sensu wyrażeniowego, który odzwierciedla jednostka *ktoś przeklina*, użyta w odniesieniu do spontanicznego zachowania werbalnego jakiejś osoby, polegającego na wypowiadaniu określonych sekwencji dźwięków, np. takich, jak *cholera, psiakrew, kurka wodna, jasny gwint*. Za ich pomocą osoba ta m o ż e ujawniać swój stan emocjonalny wywołany określonym stosunkiem do pewnego fragmentu rzeczywistości i c z ę s t o wyraża jakieś emocje. Nie należy jednak wykluczać istnienia takich spontanicznych zachowań werbalnych, w czasie których daje o sobie znać czyjeś przyzwyczajenie do reprodukowania danych sekwencji dźwięków, dominujące nad autentycznymi emocjami. W sposób definitywny tylko sam mówiący może rozstrzygnąć, czy w danej sytuacji użył pewnego wyrażenia dlatego, że jest do niego przyzwyczajony, czy po to, by zdać sprawę ze swych emocji. Nawet jeżeli przeklinanie — w rozważanym sensie — jest motywowane stanem emocjonalnym mówiącego, to nie musi być ono wywołane jego uczuciami negatywnymi — w przeciwieństwie do przeklinania w obu omawianych wcześniej sensach, które implikują pojęcie zła. Por. np.

O kurczę! Jaka fajna dziewczyna!
Holender! Jak ładnie się dzisiaj uczesałaś!

Hipotezę, że dane przekleństwo jest wykładnikiem określonej emocji, stawia się z reguły w wyniku analizy jego kontekstu, a nie tylko samego przekleństwa. Próba przyporządkowania danemu przekleństwu ściśle określonych emocji jest z reguły skazana na niepowodzenie. Np. jednostki *Cholera jasna!* czy *Kur zapiał!* mogą wyrażać zarówno złość, gniew, strach, ból, jak i zachwyt, podziw, radość, zdumienie i wiele innych uczuć. Wyliczenia takie, oparte z reguły na indywidualnych asocjacjach badacza, jakie zachodzą między możliwymi sytuacjami użycia jednostek a własnymi stanami emocjonalnymi, mogłyby być kontynuowane teoretycznie bez końca. Pod groźbą regresu nieskończonego należy więc z tego rodzaju prowizorycznej, pobieżnej analizy zrezygnować. Jednostek, które można nazwać przekleństwami (w sensie wyrażeniowym) nie używa się w celu przekazania informacji.

Wszystkie te właściwości jednostek, o których można orzec nazwę *przekleństwo*, skłaniają do stwierdzenia, że przekleństwa są wyrażeniami semantycznie (informacyjnie) pustymi. Nie można więc ex definitione poddawać ich charakterystyce znaczeniowej. Przyjmuje się tu taką oto definicję regulującą pojęcia wyjściowego: **przekleństwo jest to jednostka leksykalna, za pomocą której mówiący może w sposób spontaniczny ujawniać swoje emocje względem czegoś lub kogoś, nie przekazując żadnej informacji**.

Zakresu zbioru przekleństw nie da się wyznaczyć w sposób ostry: 13

często trudno jest odpowiedzieć na pytanie, czy dana jednostka istotnie należy do tego zbioru. W wypadkach kontrowersyjnych podejmowane były w *Słowniku polskich przekleństw i wulgaryzmów* (dalej *SPPiW*) decyzje arbitralne.

Hipotezy, że określone jednostki leksykalne są przekleństwami, były potwierdzane w toku analizy za pomocą różnych testów. Ich głównym celem było wykazanie, że dany ciąg elementów diakrytycznych jest semantycznie pusty.

Próba porównania z punktu widzenia znaczeniowego dwóch odrębnych jednostek, a więc ciągów tworzących opozycję na płaszczyźnie wyrażenia, prowadzi do wniosku, że są one semantycznie puste, jeżeli nie da się stwierdzić ani tego, że są równoznaczne, ani tego, że ich znaczenia są różne. Na tej podstawie za puste uznaje się jednostki porównywalne tylko na płaszczyźnie wyrażenia, np. *cholera — psiakrew, do licha — do licha ciężkiego, holender — kurna*.

Jeżeli dodanie do jakiegoś wypowiedzenia określonej jednostki nie powoduje zmiany treści komunikowanej przez to wypowiedzenie, to można przypuszczać, że dodana jednostka jest wyrażeniem semantycznie pustym. Na przykład jednostki wypowiedzeniowe typu *Cholera jasna! Kurczę blade!* mogą być dodawane jako parentezy do różnych wypowiedzeń bez naruszania ich poprawności syntaktycznej. Takie dwuwypowiedzeniowe sekwencje są pod względem informacyjnym tożsame z jednym wypowiedzeniem, a więc nie zawierającym parentezy. Por. np.

Sąsiadki od samego rana gadają pod moimi drzwiami.
Sąsiadki, cholera jasna (kurczę blade), od samego rana gadają pod moimi drzwiami.
Sąsiadki od samego rana gadają, cholera jasna (kurczę blade), pod moimi drzwiami.

Użycie wyrażenia znaczącego pociąga za sobą określone treści: komunikowane przez nadawcę w sposób bezpośredni, a także wynikające z tego, co nadawca powiedział. Na przykład za pomocą czasownika *owdowiała* (w zdaniu *Dorota owdowiała*) komunikuje się, iż mąż pewnej osoby zmarł, a pośrednio także i to, że przestała być ona mężatką i że jest kobietą. Negacja tych treści pozostaje w sprzeczności ze znaczeniem czasownika *owdowiała*, co świadczy o tym, iż należą one do tego znaczenia (są przez nie implikowane). Jeżeli nie da się stwierdzić, co nadawca powiedział za pomocą danego wyrażenia, ani czego odbiorca dowiedział się na podstawie tego, że nadawca użył danego wyrażenia, to można przypuszczać, że jest ono semantycznie puste.

2. Treść i zakres pojęcia wulgaryzmu. Rodzaje wulgaryzmów

Pojęcie przekleństwa — w każdym z omawianych tu jego sensów (również w tzw. sensie wyrażeniowym, reprezentowanym przez jednostkę *ktoś przeklina*) — jest semantycznie niezależne od pojęcia wulgarności, a mówiąc ściślej żadne z tych pojęć nie implikuje drugiego. Świadczy o tym niesprzeczność zdań przeciwstawnych konstytuowanych przez wyrażenia reprezentujące porównywane pojęcia; por. *przeklina, ale nie mówi w sposób wulgarny* i *mówi w sposób wulgarny, ale nie przeklina.* Wulgarność nie jest atrybutem wyłącznie mówienia, lecz również wielu innych czynności, dotyczących obiektów pozajęzykowych, por. np. *ubiera się, tańczy, spogląda w sposób wulgarny.* Takiego pojęcia wulgarności, które jest implikowane przez wyrażenia języków naturalnych, nie da się jednak wyjaśnić w sposób niezależny od mówienia, a ściślej od znaczenia wyrażenia *mówi*.

Poprzez użycie wyrażenia wulgarnego mówiący łamie obowiązującą w danej zbiorowości konwencję kulturową, a skoro narzędziem, za pomocą którego zostaje ona naruszona, jest wyrażenie, to tym samym łamie on pośrednio konwencję językową. Zgodnie z rozpowszechnioną konwencją kulturową nie ujawnia się faktów z zakresu życia osobistego (zwłaszcza seksualnego) człowieka, dotyczących jego intymnych części ciała. Użytkownicy języka mają świadomość istnienia związku asocjacyjnego między wyrażeniami a charakteryzowanymi przez nie obiektami i stanami rzeczy. Ludzie wiedzą, że użycie pewnych wyrażeń językowych ujawniających negatywne emocje, zwłaszcza wyrażeń nazywających niektóre części ciała i czynności fizjologiczne (w tym akty seksualne), uważa się powszechnie za niewłaściwe i że zbiorowości ludzkie nie aprobują zachowań językowych polegających na używaniu takich wyrażeń. Można zatem przypuszczać, że użytkownicy języka mają zakorzenioną w swojej świadomości pewną autocenzurę słownikową: wiedzą, że za pomocą takich a takich sekwencji dźwięków (ciągów liter) łamią powszechnie przyjętą w danej zbiorowości normę obyczajową. Do systemu leksykalnego języka należą więc takie jednostki, które są objęte zakazem użycia, czyli tzw. tabu językowym. **Wulgaryzm zatem to jednostka leksykalna, za pomocą której mówiący ujawnia swoje emocje względem czegoś lub kogoś, łamiąc przy tym tabu językowe.**

Przedstawiona charakterystyka wulgaryzmu ma przede wszystkim motywację kulturową, a ściślej obyczajową. Co najmniej jedno ze znaczeń każdego podstawowego wyrażenia wulgarnego (pomija się w tym miejscu — dla skrótu i uproszczenia — jednostki wielosegmentowe i derywowane) ma związek z intymną częścią ciała lub czynnością fizjologiczną (najczęściej z aktem seksualnym), a więc dotyczy sfery życia, na temat której z reguły nie mówi się publicznie. Por. wyrażenia: *chuj, dupa, gówno, jebać, kurwa, pierdolić, pierdzieć, pizda, srać*. Faktu, dlaczego właśnie te wymienione, a nie inne, ciągi liter są objęte tabu, nie da się racjonalnie w sposób definitywny wyjaśnić.

Za wulgaryzmy uważa się wszelkie wyrażenia zawierające pewne określone układy liter, a więc nie tylko bez względu na to, jakie te wyrażenia mają znaczenie, ale również bez względu na to, czy są one jednostkami znaczącymi czy pustymi semantycznie — zob. np. hasła *jebać, kurwa, pierdolić*. W związku z tym w klasie wulgaryzmów należy wyróżnić podklasę wulgaryzmów systemowych (właściwych). **Wulgaryzm systemowy** to jednostka leksykalna objęta tabu wyłącznie ze względu na jej cechy wyrażeniowe (formalne), inaczej mówiąc: niezależnie od jej właściwości semantycznych i rodzaju kontekstu użycia. Za pomocą wulgaryzmów systemowych naruszane są przede wszystkim konwencje językowe. Łamanie konwencji kulturowych stanowi tu jedynie konsekwencję podporządkowania zachowań językowych ogólnym normom kulturowym.

Pewne jednostki leksykalne objęte są tabu tylko w określonych znaczeniach, a mianowicie w odniesieniu do części ciała i czynności fizjologicznych. Zob. *dmuchać, fujara, szpara*. W opozycji do wulgaryzmów systemowych (właściwych) będą tu one nazywane wulgaryzmami referencyjno-obyczajowymi (w skrócie: obyczajowymi). **Wulgaryzm referencyjno-obyczajowy** to jednostka leksykalna objęta tabu ze względu na jej cechy semantyczne i zakres odniesienia przedmiotowego. Za pomocą tego rodzaju wulgaryzmów naruszane są konwencje kulturowe przyjęte w danej zbiorowości.

Wulgaryzmy referencyjno-obyczajowe nie tworzą zamkniętego zbioru jednostek, nie da się więc ustalić ich pełnej listy. Relacje między tym zbiorem a zbiorem jednostek języka ogólnego są zmienne, można je charakteryzować tylko w przybliżeniu. Dość często trudno odpowiedzieć na pytanie, czy dany wulgaryzm obyczajowy jest rozpowszechniony w języku ogólnopolskim, czy jedynie w określonych środowiskach społecznych, czy należy wyłącznie do czyjegoś idiolektu. W *SPPiW* rejestruje się z założenia tylko wulgaryzmy rozpowszechnione w języku ogólnym. Trudności z kwalifikacją poszczególnych wyrażeń z punktu widzenia ich przynależności zarówno do klasy wulgaryzmów, jak i do systemu języka ogólnego, były rozstrzygane w sposób arbitralny.

Bezwzględnej, dychotomicznej oceny wyrażeń z punktu widzenia normy obyczajowej, a więc także opozycji „wulgaryzm/nie wulgaryzm", niepodobna dokonać. Zbiory jednostek uważanych za wulgarne w różnych środowiskach społecznych, w różnych pokoleniach użytkowników języka, nie pokrywają się. Wola nakładania tabu na określone wyrażenia jest zmienna w czasie, brak jest ponadto ostrych (niechwiejnych) norm kulturowych. W *SPPiW* trudno uniknąć gradacyjnej charakterystyki wulgaryzmów. W związku z tym — oprócz rozróżnienia wulgaryzmów systemowych i referencyjno-obyczajowych — będą stosowane następujące bardziej szczegółowe charakterystyki wulgaryzmów systemowych za pomocą takich oto kwalifikatorów:

posp./wulg. — rodzaj wulgaryzmu systemowego o relatywnie niskim stopniu nacechowania, inaczej: jednostka na ogół uważana za wulgarną — w kulturalnym kręgu rozmówców, zwłaszcza starszego i średniego pokolenia; zob. np. hasła *gówniarz, pierdoła, przypieprzyć*,

wulg. — rodzaj wulgaryzmu systemowego: jednostka powszechnie uznawana za wulgarną; zob. np. hasła *dupczyć, kutas, usrać*,

wulg.! — rodzaj wulgaryzmu systemowego o wysokim stopniu nacechowania, inaczej: jednostka uważana powszechnie za bardzo wulgarną; zob. np. hasła *chuj, jebać, pizda*.

3. Przekleństwo, wulgaryzm, wyzwisko — wzajemne korelacje

Z przedstawionej charakterystyki pojęcia wulgaryzmu wynika, że między mówieniem w sposób wulgarny a przekazywaniem informacji nie ma jakichkolwiek zależności logicznych. Wulgaryzmy mogą być zarówno ciągami pustymi semantycznie, ujawniającymi wyłącznie emocje mówiącego, jak i ciągami znaczącymi, które służą charakterystyce jakiegoś obiektu bądź stanu rzeczy. Por. np.

Jak ten kręgosłup, kurwa, strasznie boli!
W tym hotelu kurwy są wyjątkowo drogie.

Zgodnie z przyjętymi tu definicjami pojęć *przekleństwo* i *wulgaryzm* trzeba stwierdzić, iż między ich zakresami zachodzi relacja krzyżowania: istnieją przekleństwa niewulgarne, a także wulgaryzmy nie należące do zbioru przekleństw. Por. np.

Zaczniesz być w końcu poważna, do kurwy nędzy, czy nie? (*przekl.* i *wulg.*)
Żeby ich w końcu szlag trafił, tego całego prezesa i jego spółkę! (*przekl.*)
Ktoś jej zajebał portfel w autobusie. (*wulg.!*)

Niektóre przekleństwa i niektóre wulgaryzmy są często używane jako wyzwiska. Por. np.

Odczep się od niego, cholero!
Nie możesz tego pojąć, dupo wołowa!
Pilnuj swojej baby, ty chuju rybi!

Przyjmuje się tu, że **wyzwisko to zwykle spontanicznie wypowiedziane wyrażenie, ujawniające emocje mówiącego względem adresata; może być ono użyte po to, aby adresat wiedział, że mówiący czuje względem niego coś złego, i żeby adresat czuł się źle z tego powodu.** Wyzwiska nie są odrębnymi jednostkami systemu leksykalnego, lecz jedynie wytworami aktów mowy. Nacechowane pragmatycznie jednostki (jedno- lub wielosegmentowe), konstytuowane przez rzeczownik (zwykle w formie wokatiwu lub nominatiwu), m o g ą stawać się wyzwiskami, o ile zostaną użyte w odniesieniu do określonego obiektu osobowego. Do funkcji wyzwiska nie są predestynowane wyłącznie wulgaryzmy i przekleństwa. Por. np. ciągi liter nie należące do żadnego z tych dwóch zbiorów jednostek:

Świnia! Ty kretynie jeden! Krowa! Bałwan! Parszywa owco!

Możliwości użycia przekleństw i wulgaryzmów jako wyzwisk rejestrowane są eksplicite w *SPPiW*, w końcowej części odpowiednich artykułów hasłowych — zob. np. hasła *kurwa, kutas, pizda.*

4. Wulgaryzmy a eufemizmy

Wulgaryzmy stawia się często w opozycji do eufemizmów. Jednostek reprezentujących obie te klasy nacechowanych pragmatycznie wyrażeń nie da się jednak wyodrębniać na podstawie tego samego kryterium: przeciwczłonami opozycji, w które wchodzą eufemizmy nie muszą być wulgaryzmy; por. np. *zasnął na wieki — zmarł, w stroju Adama — nago.* Pojęcie **eufemizmu** odnosi się do wszelkich wyrażeń językowych, które (a) charakteryzują obiekt lub stan rzeczy w sposób pośredni (nie wprost), (b) są użyte z intencją zastąpienia (zamiast) jednostki, która służy do bezpośredniej charakterystyki tego samego typu obiektu lub stanu rzeczy, (c) są oceniane z punktu widzenia przyjętej przez daną zbiorowość konwencji jako lepsze — w opozycji do wyrażeń prezentujących charakterystykę bezpośrednią, uważanych za gorsze. Konwencja przyjęta w danej zbiorowości może obowiązywać w języku ogólnym bądź w języku określonej dziedziny ludzkiej działalności, np. w języku polityki, dyplomacji, religii.

Uznanie danego wyrażenia za eufemizm stanowi konsekwencję jego oceny porównawczej, na tle co najmniej jednego, innego obiektu językowego. Eufemizm jest więc wielkością relatywną: dana jednostka s t a j e s i ę eufemizmem w zestawieniu z inną, która z punktu widzenia przyjętej w danej zbiorowości konwencji nie podlega aprobacie (jest objęta tabu) lub przynajmniej oceniana jest jako gorsza (aprobowana w mniejszym stopniu).

Tylko takie eufemizmy mogą być przeciwstawiane wulgaryzmom, które są z wulgaryzmami tożsame znaczeniowo lub przynajmniej funkcjonalnie — w wypadku jednostek semantycznie pustych, np. przekleństw.

Ocena porównawcza wyrażeń zmierzająca do ich kwalifikowania jako eufemizmów jest niezwykle trudna, zależy m.in. od przynależności badacza (użytkownika) języka do grupy pokoleniowej i społecznej, jest w dużej mierze subiektywna. W *SPPiW* przyjmuje się zasadę, że rejestrowane będą (a) eufemizmy należące do klasy przekleństw (por. np. hasła *kuchnia, kur, kurczę, kurde, kurna* i *kurwa*) oraz (b) tylko takie nieliczne eufemizmy — porównywalne z typowymi wulgaryzmami — które przy założeniu, że pojęcie tabu językowego ma szeroki zakres znaczeniowy, mogą być uznane również za wyrażenia wulgarne, ale w mniejszym stopniu. Por. np. *pieprzyć* i *pierdolić*.

5. Zakres słownika i źródła materiału

W *SPPiW* rejestruje się jednostki używane we współczesnym języku ogólnopolskim. Pominięte zostały świadomie (a) jednostki mające ograniczony idiolektalnie, środowiskowo i terytorialnie zasięg użycia (np. wyrażenia charakterystyczne dla gwar przestępczych), (b) jednostki, których dawne nacechowanie wulgarnością uległo neutralizacji, (c) jednostki stylu potocznego wyrażające postawy powszechnie dezaprobowane (np. pogardę czy drwinę) i z tego powodu kwalifikowane niekiedy jako wulgarne.

Materiał źródłowy stanowiący podstawę opracowania *SPPiW* pochodzi przede wszystkim (a) z wypowiedzi ustnych wielu rodzimych użytkowników języka polskiego różnych pokoleń, (b) z tekstów publikowanych, zwłaszcza literackich (w tym przekładów na język polski) i prasowych, (c) ze słowników języka polskiego, zarówno **19** ogólnych, jak i specjalistycznych (wymienionych w *Przedmowie* i/lub w wykazie odsyłaczy), (d) z polskiej literatury językoznawczej dotyczącej problematyki przekleństw i wulgaryzmów (zob. bibliografia).

6. Hasła a jednostki leksykalne

Jednostki leksykalne — podstawowe obiekty opisu w słowniku — są rejestrowane i charakteryzowane w artykułach hasłowych. Granice kolejnych artykułów hasłowych są wyznaczane przez wyrazy hasłowe, inaczej hasła. Hasło to wyróżniony graficznie, wyłącznie ze względów kompozycyjnych, ciąg liter pełniący funkcję analogiczną do tytułu tekstu, ma więc służyć do łatwego odnajdywania poszczególnych jednostek. Hasło sygnalizuje początek artykułu zawierającego opis jednej lub wielu takich jednostek leksykalnych, które w całości, lub których co najmniej pewne podciągi, pokrywają się z wyrazem hasłowym lub jego częścią. Np. jednostka *kurwa* pokrywa się w całości z wyrazem hasłowym. W wypadku jednostki *Kurza dupa!* tylko jej drugi podciąg pokrywa się z wyrazem hasłowym. Natomiast jednostka *Ja pierdolę!* pozostaje z punktu widzenia kształtu w relacji krzyżowania się z wyrazem hasłowym (*pierdolić*).

Zależność między danym hasłem a jednostkami leksykalnymi zamieszczonymi w artykule wprowadzonym przez to hasło jest zależnością wyłącznie zewnętrzną, graficzną. Wyrazowi hasłowemu z założenia nie przypisuje się żadnych właściwości językowych (ani gramatycznych, ani semantycznych). W *SPPiW* hasła uporządkowane są alfabetycznie.

7. Pojęcie jednostki leksykalnej

Przyjęty w *SPPiW* sposób rozumienia pojęcia jednostki leksykalnej oparty jest na teoretycznych i metodologicznych założeniach koncepcji jednostek języka Andrzeja Bogusławskiego, przedstawionej przez niego w licznych pracach (np.: *O zasadach rejestracji jednostek języka*, Poradnik Językowy 1976, 8, 356–364; *Towards an operational grammar*, Studia semiotyczne 8, 1978, 29–90). Ponieważ celem słownika nie jest rozstrzyganie podstawowych teoretyczno-metodologicznych problemów lingwistyki ani nawet podejmowanie dyskusji nad takimi problemami, nie będzie tu rozważana koncepcja teoretyczna A. Bogusławskiego, a tym bardziej ewolucja, jakiej ulegała ona w ciągu ostatnich dwudziestu lat.

Dla potrzeb *SPPiW* przyjmuje się w uproszczeniu, że jednostka leksykalna (ściślej: leksykalna jednostka języka) jest minimalnym ciągiem elementów diakrytycznych, niepodzielnym z punktu widzenia cech wyrażeniowych (cech kształtu) i funkcjonalnych na żadne takie podciągi, które reprezentowałyby klasy substytucyjne niezamknięte, a więc klasy podlegające charakterystyce ogólnej (zarówno ze względu na cechy wyrażeniowe, jak i funkcjonalne). Jednostką leksykalną jest np. ciąg *ktoś$_1$ stroni od kogoś$_2$ (czegoś)*, ponieważ zarówno podciąg *stroni*, jak i podciąg *od* reprezentują — z punktu widzenia ich cech funkcjonalnych (tu ściślej: semantycznych) — klasy substytucyjne zamknięte. Klasę semantyczną czasowników języka polskiego rządzących przyimkiem *od* można scharakteryzować wyłącznie przez wyliczenie należących do niej elementów, stanowi więc ona klasę zamkniętą. Przyimek *od* jako część ciągu *stroni od* nie ma alternantów, reprezentuje więc również klasę zamkniętą. Nie jest natomiast jednostką leksykalną ciąg *ktoś czyta coś podczas czegoś*, zarówno klasa reprezentowana przez *czyta*, jak i klasa reprezentowana przez *podczas* są bowiem klasami substytucyjnymi niezamkniętymi. Nawet bez wdawania się w tym miejscu w ścisłą charakterystykę ogólną tych klas, można stwierdzić, iż charakterystyka taka jest wykonalna: każde zdarzenie jest zlokalizowane w czasie i można je opisywać, odwołując się do czasu, w którym ma miejsce inne zdarzenie. Do czasowników komunikujących o zdarzeniach (a więc również o czynnościach, np. *czyta, pisze, tańczy,...*) można dodawać przyimki o funkcji temporalnej (np. *podczas, w czasie, w trakcie, przed, po, przy,...*), które z kolei wymagają użycia rzeczownika (reprezentującego klasę niezamkniętą) w odpowiedniej formie przypadkowej. Jednostki *ktoś czyta coś* i *podczas czegoś* jako minimalne ciągi elementów diakrytycznych wchodzą w układy proporcjonalne ze względu na kształt i cechy funkcjonalne; por. np. *ktoś czyta coś podczas czegoś* : *ktoś czyta coś przed czymś = ktoś tańczy podczas czegoś* : *ktoś tańczy przed czymś*. Takie układy mogą być na zasadzie analogii przedłużane o kolejne połączenia jednostek leksykalnych; por. np. *ktoś pisze coś w czasie czegoś* i *ktoś pisze coś w trakcie czegoś, ktoś pływa w czasie czegoś* i *ktoś pływa w trakcie czegoś*. Świadczy to o istnieniu w języku reguł ogólnych umożliwiających tworzenie połączeń jednostek leksykalnych.

Celem *SPPiW* jest rejestracja i opis jednostek leksykalnych (spełniających określone wcześniej warunki definicyjne nałożone na pojęcie przekleństwa i wulgaryzmu), a nie połączeń jednostek. Kwalifikacja dużej liczby ciągów do jednego z tych dwóch zbiorów sprawiała niemało kłopotów. Ciągi kontrowersyjne zaliczane były arbitralnie przez autora *SPPiW* do klasy jednostek leksykalnych.

8. Zasady rejestracji jednostek leksykalnych i opisu ich cech gramatycznych

Ze wstępnej charakterystyki podanych wyżej przykładów jednostek leksykalnych wynika, że jeżeli dana jednostka otwiera pozycję syntaktyczną dla elementów klasy substytucyjnej niezamkniętej, to pozycja ta stanowi integralną część tej jednostki, a w związku z tym powinna być uwzględniona nie tylko w jej opisie składniowym, ale również w samej notacji jednostki. Takie jednostki leksykalne, które otwierają pozycje syntaktyczne, nazywane są w skrócie (i uproszczeniu) jednostkami walencyjnymi, jednostki nie mające tej cechy — jednostkami awalencyjnymi.

Ogromna większość jednostek leksykalnych to jednostki wielosegmentowe, a więc takie ciągi elementów diakrytycznych, które zawierają co najmniej jedną pauzę wewnętrzną (przerwę wewnątrz układu liter). Zarówno jednostki jedno-, jak i wielosegmentowe mogą być jednostkami walencyjnymi bądź awalencyjnymi. W *SPPiW* przyjmuje się, że miejsca walencyjne są sygnalizowane przede wszystkim za pomocą odpowiednich form przypadkowych zaimków nieokreślonych *ktoś*, *coś*. Jeżeli w danej pozycji syntaktycznej dopuszczalne jest użycie zarówno rzeczowników osobowych, jak i nieosobowych, to fakt ten odnotowuje się poprzez umieszczenie w zapisie jednostki obu zaimków, oddzielonych znakiem alternatywy (a. — „albo"). Jako pierwszy umieszcza się z reguły zaimek osobowy, chyba że istnieją podstawy do przypuszczeń, iż użycie w danej pozycji rzeczownika nieosobowego jest zdecydowanie częstsze. W zapisach jednostek dwu- i więcej niż dwuwalencyjnych brak tożsamości odniesienia przedmiotowego wyrażeń wypełniających miejsca walencyjne sygnalizuje się za pomocą indeksów cyfrowych zamieszczanych obok zaimków nieokreślonych (ściślej: we frakcji dolnej). Por. np. *ktoś$_1$ pierdoli komuś$_2$ o czymś* a. *kimś$_3$., chuj komuś$_1$ do czegoś* a. *kogoś$_2$*. Indeksy cyfrowe, stosowane także w definicjach jednostek leksykalnych, pełnią również inną istotną funkcję w ich charakterystyce, mianowicie umożliwiają identyfikację zmiennych w członie definiowanym i definiującym.

Jeżeli cech gramatycznych danej pozycji otwieranej przez jednostkę nie da się jednoznacznie scharakteryzować za pomocą zaimków nieokreślonych *ktoś*, *coś*, to pozycja ta jest sygnalizowana za pomocą poziomej kreski umieszczonej obok jakiegoś segmentu danej jednostki. Notację taką stosuje się często w celu zarejestrowania jednostki otwierającej miejsce dla zdania lub frazy o różnych formach gramatycznych. Obok poziomej kreski symbolizującej daną pozycję podawana jest często — w nawiasie kwadratowym — ogólna charakterystyka gramatyczna lub semantyczno-gramatyczna klasy wyrażeń, które mogą być użyte w tej pozycji. Nawias okrągły, wewnątrz którego umieszczony jest zaimek nieokreślony lub pozioma kreska, symbolizuje fakultatywność danej pozycji syntaktycznej. Por. np. *chuj (kogoś) wie __* [pytanie zależne], *niech ktoś zabiera swoją dupę __* [fraza przyimkowa lub przysłówkowa określająca miejsce]!, *gówno z kogoś, nie __* [nazwa zawodu].

W *SPPiW* przyjmuje się zasadę, że odmienne jednostki leksykalne rejestrowane są w ich formach podstawowych. Za takie formy uznaje się: formę mianownika liczby pojedynczej rzeczownika, formę mianownika liczby pojedynczej rodzaju męskiego przymiotnika, formę trzeciej osoby czasu teraźniejszego czasownika niedokonanego, formę trzeciej osoby czasu przeszłego czasownika dokonanego. Jednostki czasownikowe pełniące funkcję rozkaźnika rejestrowane są w ogromnej większości wypadków również w formie trzeciej osoby, np. *niech kogoś a. coś cholera weźmie!*, *niech ktoś idzie w pizdu!* Jednostki używane w języku potocznym zdecydowanie częściej w formie drugiej osoby (liczby pojedynczej) rejestrowane są wyjątkowo w tej formie; np. *Nie pierdol!*, *Pieprz się we własną dupę!*

Jednostki wielosegmentowe, zwłaszcza walencyjne, mają zazwyczaj zmienny szyk poszczególnych segmentów. Rejestracja takich jednostek wymaga uznania, iż jeden z dopuszczalnych układów linearnych segmentów danej jednostki (najmniej nacechowany) jest układem podstawowym, a inne są układami wtórnymi (wariantami układu podstawowego). Zapis danej jednostki ma odzwierciedlać (z założenia) podstawowy układ jej segmentów. Decyzja, iż dany układ linearny segmentów jednostki jest układem podstawowym, ma istotne znaczenie dla budowy wielu artykułów hasłowych. Jednostki dwu- i więcej niż dwusegmentowe, odnotowywane w tym samym artykule hasłowym, rejestruje się w kolejności wynikającej z porządku alfabetycznego kolejnych segmentów. Przy ustalaniu tego porządku pomija się zmienne typu *ktoś, coś* symbolizujące pozycje syntaktyczne. O układzie jednostek w artykule hasłowym zob. też w p. 13.

Niektóre jednostki wielosegmentowe różnią się od siebie w niewielkim stopniu. Jednostki oparte na tym samym segmencie (co najmniej jednym), mające tę samą funkcję lub to samo znaczenie, często zawierają alternujące ze sobą segmenty. Takie jednostki, tworzące klasy zamknięte (z reguły kilkuelementowe serie), określa się ze względu na daną klasę mianem jednostek wymiennoczłonowych. W *SPPiW* jednostki wymiennoczłonowe rejestruje się na ogół w postaci ciągu stanowiącego jedną formułę. Segmenty podlegające wzajemnej substytucji oddziela się od siebie ukośnymi kreskami. Zob. np. hasła *czort, krew, licho*. Za pomocą jednej formuły prezentowane są zwykle również jednostki konstytuowane przez czasowniki tworzące sufiksalną parę aspektową; zob. np. *ktoś$_1$ daje/ dał komuś$_2$., ktoś$_1$ dosrał/ dosrywa komuś$_2$., ktoś odpierdolił/ odpierdala coś.*

Z punktu widzenia relacji zachodzących między jednostką leksykalną a wypowiedzeniem rozróżnia się jednostki wypowiedzeniowe i niewypowiedzeniowe. Jednostka wypowiedzeniowa funkcjonuje jako samodzielne wypowiedzenie w takiej postaci, w jakiej jest zarejestrowana, nie wymaga więc żadnych uzupełnień ani transformacji. Jednostki takie, zapisywane dużą literą, zakończone są kropką lub znakiem ekwiwalentnym (wykrzyknikiem, pytajnikiem). Taki sposób ich notacji ma zdawać sprawę z ich samodzielności funkcjonalno-składniowej. Znak interpunkcyjny umieszczony na końcu jednostki wypowiedzeniowej sygnalizuje jedynie typowy sposób jej użycia. Funkcje i pozycje poszczególnych jednostek w tekście mogą być różne (np. dopuszczalne użycia parentetyczne). Jednostkami wypowiedzeniowymi są np. ciągi: *Gówno prawda., Kurwa mać!, Kur zapiał!, Pierdolicie, Hipolicie., Rany boskie!*

Jednostka niewypowiedzeniowa to jednostka będąca jednym ze składników wypowiedzenia. Ze względu na funkcję takich jednostek w wypowiedzeniu rozróżnia się jednostki wypowiedzeniotwórcze i niewypowiedzeniotwórcze. Pierwsze są zdolne do konstytuowania wypowiedzeń i tworzą je w połączeniu z co najmniej jedną inną jednostką leksykalną, jako takie należą do klasy jednostek walencyjnych. Jednostki niewypowiedzeniotwórcze nie są zdolne do konstytuowania wypowiedzeń bez względu na to, czy są jednostkami walencyjnymi, czy awalencyjnymi. Jednostki wypowiedzeniotwórcze — w opozycji do wypowiedzeniowych — zapisywane są małą literą, analogicznie do nich zakończone są kropką lub znakiem ekwiwalentnym. Por. np. *ktoś$_1$ dupczy kogoś$_2$., niech kogoś* a. *coś gęś kopnie!, ktoś$_1$ ma przesrane u kogoś$_2$.* Jednostki niewypowiedzeniotwórcze, zapisywane małą literą, nie są zamknięte żadnym znakiem graficznym. Por. np. *chujowy, dupodajka, pizda w korach.*

9. Zasady hasłowania jednostek leksykalnych. Odsyłacze

W *SPPiW* przyjmuje się, iż hasłem jest ciąg liter nie zawierający pauzy. Rejestracja jednostek jednosegmentowych w odpowiadających im artykułach hasłowych nie wymaga dodatkowego komentarza (por.

p. 6). Każda jednostka dwu- i więcej niż dwusegmentowa charakteryzowana jest tylko w jednym artykule hasłowym. Wielosegmentowy wulgaryzm opisuje się w artykule hasłowym wprowadzonym przez to hasło, któremu odpowiada segment jednostki nacechowany wulgarnie. Jeżeli takich segmentów jest więcej niż jeden, to za segment odpowiadający danemu wyrazowi hasłowemu uznaje się pierwszy linearnie spośród segmentów wulgarnych danej jednostki, biorąc pod uwagę podstawowy dla tej jednostki (najmniej nacechowany) wewnętrzny układ jej segmentów. Np. jednostka *w dupę jebany* opisywana jest w artykule wprowadzonym przez hasło *dupa*, a jednostka *ktoś wyżej sra niż dupę ma.* — w artykule wprowadzonym przez hasło *srać*. W artykułach wprowadzanych przez hasła, którym odpowiadają kolejne segmenty wulgarne danej jednostki, zamieszcza się jedynie odsyłacze do artykułu hasłowego, w którym jest ona charakteryzowana. Odsyłacze podaje się na końcu danego artykułu hasłowego i poprzedza się je zapisem: ○ zob. ponadto; por. np. hasła *dupa, jebać, pierdolić*.

Wielosegmentowe przekleństwa nie nacechowane wulgarnie opisuje się w artykułach hasłowych wprowadzanych przez wyrazy hasłowe reprezentujące segmenty najbardziej typowe dla przekleństw. Np. jednostkę *Cholera jasna!* wymienia się pod hasłem *cholera*, jednostkę *Do stu diabłów!* pod hasłem *diabeł*, a jednostkę *Rany boskie!* pod hasłem *rana*.

10. Definiowanie jednostek leksykalnych

Wszystkie jednostki leksykalne z wyjątkiem przekleństw — uznanych ex definitione za ciągi znaczeniowo puste — są poddane charakterystyce semantycznej. Z założenia oddziela się ją od charakterystyki pragmatycznej. Z punktu widzenia metod opisu semantycznego jednostki leksykalne traktowane są tu jako wielkości unilateralne. Inaczej mówiąc, nie przypisuje się poszczególnym jednostkom dwóch ani większej liczby znaczeń, lecz każdą jednostkę przytacza się tyle razy, ile odrębnych charakterystyk semantycznych w wyniku dokonanej analizy trzeba jej przyporządkować. Zob. np. hasła *chuj, dupa, kurwa, pizda*.

W SPPiW znaczenia jednostek opisuje się dwojako: albo za pomocą nie nacechowanego pragmatycznie (neutralnego) równoznacznika danej jednostki; np. *chuj* 'członek męski', *kurwa* 'prostytutka', $ktoś_1$ *obrabia/obrobił* $komuś_2$ *dupę.* '$ktoś_1$ obmawia $kogoś_2$'; albo za pomocą definicji, czyli ciągu rozczłonkowanego, stanowiącego połączenie jednostek leksykalnych. W tych wypadkach, w których autor nie mógł sobie poradzić z ustaleniem równoznacznika danej jednostki należącego do systemu leksykalnego języka ogólnopolskiego, podawany był jej bliskoznacznik.

Na charakterystyki znaczeniowe jednostek za pomocą definicji (w tym także na strukturę definicji) nie nakłada się z góry żadnych ograniczeń. Wszelkie definicje muszą jednak spełniać elementarne warunki poprawności dość powszechnie przyjmowane we współczesnej literaturze z zakresu semantyki leksykalnej.

W *SPPiW* stosowane są dwa rodzaje definicji: przedmiotowe i metajęzykowe. Definicje przedmiotowe spełniają postulat przekładalności, to znaczy że definiens (właściwa część definicji) podstawiony na miejsce jednostki definiowanej (definiendum) w wypowiedzeniu, w którym jest ona użyta, nie narusza jego poprawności semantycznej. W definicjach metajęzykowych, z założenia nie spełniających postulatu przekładalności, definiowana jednostka traktowana jest jako wyrażenie językowe. Oba rodzaje definicji mogą mieć charakter kontekstowy lub bezkontekstowy. Zależy to przede wszystkim od cech syntaktycznych definiowanej jednostki leksykalnej, na przykład jednostki niewypowiedzeniotwórcze awalencyjne mają z reguły definicje bezkontekstowe; por. *dupa* 'część ciała, na której się siada', a jednostki wypowiedzeniotwórcze — definicje kontekstowe; por. *ktoś$_1$ podpiździł coś komuś$_2$.* 'ktoś$_1$ ukradł coś komuś$_2$'.

Część definicji metajęzykowych jest zredukowana do charakterystyki zakresu odniesienia jednostki. Definicje takie mają z reguły kształt frazy rzeczownikowej w miejscowniku (frazy typu *o kimś* a. *o czymś*), np. *dupa* 'o kobiecie traktowanej jako obiekt zainteresowań seksualnych'. Jeżeli właściwa definicja przedmiotowa jednostki jest poprzedzona charakterystyką jej zakresu odniesienia, to te dwie części formuły definicyjnej oddzielone są od siebie dwukropkiem. Np. *ktoś podupczył sobie.* 'o partnerze aktywnym: ktoś spędził trochę czasu na uprawianiu seksu'.

Jeżeli w postaci jednego wielosegmentowego ciągu rejestrowane są dwie jednostki wymiennoczłonowe (lub większa ich liczba), to ich definicja dostosowana jest do formy tylko pierwszego z zarejestrowanych segmentów wymiennych tych jednostek; np. *ktoś$_1$ wkurwił/wkurwia się na kogoś$_2$* a. *coś.* 'ktoś$_1$ zdenerwował się na kogoś$_2$ a. z powodu czegoś'.

Ponieważ wielu jednostkom trudno jest przyporządkować jedną, ścisłą charakterystykę semantyczną, dość często podaje się niezależne od siebie charakterystyki alternatywne, na przykład za pomocą nie nacechowanego pragmatycznie równoznacznika (lub bliskoznacznika) jednostki i za pomocą definicji metajęzykowej; np. *dupa* 'oferma' 'o kimś pod jakimś względem niezaradnym'; albo za pomocą dwóch (lub większej liczby) odrębnych definicji; np. *ktoś$_1$ pierdoli coś* a. *kogoś$_2$*. 'kogoś$_1$ nic nie obchodzi coś a. ktoś$_2$' 'ktoś$_1$ ignoruje coś a. kogoś$_2$' 'ktoś$_1$ ma do czegoś a. do kogoś$_2$ wrogi stosunek'. Wydaje się, iż jest to rozwiązanie lepsze od arbitralnego wyboru charakterystyki semantycznej jednostki, której znaczenie ujawnia się często dopiero w szerokim kontekście i trudno jest je sprecyzować. Takiego sposobu opisu jednostki nie należy traktować jako „maskowania" jej niejednoznaczności: przyjmuje się, że jednostka jest monosemiczna, i że odbiorca może dokonać wyboru jednej z zaproponowanych charakterystyk. Alternatywnych opisów semantycznych również nie należy utożsamiać z opisami przez wyliczenie. Z zastosowania wyliczenia w budowie definiensa można bowiem wnioskować, iż między poszczególnymi członami wyliczenia, a także między każdym członem wyliczenia a definiowaną jednostką, zachodzi relacja równoznaczności. Takie założenie charakterystyki semantycznej jednostek w *SPPiW* nie jest przyjmowane. Trzeba podkreślić, iż charakterystyki alternatywne są od siebie całkowicie niezależne. Granice każdej charakterystyki semantycznej są wyznaczane za pomocą łapek ' '. Rozwiązaniem z metodologicznego punktu widzenia lepszym, niż tu przyjęte byłaby prezentacja wyłącznie jednej charakterystyki semantycznej każdej jednostki, charakterystyki zbudowanej z elementów prostych (niedefiniowalnych). Na obecnym etapie analizy znaczeniowej jest to jednak niemożliwe.

11. Kwalifikatory pragmatyczne jednostek

Cechy pragmatyczne jednostek leksykalnych zarejestrowanych w *SPPiW* charakteryzuje się za pomocą kwalifikatorów. Za podstawowe w tym słowniku kwalifikatory uznawane są etykietki zapisywane w postaci skrótów: *przekl., posp./wulg., wulg., wulg.!, wulg. obycz.* — zob. p. 1 i 2 oraz „Oznaczenia — skróty literowe". Każdej jednostce leksykalnej przyporządkowany jest co najmniej jeden z tych kwalifikatorów. W sposób od nich niezależny stosuje się w charakterystyce niektórych jednostek dodatkowe kwalifikatory pragmatyczne. Najczęstsze z nich zapisuje się w postaci skrótów (por. np. *eufem., pogard., żart.*), pozostałe — całymi wyrazami.

Ze względu na miejsce kwalifikatora pragmatycznego w artykule hasłowym rozróżnia się kwalifikatory zbiorcze i indywidualne. Pierwsze podaje się obok hasła, odnoszą się one wówczas do wszystkich jednostek zarejestrowanych w danym artykule hasłowym. Drugie zamieszcza się po charakterystyce semantycznej danej jednostki leksykalnej. Przysługują one wyłącznie tej jednostce. Kwalifikatory podstawowe podawane są zawsze przed dodatkowymi.

12. Derywaty w artykułach hasłowych

Regularnych pod względem formalnym i semantycznym derywatów, których podstawami słowotwórczymi są opisywane jednostki, nie traktuje się w *SPPiW* jako wyrazów hasłowych, a w związku z tym nie tworzy się dla nich odrębnych artykułów. Derywaty są wymieniane po charakterystyce odpowiedniej jednostki — podstawy; poprzedza je symbol o kształcie rombu ◇ oraz odpowiedni skrót literowy, sygnalizujący przynależność derywatu do danej klasy gramatycznej. Nie podaje się definicji derywatów ani ich kwalifikatorów pragmatycznych.

W ramach opisu jednostek rzeczownikowych wymienia się: zdrobnienia (*zdr.*) i zgrubienia (*zgr.*) — również nieregularne, np. *dupka, dupeczka, dupina, dupsko* — zob. *dupa*, oraz nazwy żeńskie utworzone od męskich (*n.ż.*), np. *gówniara* — zob. *gówniarz*. W ramach opisu jednostek przymiotnikowych rejestrowane są przysłówki odprzymiotnikowe z suf. *-e, -o* (*przysł. odprzym.*), np. *gównianie* — zob. *gówniany, chujowo* — zob. *chujowy*. Nie zachodziła potrzeba rejestrowania, w ogromnej większości wypadków, rzeczowników odczasownikowych z suf. *-cie, -enie, -nie* typu *dupczenie, pierdolenie*.

Derywaty semantycznie nieregularne opisywane są w odrębnych artykułach hasłowych (zob. np. hasła *dupczasty, jebaka*) lub jako osobne jednostki w artykułach wprowadzanych przez wyrazy hasłowe odpowiadające podstawom słowotwórczym derywatów (np. *jebany* — zob. *jebać, pierdolnięty* — zob. *pierdolnąć*).

13. Ogólne zasady budowy artykułów hasłowych

Każdy artykuł hasłowy zawiera o d r ę b n y opis jednej lub więcej niż jednej jednostki leksykalnej, może więc składać się z kilku lub kilkunastu (a nawet z kilkudziesięciu) mikroartykułów. Do zakresu mikroartykułu nie należą: (a) zbiorcze kwalifikatory pragmatyczne, podawane obok hasła i odnoszące się do wszystkich jednostek zarejestrowanych w danym artykule hasłowym, zob. np. *burdel, chuj;*

(b) podawana w końcowej części artykułu hasłowego informacja, które z zarejestrowanych jednostek mogą być używane jako wyzwiska, zob. np. *chuj, cipa*; (c) zamieszczane na końcu artykułu hasłowego odsyłacze wewnętrzne, to znaczy odsyłacze do innych artykułów hasłowych w *SPPiW*. Odsyłacze te poprzedza symbol ◯; zob. np. *bodajby, jasny*. Wszystkie pozostałe elementy opisu jednostki są składnikami odpowiedniego mikroartykułu. Schemat budowy każdego mikroartykułu jest taki sam, nie ma jednak konieczności przekazywania wszystkich typów informacji w każdym mikroartykule.

Pierwszym komponentem każdego mikroartykułu jest zapis jednostki leksykalnej — poprzedzony cyfrą arabską, jeżeli dany artykuł hasłowy zawiera co najmniej dwa mikroartykuły. Immanentną częścią zapisu każdej jednostki jest jej charakterystyka składniowa. Zasady tej charakterystyki zostały omówione w p. 8. Pozostałe informacje gramatyczne (zwłaszcza fleksyjne), a także informacje o cechach prozodycznych jednostki, podane są w nawiasach kwadratowych, bezpośrednio po formule rejestrującej daną jednostkę. Informacje tego rodzaju przedstawia się tylko w nielicznych mikroartykułach, mianowicie opisujących jednostki o nieregularnej (w tym też ograniczonej) w zestawieniu z obowiązujacymi paradygmatami odmianie. Zawsze sygnalizowana jest nieodmienność jednostek.

Charakterystyka semantyczna jednostki — prezentowana według zasad omówionych w p. 10 — zamieszczana jest po jej opisie gramatycznym. Bezpośrednio po charakterystyce semantycznej podaje się cechy pragmatyczne jednostki (zob. p. 11). Jeżeli dana jednostka jest podporządkowana zbiorczemu kwalifikatorowi pragmatycznemu, to wyróżnienie w mikroartykule jej dodatkowych cech pragmatycznych ma charakter fakultatywny.

W dalszej części mikroartykułu (po skrócie NP) przytacza się wypowiedzenia egzemplifikujące sposób użycia jednostki. W związku z tym, iż prezentacja sposobu użycia niektórych jednostek wymaga przytoczenia szerszego kontekstu, zawsze między dwoma kolejnymi przykładami użycia jednostki umieszcza się — w celu identyfikacji ich granic — dwie pionowe, równoległe kreski. Przykłady użycia są autentyczne lub spreparowane. Jeżeli przykład autentyczny pochodzi z tekstu publikowanego, obok cytatu podaje się w nawiasie (w postaci skrótowej) odsyłacz do tego tekstu. Odsyłacze do publikacji prasowych ograniczają się do tytułu periodyku.

Jeżeli dana jednostka może stanowić podstawę słowotwórczą dla jej regularnego derywatu, to w końcowej części mikroartykułu charakteryzującego tę jednostkę zarejestrowany jest ten derywat po symbolu o kształcie rombu ◇ .

Na końcu niektórych mikroartykułów podawane są odsyłacze — po symbolu o kształcie kwadratu □ — do niektórych słowników i literatury językoznawczej zawierającej charakterystykę danej jednostki.

Układ jednostek leksykalnych w artykule hasłowym jest podporządkowany następującym zasadom ogólnym. Najpierw rejestrowane są jednostki, których forma podstawowa jest tożsama z hasłem oraz inne jednostki jednosegmentowe, następnie jednostki dwu- i więcej niż dwusegmentowe — w porządku alfabetycznym kolejnych segmentów. W wypadku zmiennego szyku segmentów ustala się ich podstawowy układ linearny, to znaczy najmniej nacechowany (zob. p. 8). Przy ustalaniu porządku alfabetycznego jednostek pomija się słowa, które służą jedynie do zasygnalizowania pozycji syntaktycznych otwieranych przez daną jednostkę.

OZNACZENIA

Skróty literowe

a.	albo
ang.	angielskie
B	biernik
D	dopełniacz
dk	postać dokonana czasownika
eufem.	eufemizm
książk.	książkowe
l. mn.	liczba mnoga
l. p.	liczba pojedyncza
M	mianownik
młodzież.	młodzieżowe
ndk	postać niedokonana czasownika
ndm	jednostka nieodmienna
niem.	niemieckie
NP	na przykład (skrót wprowadzający przykłady użycia jednostki; zapisywany dużymi literami w celu wyraźnego oddzielenia dwóch głównych części opisu jednostki — części interpretującej od dokumentacyjnej)
n. ż.	nazwa żeńska
pieszcz.	pieszczotliwe
pogard.	pogardliwe
posp./wulg.	rodzaj wulgaryzmu systemowego (właściwego) o relatywnie niskim stopniu nacechowania, inaczej: jednostka na ogół uważana za wulgarną — w kulturalnym kręgu rozmówców, zwłaszcza starszego i średniego pokolenia (por. z.: wulg. i wulg.!)
przekl.	przekleństwo (zob. szerzej: Wstęp, p. 1)
przestarz.	przestarzałe
przysł. odprzym.	przysłówek odprzymiotnikowy
ros.	rosyjskie
rzad.	rzadkie
rzecz. odczas.	rzeczownik odczasownikowy

środ.	środowiskowe
uczn.	uczniowskie
W	wołacz
wulg.	rodzaj wulgaryzmu systemowego (właściwego): jednostka powszechnie uznawana za wulgarną
wulg.!	rodzaj wulgaryzmu systemowego (właściwego) o wysokim stopniu nacechowania, inaczej: jednostka uważana powszechnie za bardzo wulgarną
wulg. obycz.	wulgaryzm obyczajowy (ściślej: referencyjno-obyczajowy), inaczej: jednostka wulgarna ze względu na znaczenie i odniesienie, a nie ze względu na jej formę (w opozycji do wulgaryzmów systemowych); zob. szerzej: Wstęp, p. 2.
zdr.	zdrobnienie
zgr.	zgrubienie
żart.	żartobliwe

Symbole nieliterowe

.   Kropka zamykająca zapis jednostki leksykalnej oznacza, że dany ciąg jest jednostką wypowiedzeniową lub wypowiedzeniotwórczą (zapisy jednostek niewypowiedzeniotwórczych nie są zamknięte kropką). Pierwszy segment jednostki wypowiedzeniowej wprowadzany jest dużą literą, pierwszy segment jednostki wypowiedzeniotwórczej małą literą. Zob. o tym szerzej: Wstęp, p. 8.

! ?   Znaki graficzne zamykające zapis jednostki leksykalnej, ekwiwalentne względem kropki, stosowane wówczas, gdy jednostka wypowiedzeniowa lub wypowiedzeniotwórcza konstytuuje wypowiedzenie inne niż oznajmujące.

' '   Za pomocą łapek ustala się granice jednej (niezależnej od ewentualnych innych) charakterystyki semantycznej danej jednostki. Łapki służą do oddzielania od siebie zarówno dwóch charakterystyk semantycznych jednostki, jak i dwóch różnego rodzaju charakterystyk (np. semantycznej od pragmatycznej czy gramatycznej od semantycznej).

—   Pozioma kreska umieszczona obok jakiegoś segmentu danej jednostki symbolizuje pozycję syntaktyczną otwieraną przez tę jednostkę. Znak ten jest stosowany z reguły wówczas, gdy niemożliwa jest charakterystyka danej pozycji syntaktycznej za pomocą form zaimków *ktoś*, *coś*. Pozioma kreska jest niekiedy umieszczana również w zapisie ciągu charakteryzującego znaczenie jednostki.

/   Ukośna kreska umieszczana jest między wzajemnie zastępowalnymi członami (segmentami) jednostek wymiennoczłonowych.

‖   Za pomocą dwóch pionowych kresek (równoległych względem siebie) oddzielane są następujące bezpośrednio po sobie przykłady kontekstów użycia danej jednostki leksykalnej.

( )   Ciąg umieszczony wewnątrz nawiasu okrągłego (zwykłego) stanowi fakultatywną część danej jednostki.

[ ]   W nawiasie kwadratowym podawane są informacje gramatyczne (aby można je było łatwo oddzielić od wszelkich innych charakterystyk). Dotyczą one całej jednostki lub jej części, a zwłaszcza otwieranych przez jednostkę pozycji syntaktycznych.

◇   Symbol poprzedzający formacje derywowane (zwykle regularnie) od danej jednostki: zdrobnienia, zgrubienia, nazwy żeńskie od męskich, przysłówki odprzymiotnikowe, rzeczowniki odczasownikowe.

□   Symbol wprowadzający odsyłacz/e/ do niektórych słowników i innych prac omawiających daną jednostkę.

○   Symbol wprowadzający odsyłacz do innych artykułów hasłowych w tym słowniku.

1 2 3...   Za pomocą kolejnych cyfr arabskich numerowane są jednostki leksykalne w obrębie tego samego artykułu hasłowego. Każdą jednostkę rejestruje się — z założenia — tyle razy, ile odrębnych znaczeń proponuje się jej przyporządkować.

ODSYŁACZE

Źródła cytatów (teksty drukowane)

AP Pam   Anastazja Potocka (Marzena Domaros), Pamiętnik Anastazji P., Dom Wydawniczy „Refleks" 1993.

AS Sł   Andrzej Szczepkowski, Słóweczka, Warszawa: Wydawnictwo Interpress 1992.

BH Lekcje   Bohumil Hrabal, Lekcje tańca dla starszych i zaawansowanych, tłum. Andrzej Czcibor-Piotrowski, Warszawa: PIW 1991.

DB Mała   Dariusz Bitner, Mała pornografia, w: Twórczość 1992, nr. 3.

FB Sauna   Filip Bajon, Sauna, w: Dialog 1990, nr 4.

GW   Gazeta Wyborcza, Warszawa.

HM Sex   Henry Miller, Sexus (fragment), przeł. Sławomir Magala, w: Literatura na świecie 1987, nr 5–6.

HM Zwr   Henry Miller, Zwrotnik Raka (fragment), przeł. Zofia i Lucjan Porembscy, w: Literatura na świecie 1987, nr 5–6.

JH Par   Joseph Heller, Paragraf 22, przeł. Lech Jęczmyk, Warszawa: PIW 1989.

JI Hotel   John Irving, Hotel New Hampshire, tłum. Michał Kłobukowski, Warszawa: Wydawnictwo Wojciech Pogonowski 1992.

JI Małż   John Irving, Małżeństwo wagi półśredniej, tłum. Julita Wroniak, Gdańsk 1993.

JI Świat   John Irving, Świat według Garpa, przeł. Zofia Uhrynowska-Hanasz, Warszawa: Czytelnik 1990.

JSz Zeb   Janusz Szpotański, Zebrane utwory poetyckie, oprac. Antoni Libera, Zygmunt Saloni, Londyn: Puls 1990.

MH Utw   Marek Hłasko, Utwory wybrane, Warszawa: Czytelnik 1989.

MN Grecki   Marek Nowakowski, Grecki bożek, Warszawa: Wydawnictwo Alfa 1993.

MP Pąt   Marian Pankowski, Pątnicy z Macierzyzny, Lublin: Wydawnictwo Lubelskie 1987.

MP Rud   Marian Pankowski, Rudolf, Warszawa: Czytelnik 1984.

NIE   NIE. Dziennik cotygodniowy, Warszawa.

PP Raul   Paweł Przywara, Raul Writer, w: Twórczość 1993 nr 4.

PR Komp	Philip Roth, Kompleks Portnoya, przeł. Anna Kołyszko, Kraków: Wydawnictwo Literackie 1990.
RB Nagi	Roman Bratny, Nagi maj, Warszawa: KAW 1988.
RB Rok	Roman Bratny, Rok w trumnie, Warszawa: KAW 1983.
RN Fal	Robert Nye, Falstaff, przeł. Piotr Siemion, Warszawa: PIW 1990.
SPS ACh	Steven Phillip Smith, Amerykańscy chłopcy, przeł. Bronisław Zieliński, Warszawa: PIW 1991.
VB Konk	Valdemar Baldhead, Konkwista, Warszawa: Wydawnictwo Polonia 1989.
WŁ Dobry	Waldemar Łysiak, Dobry, Warszawa: Wydawnictwo „Officina", 1990.
WŁ Lep	Waldemar Łysiak, Lepszy, Warszawa: Wydawnictwo „Officina", 1990.
WŁ Naj	Waldemar Łysiak, Najlepszy (Konkwista 2), Warszawa: Wydawnictwo „Officina" 1992.
WW Pt	William Wharton, Ptasiek, tłum. Jolanta Kozak, Warszawa: Czytelnik 1985.

Wybrane słowniki
i inne prace leksykograficzne

Bog-Gar	Andrzej Bogusławski, Teresa Garnysz-Kozłowska, Addendum to Polish phraseology. An introductory issue. Addenda do frazeologii polskiej. Zeszyt wstępny, Edmonton 1979.
Bog-Waw	Andrzej Bogusławski, Jan Wawrzyńczyk, Polszczyzna, jaką znamy. Nowa sonda słownikowa, Warszawa 1993.
Dąbr	Anna Dąbrowska, Eufemizmy współczesnego języka polskiego, Wrocław 1993.
Kiel	Stanisław Kielbasa, Dictionary of Polish Obscenities, Buffalo 1978.
SJPD	Słownik języka polskiego, t. 1–10, red. Witold Doroszewski, Warszawa 1958–1968.
SJPDSupl	Słownik języka polskiego, t.11: Suplement, red. Witold Doroszewski, Warszawa 1969.
SJPSz	Słownik języka polskiego, t. 1–3, red. Mieczysław Szymczak, Warszawa 1992, wyd. 7.
Skor	Stanisław Skorupka, Słownik frazeologiczny języka polskiego, t. 1–2, Warszawa 1967.
Stęp	Klemens Stępniak, Słownik tajemnych gwar przestępczych, Londyn 1993.
Supl	Słownik języka polskiego. Suplement, red. Mirosław Bańko, Maria Krajewska, Elżbieta Sobol, Warszawa 1992.
Tuf	Urke Tuftanka, Zakazane wyrazy. Słownik sprośności i wulgaryzmów, Warszawa 1993.

HASŁA
SŁOWNIKOWE

alfons

alfons [od imienia bohatera komedii A. Dumasa-syna „Monsieur Alphonse"] 'o mężczyźnie, który czerpie zyski z cudzego nierządu' *posp./wulg.* NP Możesz pracować kiedyś jako alfons, ale nie pozwolę, żebyś miał charakter dziwki! (WŁ Naj 88) ‖ Nie sądzicie chyba, że alfons nie jest człowiekiem? Alfons także ma swoje prywatne smutki i zmartwienia... (HM Zwr 201) ‖... skarżyły się na wyzysk ze strony alfonsów zawłaszczających ich wartość dodatkową. (NIE) □ SJPD, SJPSz, Kiel, Stęp, Tuf

Jednostka używana też jako wyzwisko.

armata

armata 'członek męski' *wulg. obycz.* NP Ale mu armata z gaci wystaje! ‖ Dziewczyny mdlały, jak ładował w nie swoją armatę. ‖ Łatwa zagadka: dwie kulki i armatka. ◇ *zdr.* armatka □ Dąbr: 204, Kiel, Stęp, Tuf

bajzel *posp./wulg.*

1. bajzel 'dom publiczny' *przestarz.* NP Jolka była właścicielką niewielkiego bajzlu na peryferiach miasta. ‖ Nie miał żadnej dziewczyny. Raz w tygodniu, czasem częściej, chodził do jakiegoś bajzlu. □ SJPDSupl, SJPSz, Kiel, Stęp, Tuf

2. bajzel [tylko l.p.] 'bałagan' NP Ale tu bajzel! Nawet na podłodze nie da się usiąść. ‖ Nie rozumiem, jak ty możesz żyć w takim permanentnym bajzlu. □ SJPSz, Kiel

bajzelmama

bajzelmama 'właścicielka domu publicznego' *posp./wulg.* NP Przeszła na emeryturę jako kurwa i została bajzelmamą. ‖ Marianna była najstarszą bajzelmamą w miasteczku, zbliżała się do osiemdziesiątki. □ Stęp, Supl, Tuf

banan

banan 'członek męski' *wulg. obycz.* NP Żołnierze myli dokładnie swoje banany po powrocie z przepustki. ‖ Chodź z nami na dziewczynki! Czy ty już w ogóle coś robiłeś swoim bananem? ◇ *zdr.* bananek □ Bog-Waw: 53, Dąbr: 203

bar

bar mleczny 'piersi kobiece' 'biust' *wulg. obycz.* NP Zobacz, jaki ta kelnerka ma bar mleczny! ‖ Ciekawe, w czym ona trzyma ten swój ogromny bar mleczny. □ Kiel

biurwa

biurwa 'o urzędniczce, którą mówiący uważa za kobietę niewybredną pod względem seksualnym' *posp./wulg., pogard., żart.* NP Czy ta biurwa z Banku Śląskiego jest twoją dziewczyną? ‖ Kto to jest? — Młodziutka biurwa z dyrekcji kolejowej, przedstawicielka Pragi w warszawskich eliminacjach do konkursu na polską Miss. (WŁ Dobry 188) □ Bog-Gar: 25, Tuf

bladź

bladź [ros. блядь] 'kobieta, która chętnie współżyje seksualnie, i której jest obojętne, z kim to robi' 'prostytutka' *wulg.* NP Popatrz, jaka bladź stoi pod tą latarnią! ‖ Czy ty musisz się zadawać z bladziami, nie możesz sobie znaleźć przyzwoitej baby? □ Kiel, Stęp, Tuf
Jednostka używana też jako wyzwisko.

bodajby

bodajby *kogoś* a. *coś* [tylko zaimki]! *przekl.* NP Zniszczyłaś mi taśmę. Bodajby cię! ‖ Uciekł mi samolot. Bodajby to! ‖ Nie zaczekali na mnie. Bodajby ich!
○ ZOB. PONADTO: Bóg 2, cholera 2–4, chuj 6–9, czort 1, diabeł 2–4, drzwi, dunder, jebać 5, kark, krew 1, 2, licho 1, 2, piekło 1, pies 1, piorun 1, 2, pojebać 4, pokręcić, poskręcać, potaśtać, prąd, szlag 1, 2, zdechnąć.

Bóg *przekl.*

1. (O) Boże / Boże Święty! [ndm] NP O Boże, jak się nudziłem. Jak nigdy dotąd. (HM Sex 52) ‖ O Boże, nie chcę tak zdechnąć, boję się cholernie! (VB Konk 180) ‖ Boże, jak człowiek, który nigdy nie konstruował żadnych teatralnych fabuł..., ma teraz sprostać zadaniu, aby bezbłędnie streścić życie tak zagmatwane... (RB Rok 102) ‖ Boże Święty! Czy to ma być całowanie...? (WW Pt 277) ‖ Boże Święty! Wykrwawię się na śmierć! (WW Pt 339) □ Bog-Waw: 61

2. bodajby / żeby *kogoś* Bóg / Pan Bóg pokarał! niech *kogoś* Bóg / Pan Bóg pokarze! [ndm] NP Obrabowali naszego syna, złodzieje. Bodajby ich Pan Bóg pokarał! ‖ Żeby cię Pan Bóg pokarał, ty wstrętna sknero! ‖ Zgwałcił moją narzeczoną, sukinsyn! Niech go Bóg pokarze!

3. Na Boga / Na miły Bóg! [ndm] NP Nie pieprz głupot, na miły Bóg! ‖ Tylko nie popadaj w histerię, na Boga! ‖ Na Boga, sierżancie, pacjent ma atak furii! (WW Pt 367)

○ Zob. ponadto: rana 2

brandzlować

ktoś brandzluje się. [ndk] 'ktoś onanizuje się' *posp./wulg.* NP Już jako dorastający chłopak brandzlował się na widok niemal każdej dziewczyny w spódniczce mini. ‖ W trakcie lekcji podnosiłem palce do góry, pytałem, czy mogę wyjść, biegłem korytarzem do ubikacji i dziesięcioma czy piętnastoma silnymi pociągnięciami brandzlowałem się na stojąco do pisuaru. (PR Komp 25) □ Kiel, Stęp, Tuf

brzytwa

brzytwa 'kobieta o wysokiej sprawności i aktywności seksualnej' *wulg. obycz.* NP Dobrze mi było z tą brzytwą, ale nie udało mi się jej zaspokoić. ‖ Takie dziewczyny widuje się uwieszone na ramieniu jakiegoś mafiosa albo gwiazdora filmowego... Spójrzmy prawdzie w oczy, kurwa czy nie kurwa, od razu widać, że to brzytwa. (PR Komp 187) □ Kiel

bufor

bufory [tylko l.mn.] 'piersi kobiece' 'biust' *wulg. obycz.* NP Po tylu dzieciakach bufory zaczęły jej zwisać do pępka. ‖ Ma największe bufory w całej klasie, a kiedy biegnie po lekcjach do autobusu, ten wielki nietykalny towar podskakuje pod bluzką, och, zaklinam je, żeby wyszły z tych misek tu do mnie... (PR Komp 28) □ Kiel, Stęp, Dąbr: 199, 318, Tuf

burdel *posp./wulg.*

1. burdel 'dom publiczny' NP Trudno dziewicą być w burdelu. ‖ Ucieszę się, jak w końcu zbudują ten burdel, bo będą mogli mieć nadzór nad kurwami. (SPS ACh 192) ‖... kapitan zaproponował, żeby jechać do burdelu na kurwy. (VB Konk 95) ‖... odwołajmy nasze Córy Koryntu z burdeli Austrii i Niemiec... (NIE) ◇ *zdr.* burdelik □ SJPD, SJPSz, Kiel, Tuf

2. burdel [tylko l.p.] 'okropny bałagan' *żart*. NP To jest burdel, a nie wojsko, za takie numery strzela się w łeb i nie potrzeba żadnego sądu... (VB Konk 211) ‖ Jezus Maria! Co za burdel! Musimy mieć działka przeciwczołgowe! (WW Pt 341) □ Bog-Gar: 28, Kiel, Tuf

burdelmama

burdelmama 'właścicielka domu publicznego' *posp./wulg.* NP Burdelmamą owego przybytku była pani Wieczorna, a jest rzeczą niewątpliwą, że imię, jakie nosiła, było zmyślone. (RN Fal 189) ‖ Burdelmama dopytywała się, dlaczego nie wybrałem dziewczyny dla siebie. (HM Zwr 119) ‖...za chwilę do pokoju wpadła burdelmama z twarzą czerwoną jak burak, dziko wymachując rękami. (HM Zwr 120) □ Kiel, Stęp, Tuf

bzykać

ktoś₁ bzyka kogoś₂. [ndk] 'o partnerze aktywnym: ktoś₁ współżyje z kimś₂ seksualnie' *wulg. obycz., żart.* NP Była wściekła, że rozstali się tak wcześnie. Myślała, że weźmie ją do siebie i będzie bzykać do rana. ‖ Od czasu do czasu chodził do „Polonii" i bzykał tam znajomą portierkę. □ Tuf

bździak

bździak 'o kimś, kogo mówiący ignoruje z jakiegoś powodu' 'smarkacz' *posp./wulg., pogard.* NP Postanowił dać temu bździakowi najgłupszą robotę. ‖ Niechlujnie ubranego niedorajdę wszędzie traktowano jak bździaka. □ SJPDSupl

Jednostka używana też jako wyzwisko.

bździć

ktoś bździ. [ndk] 'ktoś puszcza bąki' 'ktoś wydziela przez odbyt brzydki zapach, któremu mogą towarzyszyć ciche dźwięki' *posp./wulg.* NP Chłopak bździł na każdej lekcji. Już po kilkunastu minutach otwierano szeroko wszystkie okna. ‖ Kto tu tak bździ na cały autobus? — zapytała staruszka, myśląc, że w ten sposób sama oczyści się z zarzutu. □ Kiel

bździna

bździna 'wydzielany przez odbyt brzydki zapach, któremu mogą towarzyszyć ciche dźwięki' 'bąk' *posp./wulg.* NP Nagle zrobiło się w klasie duszno od czyjejś bździny. ‖ Z jej wielkiego dupska wydobyła się nieoczekiwanie bardzo głośna bździna. Ludzie myśleli, że to bawół ryczy. ◇ *zdr.* bździnka ☐ SJPDSupl, Kiel, Tuf

chcica

C

ktoś₁ ma chcicę na kogoś₂ . 'ktoś₁ pożąda kogoś₂' *wulg. obycz., żart., środ.* NP Od dawna miała chcicę na Adama, tymczasem nie udało jej się zaspokoić swojej żądzy. ‖ Mam na ciebie chcicę — powiedziała wysoka blondyna do starszego pana, czerwieniąc się mocno. ☐ Tuf

chędożyć

ktoś₁ chędoży kogoś₂. [ndk] 'o partnerze aktywnym: ktoś₁ współżyje z kimś₂ seksualnie' *wulg. obycz., przestarz.* NP W każdy wolny wieczór chędoży jakąś dziewuchę. ‖ Anioł jest to sługa Boży, Adam Ewę wciąż chędoży. ☐ SJPD, Tuf

cholera *przekl.*

1. Cholera! [ndm] NP Cholera! Co za śliczna dziewczyna! ‖ Wygrałem, cholera, wygrałem naprawdę! ☐ SJPD, Dąbr: 185

2. bodajby / niech / żeby kogoś a. **coś cholera / jasna cholera!** [ndm] NP Zośka, bodajby cię cholera, gdzie zgubiłaś majtki? ‖ Co za cham, niech go cholera! ‖ Nie umiem tego rozwiązać. Niech mnie jasna cholera! ‖ Znów nie ma wody, żeby to cholera! ‖ Chciał mnie obedrzeć ze skóry. Żeby go jasna cholera! ☐ SJPD

3. bodajby / żeby kogoś a. **coś cholera / jasna cholera wydusiła! niech kogoś** a. **coś cholera / jasna cholera wydusi!** [ndm] NP Ale fachowcy! Bodajby ich jasna cholera wydusiła! ‖ Nowe mieszkanie, a wszystko się psuje. Niech to cholera wydusi! ‖ Żeby cię jasna cholera wydusiła! Skąd ty wracasz? ☐ SJPD, Skor

4. bodajby / żeby kogoś a. **coś cholera / jasna cholera wzięła! niech kogoś** a. **coś cholera / jasna cholera weźmie!** [ndm] NP Bodajby jasna cholera wzięła te twoje parszywe pieniądze! ‖ Niech go cholera weźmie, starego cwaniaka i oszusta! ‖ Rozbebeszyli mi, żeby ich cholera wzięła, cały sracz i gdzieś wsiąkli na amen. ☐ SJPD, SJPSz, Skor

5. Cholera jasna! [ndm] NP Ty zawsze musisz wszystko zepsuć, cholera jasna! || Po co tam leziesz, cholera jasna, chyba guza szukasz! || Ja też cię kocham — cholera jasna — odparła. (JI Hotel 398)

6. cholera *kogoś* w bok! [ndm, nowe] NP Cholera go w bok, nie będę z nim gadał! || Niech się odpieprzą ode mnie, cholera ich w bok! □ Bog-Waw: 72

7. Do cholery! [ndm] NP Gdzie jest cukier, do cholery! || No ale komuś, do cholery, trzeba wierzyć. (WŁ Lep 25) || Do cholery, widzę, że jednak chcecie bójki. (JH Par 85) □ SJPSz, Skor

8. Do ciężkiej cholery! [ndm] NP Co on sobie myśli, do ciężkiej cholery! || Czy ty musisz ciągle czegoś szukać, do ciężkiej cholery!

9. Do jasnej cholery! [ndm] NP Czy to ja mam za wszystko odpowiadać, do jasnej cholery? || Zawsze musisz, do jasnej cholery, coś kombinować. || Nawet teraz nie słuchasz, do jasnej cholery! (WW Pt 358) □ SJPD, SJPSz, Skor

10. W cholerę! [ndm] NP W cholerę, nie idę na egzamin. || W cholerę! Zjeżdżasz czy nie?

11. W cholerę jasną! [ndm] NP Długo jeszcze, w cholerę jasną, będziecie tak rzępolić? || Przestańcie się tu pieprzyć, w cholerę jasną!

Jako wyzwiska używane są jednostki: 1, 5.

cholerny

Cholerny świat! [ndm] *przekl.* NP Cholerny świat! Zawsze muszę przegrać. || Cholerny świat! Czy on codziennie musi hałasować? || Nic mi się w życiu nie udaje. Cholerny świat! □ SJPD, SJPSz

cholewa *przekl., eufem.*

1. Cholewa! [ndm] NP Cholewa! Co za cymbał! || Czego on, cholewa, znów chce ode mnie? || Cholewa! Jaka fajna cipka! || Gdzieś, cholewa, posiałem okulary. □ Dąbr: 186

2. Cholewa jasna! [ndm] NP Jakiś narkoman, cholewa jasna, zamknął się w naszym kiblu. || Czy on nie rozumie, cholewa jasna, co się do niego mówi?

3. Do cholewy / ciężkiej cholewy / jasnej cholewy! [ndm] NP Co się stało z nożyczkami, do cholewy! || Dlaczego, do ciężkiej cholewy, nigdy nie chcesz mnie wysłuchać? || Przestańcie, do jasnej cholewy, skakać sobie do oczu!

choroba *przekl., eufem.*

1. Choroba! [ndm] NP Nie masz, choroba, przypadkiem karty magnetycznej? ‖ Czy ona, choroba, naprawdę nie może posiedzieć przez chwilę sama?

2. Choroba jasna! [ndm] NP Dlaczego, choroba jasna, nie powiedziałeś mi prawdy? ‖ Choroba jasna, czy ty na pewno nigdy nie czułaś nic do mnie?

chromolić

Ja (cię) chromolę! [główny akcent zdaniowy na *ja*, ndm] *przekl., przejaw stanu ekscytacji, eufem.* NP Ten Murzyn to dopiero miał fujarę, ja cię chromolę. ‖ Ja chromolę, zanim żeśmy się połapali, mamy więcej gołębi niż miejsca w gołębniku. (WW Pt 15) ‖ Patrzałki wychodziły mi na zewnątrz, raz w życiu oglądałem taki cyrk, ja chromolę! (WŁ Dobry 38) □ Kiel

Chrystus

(O) Chryste / Chryste Panie! [ndm] *przekl.* NP Te mężatki! Chryste, gdybyś ty zobaczył te wszystkie zamężne dupy, które tu przychodzą, pozbyłbyś się złudzeń. (HM Zwr 132) ‖ Chryste, cały ten rwetes tylko dlatego, że zjadłem budyń czekoladowy tego smętnego tłuściocha? (PR Komp 86) ‖ O Chryste Panie, czy ty musisz tak wrzeszczeć?

○ Zob. ponadto: Jezus 2, rana 2

chrzanić

Ja (cię) chrzanię! [główny akcent zdaniowy na *ja*, ndm] *przekl., przejaw stanu ekscytacji, eufem.* NP Ja chrzanię, jakie bombowe kozaczki! ‖ Ale się dziś odwaliłaś, ja cię chrzanię! ‖ Co za wspaniała orkiestra, ja cię chrzanię!

chuj *wulg.!*

1. chuj [l.p.: D,B -a, l.mn.: M,B -e] 'członek męski' NP Ekshibicjonista wyciągnął chuja w autobusie, na oczach tłumu. ‖... byłem człowiekiem wolnym, byłem zależny tylko od siebie samego, byłem niewolnikiem mego serca, mego chuja, moich jelit i płuc... (WŁ Dobry 300) ‖ Masz chuja jak mokra skarpeta i jeszcze mi wmawiasz, że to moja wina? — mówiła Jolanta. (JI Hotel 369) ‖ Chwyciła mego chuja mocno i łagodnie,

45

pieszcząc go wprawnie. (HM Sex 14) ◇ *zdr.* chujek, chujeczek *pieszcz.* □ Kiel, Supl, Tuf

2. chuj [l.p.: D,B -a, l.mn.: M -e, B -ów] 'o kimś, czyje postępowanie mówiący ocenia jako bardzo złe' 'łajdak' 'człowiek podły' *pogard.* NP Powiedz temu chujowi, żeby tu więcej nie przychodził. ‖ Piotr okazał się zwykłym chujem: okradł nas i uciekł. ‖ Wziąłem tego chuja, żeby mnie przeprowadził przez miny, żeby reszta plutonu mogła przejść. (WW Pt 338) ‖ Z telewizji te kutasy i te chuje z „wolnej prasy", ci działają nam na szkodę, robią ludziom z mózgów wodę! (NIE) □ Supl

3. Chuj! [ndm] *przekl.* NP Chuj! Nie idę dziś do roboty. ‖ Chuj! Nie widzisz, jakie ja mam życie? Myślisz, że ja chcę być zerem? (PR Komp 184)

4. ktoś a. **coś chuj.** [ndm] 'o kimś a. o czymś, kogo a. co mówiący ignoruje w danym momencie' 'nieważne' NP Szkoła chuj, dyro chuj, egzaminy chuj, jadę sobie w Polskę! ‖ Jakbyś miał jakąś nieprzyjemność, nieprzyzwoitość..., to dzwoń... jak w dym, sekretarka chuj, powiedz jej, że koleś... Nasi mężowie stanu..., wszystko chuj, potrzebują czasami, kapujesz, coś wydmuchać... (WŁ Dobry 84)

5. A chuj! [ndm; zwykle z intonacją opadającą; reakcja na czyjąś wypowiedź] 'nieważne' 'o kimś a. o czymś, kto a. co mówiącego nic nie obchodzi' *z lekceważeniem* NP Co on ci powiedział? — A chuj! ‖ Popsuł ci się samochód? — A chuj!

6. bodajby / niech / żeby kogoś a. **coś chuj!** [ndm] *przekl.* NP A niech was chuj! Odchodzę stąd. ‖ Znów zimne kaloryfery. Żeby je chuj! ‖ Uciekł mi autobus. Niech to chuj!

7. bodajby / żeby kogoś a. **coś chuj strzelił / zajebał! niech kogoś** a. **coś chuj strzeli / zajebie!** [ndm] *przekl.* NP Co za łobuz! Żeby go chuj zajebał! ‖ Jaki tępy nóż! Niech to chuj strzeli! ‖ Wstrętny bachor! Bodajby go chuj zajebał!

8. bodajby / żeby / niech komuś smród chuja powykręcał / powykręca! [ndm] *przekl.* NP Bodajby temu draniowi smród chuja powykręcał! ‖ Niech temu gówniarzowi smród chuja powykręca! □ Kiel

9. bodajby / żeby / niech komuś smród chuja z dupy powykręcał / powykręca! [ndm] *przekl.* NP Bodajby tej starej krowie smród chuja z dupy powykręcał! ‖ Niech temu pedałowi smród chuja z dupy powykręca!

10. ktoś a. **coś chuja wart/e.** 'ktoś a. coś nie ma wartości' *pogard.* NP Ten twój żart jest chuja wart. ‖ Cała jego ciężka praca, wszystko było chuja warte, gdyby całe życie leżał, mniejszą czyniłby on stratę. (GW)

11. chuj komuś₁ do czegoś a. **kogoś₂.** [ndm] 'mówiący nie chce, żeby ktoś₁ wtrącał się do czegoś a. do tego, co dotyczy kogoś₂' 'kogoś₁ nie powinien ktoś₂ a. nie powinno coś obchodzić' 'niech ktoś₁ odczepi się od czegoś a. kogoś₂' NP Chuj mu do twojej córki! ‖ Chuj waszym kotom do mojej kotki! ‖ Chuj jej do tego, czy pójdę dziś do szkoły.

12. chuj pierdolony / rybi / złamany 'o kimś, czyje postępowanie mówiący ocenia jako bardzo złe' 'łajdak' 'człowiek podły' NP Jesteś chujem pierdolonym i zdrajcą. ‖ Ten chuj rybi nie chce się odczepić od mojej baby. ‖ Ten chuj złamany chce się ze mną rozwieść. ‖ Ty chuju złamany, ty taki owaki, bardziej obchodzą cię obce czarnuchy z Harlemu niż ja, chociaż przez okrągły rok ciągnęłam ci druta! (PR Komp 102) □ Bog-Waw: 75, Kiel

13. chuj *komuś* stoi / staje / stanął. [ndk/ndk/dk] 'ktoś ma wzwód członka' NP Kiedy tylko weszła do pokoju, od razu chuj mu stanął. ‖ Takie cyce — mówił — że mi od razu chuj staje, chodź, obejrzymy sobie razem. (DB Mała 22) □ Tuf

14. Chuj w bombki strzelił, choinki nie będzie. [ndm] 'ktoś stracił nadzieję na to, że spełnią się jego oczekiwania' NP Dostaniesz w tym miesiącu trzynastkę? — Chuj w bombki strzelił, choinki nie będzie. ‖ Zaliczyłeś już ten semestr? — Chuj w bombki strzelił, choinki nie będzie.

15. chuj *komuś* w dupę. [ndm] 'mówiący ignoruje kogoś w danym momencie, wyrażając swoje niezadowolenie z czyjejś odmownej reakcji na coś' z lekceważeniem NP Jak ona chce tam iść, to chuj jej w dupę. ‖ Nie ma zamiaru ze mną rozmawiać? To chuj mu w dupę. ‖ ... spiesznie nabazgrał na bibułkowej serwetce „Chuj ci w dupę" i rzucił nią w zdumioną dziewczynę. (JI Świat 300) □ Bog-Waw: 75, Kiel

16. chuj w dupę jebany 'o kimś, czyje postępowanie mówiący ocenia jako bardzo złe' 'łajdak' 'człowiek podły' NP Oszukał nas i okradł ten chuj w dupę jebany. ‖ Czy dasz jej wreszcie spokój, ty chuju w dupę jebany!

17. chuj *komuś₁* w dupę z *kimś₂* a. *czymś*. [ndm] 'mówiący ignoruje kogoś₁ w danym momencie, wyrażając swoje niezadowolenie wywołane czymś, co dotyczy kogoś₂ a. czegoś' z lekceważeniem NP Chuj jej w dupę z taką koleżanką! ‖ Chuj mu w dupę z tą zabawą!

18. chuj (*kogoś*) wie __ [pytanie zależne]. [ndm] 'mówiący nie wie __' NP Chuj wie, jak długo tu będziemy stali. ‖ Chuj go wie, kiedy on wróci.

19. chuj / do chuja / w chuja z *kimś* a. *czymś*. [ndm] 'mówiący oceniając kogoś a. coś bardzo źle, daje do zrozumienia, że nie chce mówić o kimś a. o czymś z tego powodu' 'o kimś a. o czymś nie warto mówić' 'o kimś a. o czymś, kto a. co mówiącego nic nie obchodzi' NP Chuj z nim! ‖ Zakłamana jesteś! Chuj z twoją miłością! ‖ Do chuja z taką robotą!

20. chuj złamany 'impotent' 'o mężczyźnie niezdolnym w danym czasie do odbycia stosunku seksualnego' *pogard.* NP Ten chuj złamany nie potrafił mnie wyruchać. ‖ Nie podrywaj tego chłopaka! To chuj złamany. □ Kiel, Tuf

21. Do chuja! / W chuj! / W chuja! [ndm] *przekl.* NP Zamknij się, do chuja! ‖ O, w chuj, ale tu bałagan!

22. do chuja [ndm] 'do niczego' NP Ten parasol jest do chuja. ‖ Do chuja takie sprzątanie.

23. do / od chuja (i trochę) *czegoś* a. *kogoś* [ndm] 'czegoś a. kogoś bardzo dużo' NP Jedzenia tam było od chuja i trochę. ‖ Mruczek ma pcheł do chuja i trochę. ‖ Owoców było na działce do chuja. ‖ Bogaty kraj — powiedział jeden. — Tych banków tam od chuja. (MN Grecki 75)

24. do chuja niepodobny 'do niczego' NP To całe twoje opowiadanie jest do chuja niepodobne. ‖ Strzelaj, ty łajdacka glino, to do chuja niepodobne. Oderwałem metkę od materaca... (PR Komp 254)

25. Do chuja pana! [ndm] *przekl.* NP Czy musisz tak pieprzyć bez przerwy, do chuja pana? ‖ Nie będę na ciebie czekał bez końca, do chuja pana!

26. I chuj. [ndm, używane w nawiązaniu do wcześniejszego tekstu] 'i koniec' 'mówiący stwierdza, że nie ma nic więcej do powiedzenia na dany temat' NP Sama pójdę do kina i chuj. ‖ Wypierdolili mnie z roboty. I chuj. □ Bog-Waw: 75

27. __ jak chuj [ndm] 'bardzo __' NP On był łysy jak chuj. ‖ Jeść mi się chce jak chuj.

28. jeden chuj, (czy / albo / bądź) __, czy / albo / bądź __. [ndm] 'wszystko jedno, czy __, czy __' 'nieważne, czy __, czy __' NP Jeden chuj, czy białe, czy czarne. ‖ Jeden chuj, albo ty to zrobisz, albo ja. ‖ Czy pójdę na wagary, czy do szkoły, jeden chuj.

29. ktoś₁ kładzie na coś a. kogoś₂ chuj. [ndk] 'ktoś₁ rezygnuje ze starania się o coś' 'ktoś₁ przestaje liczyć na kogoś₂' *pogard.* NP On nigdy mi nie zwróci tej książki. Kładę na niego chuj. ‖ Nie dadzą mi tego stypendium. Kładę na to chuj.

30. ktoś₁ leci sobie z kimś₂ w chuja. [ndk] 'ktoś₁ robi sobie z kogoś₂ żarty' NP Ty sobie w chuja ze mną lecisz? Nie pozwolę na to! ‖ Nie leć sobie z nami w chuja, bo popamiętasz!

31. ktoś₁ ma chuja w oczach. 'o kobiecie w stosunku do mężczyzny: ktoś₁ patrzy na kogoś₂ wyzywająco, dając mu do zrozumienia, że chce mieć z nim stosunek seksualny' NP Spójrz na tę laskę pod oknem, która gapi się na ciebie. Ona ma chuja w oczach. ‖ Muszę się pozbyć tej sekretarki. Ona ma stale chuja w oczach. □ Tuf

32. na / po chuj / chuja __ ? [akcent na drugą sylabę; zwrot retoryczno-pytajny] 'nie ma sensu __' NP Na chuj go zaczepiasz? ‖ Po chuja szedłeś do tego sklepu? ‖ Na chuj on się tu kręci? — szeptali między sobą robotnicy, widząc Waldemara Pawlaka snującego się po halach FSO. — Na chuj on tam pojechał — denerwowali się wieczorem telewidzowie, oglądając premiera na tle karoserii. (NIE)

33. na / po chuj komuś₁ coś a. [rzadziej] ktoś₂ ? [akcent na drugą sylabę; zwrot retoryczno-pytajny] 'po co komuś₁ coś a. ktoś₂' 'jednostka używana na ogół wtedy, gdy mówiący uważa czyjeś działanie za bezcelowe a. daną rzecz za niepotrzebną' NP Na chuj ci te wstążki? ‖ Na chuj mu taka żona? ‖ Po chuj jej te ciągłe libacje?

34. Ni chuja. [ndm; akcent na ostatnią sylabę; używane w nawiązaniu do wcześniejszego kontekstu] 'mówiącemu nie udało się osiągnąć tego, co chciał' NP Próbowałem go złapać telefonicznie. Ni chuja. ‖ Zapłacili ci za te korepetycje? — Ni chuja. ☐ Bog-Waw: 75

35. ni chuja nie __. [ndm; akcent na trzecią sylabę] 'zupełnie nie __' 'wcale nie __' NP Ni chuja nie rozumie, co się do niego mówi. ‖ Zosia ni chuja nie widzi tego, co się dzieje na ekranie. ☐ Bog-Waw: 75

36. niech *kogoś*₁ a. *coś*₁ chuj strzeli z *kimś*₂ a. *czymś*₂. 'o kimś₁ a. o czymś₁, kogo a. co mówiący ignoruje w danym momencie z powodu kogoś₂ a. czegoś₂' NP Niech ją chuj strzeli z tą przyjaciółką! ‖ Niech go chuj strzeli z tym jego jamnikiem!

37. niech *ktoś* idzie do / w chuja. 'o kimś, kogo mówiący ignoruje w danym momencie' 'mówiący wyraża wolę, żeby ktoś odczepił się od niego' NP Nie będę słuchać jego wynurzeń. Niech idzie do chuja! ‖ Ale bałaganu narobił! Niech idzie w chuja!

38. niech *ktoś*₁ idzie do / w chuja z *kimś*₂ a. *czymś*. 'mówiący chce, żeby ktoś₁ przestał mu zawracać głowę kimś₂ a. czymś' NP Idź do chuja z twoimi obietnicami! ‖ Niech idą wszyscy w chuja ze swoimi problemami.

39. niech *ktoś* trzyma się swojego / własnego chuja. 'mówiący nie chce, żeby ktoś wtrącał się do cudzych spraw' NP To jest moja forsa. Trzymaj się swojego chuja! ‖ Każdy ma swoje seminarium. Niech on trzyma się własnego chuja! ☐ Tuf

40. *ktoś* nie da za *coś* złamanego chuja. [dk] 'według czyjejś opinii coś jest zupełnie bezwartościowe' 'ktoś nie da za coś absolutnie nic' NP Za taki samochód nie dam złamanego chuja. ‖ On nie da złamanego chuja za te stare graty.

41. No i chuj. [ndm; używane w nawiązaniu do wcześniejszego tekstu] 'i koniec' 'mówiący stwierdza, że nie ma nic więcej do powiedzenia na dany temat' NP Wyszedłem właśnie z pierdla. No i chuj. ‖ Pracuje, ożenił się, płodzi dzieci. No i chuj.

42. po jakiego / kiego chuja __ ? [zwrot retoryczno-pytajny] 'nie ma sensu __' NP Po kiego chuja lazłaś z nim w te krzaki? ‖ Po jakiego chuja szukasz takiej głupiej roboty?

43. *ktoś*₁ robi *kogoś*₂ w chuja. 'ktoś₁ sądząc, że ktoś₂ jest naiwny, oszukuje kogoś₂ i w ten sposób kpi sobie z kogoś₂' NP Piotr zrobił w chuja całą rodzinę swojej narzeczonej. ‖ Zrób ich w chuja, zasłużyli sobie na to. ‖ Rząd nas robi w chuja równo, obracają słowa w gówno, mówią, że nie mają kasy, a to dranie — te kutasy! (NIE)

44. *ktoś* stoi/stanął jak chuj na weselu. [ndk/dk] 'ktoś nie potrafi się zachować tak, jak wymaga tego od niego sytuacja, w której się znajduje' NP Przynieś kieliszki i flachę. Nie stój jak chuj na weselu. ‖ Zamiast podać paniom futra, stoisz jak chuj na weselu. ☐ Tuf

45. Takiego chuja! / Taki chuj! [ndm; używane w nawiązaniu do wcześniejszej wypowiedzi] 'nie' 'nic z tego' 'mówiący wyraża odmowę działania zgodnego z czyjąś wolą' z pogardą NP Myślisz, że wygrałeś? — Takiego chuja! ‖ Takiego chuja! Nie pójdę z wami!

46. ktoś₁ wali sobie w chuja z kimś₂ a. czymś. [ndk] 'ktoś₁ kpiąc sobie z kogoś₂ a. czegoś, ignoruje kogoś₂ a. coś' NP Nie wal sobie z nami w chuja, bo popamiętasz. ‖ Jak będziesz sobie dalej walić w chuja z tą robotą, to wylecisz z zakładu.

47. W chuj/a tam! [ndm; akcent na pierwszą sylabę] 'nieważne' z lekceważeniem NP W chuja tam! Nie będę na niego czekał. ‖ Na jutro coś jest zadane? — W chuj tam!

48. za chuja nie __. [ndm; akcent na drugą sylabę] 'zupełnie nie __' 'wcale nie __' NP Za chuja nie rozumiem, o co mu chodzi. ‖ Azor za chuja nie przeskoczy tego płotu. ‖ Za chuja tam nie wejdę. Boję się szczurów.

Jako wyzwiska używane są jednostki: 2, 12, 16, 20.

chujowy wulg.!

1. chujowy 'mający związek z członkiem męskim' rzad. NP Swędział go bardzo napletek chujowy. ‖ Gdzieś gumę chujową zgubiłem.

2. chujowy 'do niczego' 'taki, o którym mówiąc myśli się jako o kimś a. o czymś złym' 'taki, z którego ktoś jest niezadowolony' NP Ta twoja nowa marynarka jest chujowa. ‖ Masz chujowego psa, wpuszcza do domu obcych ludzi. ‖ Ale ci się trafił chujowy kawaler, nawet na kwiaty nie zarobi. ‖ Uciekł szybko z tej chujowej imprezy. ◊ przysł. odprzym. chujowo □ Bog-Waw: 75, Kiel

chujoza wulg.!

1. chujoza [ten a. ta chujoza, l.mn. M -y, B -ów/-y] 'oferma' NP Nie wychodź za mąż za tę chujozę. Wszystko będziesz musiała robić sama. ‖ Ten chujoza nie potrafi nawet dobrze drzwi zamknąć.

2. chujoza [ta chujoza, l.mn. M = B -y] 'o czymś, z czym trudno jest coś zrobić, i co mówiący przeklina z tego powodu' NP Znów się ta chujoza zapchała i muszę szukać hydraulika. ‖ Ta chujoza wyskoczyła z zawiasów. Nie mogę zamknąć drzwi. ‖ Te chujozy ciągle podgryzają korzenie krzewów.

chwalidup

chwalidup 'o kimś, kto ma zwyczaj się chwalić' posp./wulg. NP Z Piotra był straszny chwalidup. Po dwóch podróżach do Niemiec opowiadał o swoich sukcesach międzynarodowych. ‖ Nie potrafię rozmawiać z tym chwalidupem. Czuję się przy nim taki mały, jak straszna niedorajda życiowa. □ Bog-Waw: 76

ciota

ciota 'pederasta' *posp./wulg., pogard.* NP Czy tu jest burdel dla ciot, czy jednostka sił specjalnych armii USA?! (WŁ Naj 240) ‖ Frank, jesteś stara spedalona ciota — odparła Franny. (JI Hotel 324) ◊ *zdr.* ciotka □ Dąbr: 257, Kiel, Supl, Tuf

ciotka *posp./wulg., eufem.*

1. ciotka 'miesiączka' NP Nie możemy się dziś kochać, Marku. Mam ciotkę. ‖ Przedłużyła mi się ciotka. Nie chce przestać lecieć. ◊ *zgr.* ciota, *zdr.* ciocia, cioteczka, ciotuchna □ Dąbr: 231, Kiel, SJPDSupl, SJPSz, Stęp, Tuf

2. Ciotka przyjechała. 'o kobiecie: ktoś dostał miesiączki' NP Nie mogę dziś pójść na basen. Ciotka przyjechała. ‖ Skocz do apteki po skrzydełka. Ciotka przyjechała. □ Tuf

cipa *posp./wulg.*

1. cipa 'żeński narząd płciowy' NP Miałeś kiedyś kobietę z wygoloną cipą? Obrzydliwe, prawda?... Wcale nie wygląda jak cipa: prędzej jak ostryga albo coś w tym rodzaju. (HM Zwr 177) ‖ O ile mi wiadomo, nie padło ani jedno słowo o jej cipie. (PR Komp 199) ‖ O ile weselszy jest lokal nocny w hotelu „Polonia" pełen ładnych i młodych dziewcząt rozbierających się na podium przed gośćmi siedzącymi u dołu na stołkach barowych, tak aby zadzierając głowę mogli wejrzeć wprost w cipę. (NIE) ◊ *zdr.* cipcia, cipeczka, cipeńka, cipka, cipuchna, cipula, cipulka, cipunia *pieszcz.*; *zgr.* cipsko □ Kiel, Supl, Tuf

2. cipa 'o kobiecie traktowanej jako obiekt zainteresowań seksualnych' *z lekceważeniem lub poufałością* NP... uważam, że robię tym dziwkom łaskę, jak je posuwam, nie mówiąc już o lizaniu. Kiedy drugi raz dostałem trynia, rzuciłem te cipy zupełnie. (SPS ACh 192) ‖ Mój mąż znalazł sobie dziewiętnastoletnią cipę — powiedziała. — I chce jej. (JI Świat 201) ‖ Co za cipa! Mam szczęście, że wyszedłem żyw z tego romansu! (PR Komp 103) ‖ Ale mi zgotowała bitwę ta rozłożysta wiejska cipa! (PR Komp 247) ◊ *zdr.* cipeczka, cipka *pieszcz.*; *zgr.* cipsko □ Kiel, Supl

3. cipa 'o kimś pod jakimś względem niezaradnym' 'oferma' *często z politowaniem lub niechęcią* NP Nie stój jak ta cipa! Zaproś gości do stołu! ‖ Maria wyszła za mąż za taką flegmatyczną cipę, która zawsze tylko patrzy, co inni robią.

4. cipa *czyjaś / kogoś* 'o czyjejś dziewczynie' 'o kobiecie jako czyimś partnerze seksualnym' *z lekceważeniem lub poufałością* NP Jak przyjdzie tu twoja cipa, to co mam jej powiedzieć? ‖ Kiedy się upił, to zawsze opowiadał z detalami o wszystkich swoich cipach. ‖ Czy Alicja to cipa tego wojewody?

5. niech *ktoś* **wsadzi sobie** *coś* **w cipę**! 'mówiący wzywa kogoś, by przestał go czymś absorbować' 'odmowna reakcja na czyjąś propozycję' *z lekceważeniem* NP Wsadź sobie w cipę ten twój barek na kółkach! ‖ Powiedz mu, żeby sobie wsadził w cipę te pieniądze, i żeby więcej tu nie przychodził. ☐ Kiel

Jako wyzwiska używane są jednostki: 2, 3, 4.

ciupciać

*ktoś*₁ **ciupcia** *kogoś*₂. [ndk] 'o partnerze aktywnym: ktoś₁ współżyje z kimś₂ seksualnie' *wulg. obycz., żart.* NP Od kiedy z nią chodzisz? — Od niedawna. Ciupciam ją od tygodnia. ‖ Kiedy w odmętach parku ciupciała się parka, Nadszedł stróż i na klombów uszkodzenie sarka. (AS Sł 20) ☐ Kiel, Tuf

cyc

cyc 'pierś kobiety' *posp./wulg.* NP Popieściłbyś laskę z takimi cycami, nie? ‖ Takie cyce — mówił — że mi od razu chuj staje, chodź, obejrzymy sobie razem. (DB Mała 22) ‖... aktorki upychają w obiektyw swój goły cyc lub dupę, lub mleczarnię i dupę naraz. (WŁ Dobry 103) ‖ Ćmiąc papierosa, zsiadam z swej Osy, życie to wielki pic, przechodzi dziwa, biodrami kiwa, o rany, co za cyc! (JSz Zeb 31). ◊ *zdr.* cycek, cycuszek, cycuś ☐ Kiel, SJPD, SJPSz, Tuf

cycasty

cycasta 'mająca duży biust' *posp./wulg.* NP Leżała na plaży cycasta baba z ogromnym dupskiem. ‖ Lubisz cycaste? — zapytała go Doris, wyjmując właśnie swój wielki, galaretowaty biust. ☐ Kiel

cycatka

cycatka 'kobieta z dużym biustem' *posp./wulg.* NP Umówiłem się z jedną z tych cycatek na dzisiejszy wieczór. ‖ Sympatyczna była ta cycatka w białej przezroczystej bluzce.

cycaty

cycata 'mająca duży biust' *posp./wulg.* NP Gdzie jest Piotr? — Właśnie podrywa jakąś cycatą dziewczynę w końcu sali. ‖ Uwielbiał cycate laski, zwłaszcza te ze sterczącymi sutkami.

cyckoman

cyckoman 'mężczyzna, dla którego ulubioną częścią ciała kobiety są piersi' *posp./wulg.* NP Adam na pewno się tobą zainteresuje. To szalony cyckoman. ‖ Dobrał się dziś do mnie na plaży taki jeden cyckoman.

cyckonosz

cyckonosz 'biustonosz' *posp./wulg.* NP Nie mogę dostać dobrego cyckonosza. W żadnym mój biust się nie mieści. ‖ Popatrz, jaki ma babka cyckonosz! Za chwilę pęknie i wszystko wyjdzie na wierzch. □ Tuf

cycuch

cycuch 'kobieta z dużym biustem' *posp./wulg.* NP Ten stary cycuch napierał na mnie z całej siły. Bałem się, że mnie zgniecie. ‖ Marek nie miał ochoty spać z takim cycuchem. □ SJPDSupl

człon *wulg. obycz., eufem.*

1. człon 'członek męski' NP Tak był na nią napalony, że sterczący człon sam wylazł mu z majtek. ‖ Chwyciła go mocno za człona, jakby chciała mu go ukręcić. □ Dąbr: 189

2. człon 'o kimś, czyje postępowanie mówiący ocenia jako złe' *pogard.* NP Tego człona nie chcę tu więcej oglądać. ‖ Ten człon jest specjalistą od donosów na przyjaciół. ‖ Spływaj stąd, członie jeden!

Jednostka 2 najczęściej używana jako wyzwisko.

czochrać

***ktoś*₁ czochra *kogoś*₂** [ndk] 'o partnerze aktywnym: 'ktoś₁ współżyje z kimś₂ seksualnie' *wulg. obycz., żart.* NP Czochrał Magdę przez chwilę i nagle zasnął. ‖ Będziesz mnie teraz czochrać? — zapytała Joanna Zbyszka.

czort *przekl.*

1. bodajby / żeby *kogoś* a. *coś* **czort / czort porwał! niech** *kogoś* a. *coś* **czort / czort porwie / czort weźmie!** [ndm] NP Tyle czasu gada takie bzdury. Bodajby go czort! ‖ Zmarnowałem przez ciebie cały dzień. Żeby cię czort porwał! ‖ Wyrzuciła taki cenny album. Niech ją czort weźmie!

2. Do / U czorta! [ndm] NP Do czorta! Czy ty zabierzesz się w końcu do pracy? ‖ Kiedy, u czorta, posprzątasz w swoim pokoju? ‖ Wyrzuć wreszcie te śmiecie, do czorta!

3. Do stu / wszystkich czortów! [ndm] NP Co z tą wodą, do stu czortów! ‖ Kiedy to się wraca do domu, do wszystkich czortów!

4. W czorty! [ndm] NP W czorty! Nie będę więcej słuchał takich audycji. ‖ W czorty! Nie będziemy się więcej spotykać.

d

dawać

ktoś$_1$ **daje / dał** *komuś*$_2$.[ndk/dk] 'o kobiecie: ktoś$_1$ pozwala komuś$_2$ na stosunek seksualny z kimś$_1$,' *wulg. obycz., eufem.* NP W środę 15 września br. wszystkie dziwki na łódzkim pigalaku dawały za darmo. (NIE) ‖ Miała pospolitą, szarą twarz i była najbardziej cnotliwą kobietą na świecie: dawała wszystkim, bez względu na rasę, wyznanie, kolor skóry lub narodowość, traktując to jako towarzyski akt gościnności... (JH Par 146) ‖ Temu dała, bo pięknie prosił, temu dała, bo wodę nosił, temu dała za łyżeczkę, temu dała za miseczkę... Joasia sama jedna utrzymywała rodzinę, harując dniem i nocą. (RN Fal 191) ☐ Bog-Waw: 98

○ Zob. ponadto: dupa 13–17

deska

deska 'o kobiecie bez biustu' 'o kobiecie mającej bardzo mały biust' *wulg. obycz.* NP Popatrz, jaka deska! Ona pewnie nawet nie kupuje cyckonosza. ‖ Dziwię się Piotrkowi, że chodzi z taką deską. Nie ma za co dziewczyny złapać. ◇ *zgr.* decha ☐ Dąbr: 200

diabeł *przekl.*

1. Diabli! [ndm] NP Diabli! Co za pogoda! ‖ Diabli! Rezygnuję z tej roboty. ☐ SJPD, SJPSz

2. bodajby / niech / żeby *kogoś* a. *coś* **diabeł / diabli / wszyscy diabli!** [ndm] NP Bodajby diabli tę smarkulę i jej histerię! ‖ Jaka ładna sukienka! Niech to diabeł! ‖ A niech to wszyscy diabli, i tak będzie, co ma być. ‖ Żeby to diabli! Nie mam ani grosza. ☐ SJPD, SJPSz, Skor

3. bodajby / żeby *kogoś* a. *coś* **diabeł porwał / diabli porwali / wszyscy diabli porwali! niech** *kogoś* a. *coś* **diabeł porwie / diabli porwą / wszyscy diabli porwą!** [ndm] NP Co to za autobus? Bodajby go diabeł porwał! ‖ Niech diabli porwą takie braterstwo dusz! ‖ Spieprzyłeś całą robotę! Żeby cię wszyscy diabli porwali! □ SJPD, SJPSz, Skor

4. bodajby / żeby *kogoś* a. *coś* **diabli wzięli / wszyscy diabli wzięli / *rzadziej* diabeł wziął! niech** *kogoś* a. *coś* **diabli wezmą / wszyscy diabli wezmą / *rzadziej* diabeł weźmie!** [ndm] NP Piotr, bodajby go diabli wzięli, znów się tu przyplątał. ‖ Gdzie się pchasz, baranie? Żeby cię wszyscy diabli wzięli! ‖ Niech diabli wezmą ten pierdolony klimat, można się rozchorować.... Niech diabli wezmą to pierdolone słońce, można oślepnąć!... Niech diabli wezmą ten pierdolony hotel, takie tu skąpstwo, że nawet czystego ręcznika żałują! (HM Zwr 130) □ SJPD, SJPSz, Skor

5. Do / U diabła! [ndm] NP Czy nie potrafisz, do diabła, tego pojąć? ‖ Dlaczego, u diabła, on się tak wścieka? (JH Par 384) ‖ Co ona, u diabła, wiedziała o miłości? (HM Sex 66) □ SJPD, SJPSz, Skor

6. Do stu diabłów! [ndm] NP Co z tym światłem, do stu diabłów! ‖ Uspokój się wreszcie, do stu diabłów! □ SJPD, SJPSz, Skor

7. Do / U wszystkich diabłów! [ndm] NP Zapomniałem, do wszystkich diabłów, że mam tam jeszcze wrócić. ‖ Powiedz mi, u wszystkich diabłów, dlaczego tu taki burdel! □ SJPD, SJPSz, Skor

8. W diabły! [ndm] NP W diabły! Nie będę więcej męczył się z tym gratem. ‖ W diabły! Przerywamy tę dyskusję.

diasek

Do / U diaska! [ndm] *przekl.*, *eufem.* NP U diaska! Pomieszały mi się wszystkie rachunki. ‖ Dlaczego, do diaska, miałbym się tak bronić przed tym, co przed laty zaszczytnie nazywano stanem kawalerskim? (PR Komp 99) □ SJPD, SJPSz, Skor

dłubać

ktoś₁ dłubie *kogoś₂*. [ndk] 'o partnerze aktywnym: ktoś₁ współżyje z kimś₂ seksualnie' *wulg. obycz., żart.* NP Od tygodnia dłubie jakąś nową laskę. ‖ Dłubał ją tylko miesiąc. Puściła go kantem.

dłuto

dłuto 'członek męski' *wulg. obycz.* NP Wyjęła mu dłuto i zaczęła się nim bawić, póki się nie zaostrzyło. ‖ Młodzieniec podziwiał przed lustrem wznoszące się dłuto.

dmuchać *wulg. obycz.*

1. **ktoś₁ dmucha kogoś₁**. [ndk] 'o partnerze aktywnym: ktoś₁ współżyje z kimś₂ seksualnie' NP Położył się obok Zośki i chciał ją dmuchać. || ... dmucha damę w pościeli wykrochmalonej na sztorc. (WŁ Dobry 24) || ... dała nura w pościel i znikła z pola widzenia — dmuchała mnie! Ściśle rzecz biorąc, wzięła mojego ptaka do buzi i trzymała go tam przez sześćdziesiąt sekund... (PR Komp 223) || Dmuchaj ją, ale nie za darmo! Jest na to stała stawka, bracie! (JSz Zeb 157) □ Bog-Waw: 102, Tuf

2. **ktoś₁ dmucha kogoś₂ / komuś₂ w puzon**. [ndk] 'o partnerze aktywnym: ktoś₁ drażni ustami i językiem łechtaczkę i srom, chcąc doprowadzić kobietę do orgazmu' NP Zaczęła się szamotać, kiedy próbował ją dmuchać w puzon. || Dmuchał jej w puzon, a ona tuliła się do niego z rozkoszą. □ Stęp

docipnik

docipnik 'tampon dopochwowy' *posp./wulg., żart.*NP Włożyła docipnik i pobiegła na basen. || W czasie swoich długich miesiączek ciągle zmieniała docipniki.

dojebać *wulg.!*

1. **ktoś₁ dojebał komuś₂**. [dk] 'ktoś₁ pobił kogoś₂' NP Łeb miał cały posiniaczony, gębę rozkwaszoną. Ale mu ktoś musiał dojebać! || Dojebali jej na klatce schodowej, kiedy wracała do domu.

2. **ktoś₁ dojebał się do kogoś₂ a. czegoś**. [dk] 'ktoś₁ przyczepił się do kogoś₂ a. do czegoś' NP Dojebała się do ostatniego zdania jego reportażu i postawiła mu pałę. || Dojebał się do niej jeszcze na studiach i miała przez niego kłopoty do końca życia.

3. **ja komuś** [tylko zaimki osobowe] **dojebię!** [ndm] 'pogróżka: ja komuś pokażę' NP Nie pozwolę na takie chamstwo! Ja ci dojebię! || Co on sobie myśli? Ja mu dojebię!

dopieprzyć *posp./wulg., eufem.*

1. **ktoś₁ dopieprzył / dopieprza komuś₂**. [dk/rzad. ndk] 'ktoś₁ zrobił komuś₂ coś złego' 'ktoś₁ pobił kogoś₂' NP Dopieprzyli mu w łeb koło kiosku. || On nie jest takim potworem, żeby ci bez przerwy dopieprzać. □ Kiel., Supl.

2. **ktoś₁ dopieprzył / dopieprza komuś₂**. [dk/rzad. ndk] 'ktoś₁ przygadał komuś₂' 'ktoś₁ powiedział komuś₂ coś nieprzyjemnego' NP Milcz! — do-

pieprzył mu wnerwiony arcykapłan. (WŁ Dobry 20) ‖ A to Kuroń mu dopieprzył, że się skurwił na przesłuchaniu... (AP Pam 58) □ Kiel, Supl

3. ktoś₁ dopieprzył / dopieprza się do kogoś₂ a. czegoś. [dk/ndk] 'ktoś₁ przyczepił się do kogoś₂ a. do czegoś' 'ktoś₁ dobrał się do czegoś' NP Jakiś facet dopieprzył się wczoraj do Justyny. Dziewczyna nie umiała się go pozbyć. ‖ Ktoś się dopieprzył do jego kanapek i chłopak został bez śniadania. □ Kiel

dopierdolić *wulg.!*

1. ktoś₁ dopierdolił / dopierdala komuś₂. [dk/rzad. ndk] 'ktoś₁ pobił kogoś₂' NP Ale masz bulwę na czole! Nieźle ci musiał dopierdolić. ‖ Starzy dopierdalali mu parę razy dziennie. ‖ Trzeba by komuś za to dopierdolić — wydał surowe orzeczenie. (RB Rok 149) □ Kiel, Supl

2. ktoś₁ dopierdolił / dopierdala komuś₂. [dk/rzad. ndk] 'ktoś₁ przygadał komuś₂' 'ktoś₁ powiedział komuś₂ coś nieprzyjemnego' NP Stul pysk — dopierdolił mu wściekły sekretarz partii. ‖ Po każdym jego wystąpieniu dopierdalał mu w gazecie odpowiednim komentarzem. □ Kiel, Supl

3. ktoś₁ dopierdolił / dopierdala się do kogoś₂ a. czegoś. [dk/ndk] 'ktoś₁ przyczepił się do kogoś₂ a. do czegoś' NP Dopierdolił się do nie-chlubnego kawałka życiorysu Marii i nie chciał zgłosić jej kandydatury. ‖ Dopierdalał się do ciebie na tej imprezie? — No przyznaj się, stara! □ Kiel

dopierdzielić *posp./wulg., eufem.*

1. ktoś₁ dopierdzielił / dopierdziela komuś₂. [dk/rzad. ndk] 'ktoś₁ pobił kogoś₂' NP Pijany sąsiad dopierdzielił im w bramie. ‖ Stary dopierdzielał chłopcu parę razy w tygodniu. Dzieciaka już tyłek boli.

2. ktoś₁ dopierdzielił / dopierdziela komuś₂. [dk/rzad. ndk] 'ktoś₁ przygadał komuś₂' 'ktoś₁ powiedział komuś₂ coś nieprzyjemnego' NP Dopierdzielił matce w kilku mocnych słowach. ‖ Zawsze dopierdzielał ministrowi w swoich publicznych wystąpieniach.

3. ktoś₁ dopierdzielił / dopierdziela się do kogoś₂ a. czegoś. [dk/ndk] 'ktoś₁ przyczepił się do kogoś₂ a. do czegoś' 'ktoś₁ dobrał się do czegoś' NP Na własnym weselu dopierdzieliła się do szwagra i z nim spać chciała. ‖ Dopierdzielała się do moich notatek od początku zajęć.

dopiździć *wulg.!*

1. ktoś₁ dopiździł / dopiżdża komuś₂. [dk/ndk] 'ktoś₁ zrobił komuś₂ coś złego' 'ktoś₁ pobił kogoś₂' NP Kiedy wysiadała z autobusu, ktoś jej dopiździł. Ma guza na czole. ‖ Nie daruję jej tego. Muszę jej dopiździć.

2. *ktoś*₁ dopiździł / dopiżdża się do *kogoś*₂ a. *czegoś*. [dk/ndk] 'ktoś₁
przyczepił się do kogoś₂ a. czegoś' NP Prokuratura dopiździła się do jego
firmy. Postanowił uciekać. ‖ Na ulicy dopiździł się do niego jakiś
zboczeniec.

dosrać

***ktoś*₁ dosrał / dosrywa *komuś*₂.** [dk/ndk] 'ktoś₁ przygadał komuś₂'
'ktoś₁ powiedział komuś₂ coś nieprzyjemnego' *wulg.* NP Ale mu dziś
dosrałaś! Chyba się obraził. ‖ Nie dosrywaj starszemu bratu, bo już cię
nie odwiedzi!

dotarty

dotarta 'o kobiecie pozbawionej dziewictwa' *wulg. obycz., rzad.* NP
Zawsze obracałem dziewuchy dotarte. ‖ Sprawdź, czy ona jest już
dotarta. □ Kiel

drut

***ktoś*₁ ciągnie / obciąga / szarpie *komuś*₂ druta.** [ndk] 'o partnerze
aktywnym: ktoś₁ drażni mężczyźnie ustami członka, chcąc spowodować
wytrysk' *wulg. obycz.* NP Nigdy nie chciała, żeby w nią wchodził, zawsze
szarpała mu druta. ‖ Ty chuju złamany, ty taki owaki, bardziej obchodzą
cię obce czarnuchy z Harlemu niż ja, chociaż przez okrągły rok ciągnęłam
ci druta! (PR Komp 102) ‖... z zapamiętaniem obciągnęła mi druta we
własnym łóżku, po czym ujmująco wszystko połknęła... (PR Komp 151)
‖ Mnie nie zabawi już Nowa Huta ni sześcioletni plan, lecz kiedy dziwka
ciągnie mi druta, to wtedy frajdę mam! (JSz Zeb 31) □ Kiel, Stęp, Tuf

drzwi

**bodajby / żeby *kogoś* a. *coś* drzwi ścisnęły! niech *kogoś* a. *coś* drzwi
ścisną!** [ndm] *przekl.* NP Głupi babsztyl! Bodajby ją drzwi ścisnęły!
‖ Zapomniałem forsy. Żeby to drzwi ścisnęły! ‖ A niech ją drzwi ścisną,
dlaczego właśnie mnie to kazała zrobić! □ SJPD, Skor

dunder

**bodajby / żeby *kogoś* a. *coś* dunder świsnął! niech *kogoś* a. *coś* dunder
świśnie!** [ndm] *przekl., książk., przestarz.* NP Niestworzone rzeczy

wygaduje. Żeby go dunder świsnął! ‖ Obrzuciła mnie triumfującym wzrokiem, jak gdybym wreszcie wyznał prawdę o sobie. Niech ją dunder świśnie! (PR Komp 250) ☐ SJPD, SJPSz, Skor

dupa

1. dupa 'część ciała, na której się siada' 'pupa' *wulg.* NP Ona ma taką dupę, że nie może jej zmieścić w fotelu. ‖ Dostał zastrzyk w dupę. ‖ Jestem po dupę utytłany w błocie i cały mokry. (WW Pt 21) ‖... nie groził mu kop za drzwi i sturlanie się dupą aż na parter. (WŁ Dobry 84) ◇ *zdr.* dupcia, dupeczka, dupeńka, dupina, dupka, dupuchna, dupula, dupulka *pieszcz.*; *zgr.* dupsko ☐ SJPD, SJPSz, Kiel

2. dupa 'żeński narząd płciowy' *wulg.* NP Ginekolog ponad godzinę grzebał jej w dupie. ‖ Ale jak to będzie z tymi spiralami, kto będzie zaglądał do dupy moim dwóm dziewczynom? (NIE) ‖... a kiedy zaczęła kręcić dupą, z moim kutasem tylko w połowie w niej zanurzonym, przygryzła dolną wargę. (HM Sex 16) ◇ *zdr.* dupcia, dupeczka, dupka, *zgr.* dupsko ☐ SJPD, Kiel, Tuf

3. dupa ' o kobiecie traktowanej jako obiekt zainteresowań seksualnych' *wulg.*, *z lekceważeniem lub poufałością* NP Takiej eleganckiej dupy dawno nie widziałem. ‖ Uważał ją za wspaniałą dupę, ona natomiast traktowała go dość chłodno. (JH Par 76) ‖ Jesteście pewni, że znajdę sobie dziś jakąś dupę? Potrzeba mi tego bardziej niż pieniędzy. (SPS ACh 174) ◇ *zdr.* dupcia, dupeczka, dupka, *zgr.* dupsko ☐ SJPD, Tuf

4. dupa 'o kimś pod jakimś względem niezaradnym' 'oferma' *posp./wulg.*, *często z politowaniem lub niechęcią* NP On ci w niczym nie pomoże, przecież to straszna dupa. ‖ Cóż z niego za niedołężna dupa! (SPS ACh 287) ‖ No chodź, nie stój jak ta dupa! (WŁ Dobry 189) ☐ SJPD, SJPSz

5. dupa 'odbyt' *wulg.* NP Dupa go bolała po wyrżnięciu hemoroidów. ‖ Dupa nie zwierciadło, nie powie, co się zjadło. ‖... lepiej umrzeć na jakąś porządną chorobę, niż tak przesrać życie w redakcji z hemoroidami w dupie i guzikami odpadającymi od portek. (HM Zwr 149)

6. dupa *czyjaś* **/** *kogoś* 'o czyjejś dziewczynie' 'o kobiecie jako czyimś partnerze seksualnym' *wulg.*, *z lekceważeniem lub poufałością* NP Zosia to dupa Adama. ‖ Jeżeli wpadnie moja dupa z Georgii, każ jej zaczekać. (HM Zwr 130) ‖ Alice mówiła mi o twoich dupach — powiedział Harry do Garpa. (JI Świat 170)

7. dupa (*czegoś* a. *kogoś*) 'tył' 'tylna część czegoś a. kogoś' *wulg.* NP Nie mogłeś widzieć jego twarzy, stał do ciebie dupą. ‖ Jaki dziwny telewizor: Gdzie on ma dupę? ‖... cofnął swego mercedesa o kilka metrów, wbił gaz i ze straszliwym impetem rąbnął „malucha" w dupę. (WŁ Naj 327) ‖... dostałem... dwadzieścia pięć lat — jako symbol zdeprawowanego świata. Ale ten „świat" tym bardziej odwrócił się do mnie dupą. (RB Rok 60)

8. ktoś₁ bierze / wziął kogoś₂ za dupę. [ndk/dk] 'ktoś₁ stosuje wobec kogoś₂ środki przymusu' 'ktoś₁ stara się narzucić komuś₂ dyscyplinę' *wulg.* NP Zobaczycie, nowy dziekan wszystkich was weźmie za dupę. ‖ Zawsze swoich uczniów od samego początku brał za dupę. ☐ Bog--Waw: 113

9. komuś brakuje drugiej dupy do srania. [ndk] 'ktoś ma zaspokojone wszystkie potrzeby' *posp./wulg., żart.* NP Kumpel zarobi w Oslo przez miesiąc tyle, co ja tu przez rok. — Tak, tak. Im to brakuje tylko drugiej dupy do srania. ‖ Widziałeś jego dom, ogród, samochody? Temu brakuje chyba drugiej dupy do srania.

10. ktoś₁ całuje kogoś₂ w dupę. [ndk] 'ktoś₁ podlizuje się komuś₂' *wulg.* NP Płaszczy się zawsze przed nim, przy każdej wizycie musi całować go w dupę. ‖ Taki już miała charakter: wszystkich przełożonych całowała w dupę.

11. __ ciemno jak u Murzyna w dupie. '__ bardzo ciemno' '__ zupełnie ciemno' *posp./wulg., żart.* MP Budzę się, a tu ciemno jak u Murzyna w dupie. ‖ Na tym osiedlu jest zawsze ciemno jak u Murzyna w dupie. ☐ Bog-Waw: 78

12. coś cieszy dupę. [ndk] 'ktoś jest z czegoś bardzo zadowolony' *posp./wulg., żart.* NP Dopływ gotówki zawsze cieszy dupę. ‖ Takie wspaniałe wiadomości cieszą dupę.

13. ktoś daje / dał dupy. [ndk/dk] 'ktoś łatwo się poddaje, rezygnując z osiągnięcia celu' *wulg.* NP On zawsze daje dupy na egzaminach. ‖ Zawodnik dał dupy przed samą metą.

14. ktoś₁ daje / dał komuś₂ dupy. [ndk/dk] ' o partnerze biernym, zwykle o kobiecie: ktoś₁ pozwala komuś₂ na stosunek seksualny z kimś₁' *wulg.* NP Zawsze po lekcjach dawała mu dupy. ‖ Pierwszego wieczoru dała dupy pomocnikowi operatora. (RB Rok 88) ‖ Mój dwór i mój konkubinat! — przedstawił brodaty i sięgnął po paczkę szlugów... Każda z nich chętnie da panom dupy, każdemu z osobna lub wszystkim jednocześnie. (WŁ Dobry 260) ‖... z płaczem wyznała, że jest kurwą, owszem, ale i społecznie też lubi dać dupy. (NIE) ☐ Bog-Waw: 113

15. ktoś₁ daje / dał komuś₂ dupy. [ndk/dk] 'ktoś₁ podlizuje się komuś₂' 'ktoś₁ jest uległy względem kogoś₂' *wulg.* NP Nie znoszę ludzi, którzy dają dupy swoim przełożonym. ‖ Żeby mu było lżej w wojsku, postanowił dawać oficerom dupy. ‖ Jedyne rozmowy, jakie mi oferowano, to żebym wyjechał na Lazurowe Wybrzeże i podpisał deklarację lojalności, żebym cicho siedział, żebym im dupy dał. (GW)

16. ktoś₁ daje / dał komuś₂ po dupie / w dupę. [ndk/dk] 'ktoś₁ robi coś, chcąc pokazać komuś₂ swoją przewagę nad kimś₂' *wulg.* NP Ale dał mu po dupie tym swoim przemówieniem. ‖ Słyszałeś wczorajszą audycję? — Dziennikarze dali w dupę temu ministrowi. ‖ Poseł... szczerze wyznał, że czasem trzeba dać bachorom w dupę. (NIE)

17. *coś* daje / dało *komuś* po dupie / w dupę. [ndk/dk] 'coś unieszkodliwia kogoś' *wulg.* NP Powódź dała w dupę mieszkańcom wioski. ‖ Inflacja dała po dupie gospodarstwom domowym.

18. *ktoś*₁ dobiera / dobrał się *komuś*₂ do dupy. [ndk/dk] 'ktoś₁ stara się kogoś₂ unieszkodliwić' *wulg.* NP Jak przegra proces, to i jemu dobiorą się do dupy. ‖ Kiedy tylko przestał być senatorem, prokuratura dobrała mu się do dupy.

19. do dupy 'do niczego' *posp./wulg.* NP Ten magnetowid jest do dupy. ‖ Zawsze miałeś poczucie humoru do dupy. (JI Świat 79) ‖ Ale uwierz mi, od dawna grasz do dupy. (NIE) □ SJPD, SJPSz, Skor

20. do dupy / w dupę z *kimś* a. *czymś!* 'mówiący oceniając kogoś a. coś bardzo źle, daje do zrozumienia, że nie chce mówić o kimś a. o czymś z tego powodu' *wulg.* NP Do dupy z takimi wakacjami! Ciągle leje. ‖ W dupę z tym twoim zapchlonym kotem! ‖ Do dupy z tymi przepisami, niczego nie da się załatwić.

21. *ktoś*₁ dosiadł / dosiada *czyjejś*₂ dupy. [dk/ndk] 'o partnerze aktywnym: ktoś₁ współżył z kimś₂ seksualnie' *wulg.* NP Kiedy przychodził, zawsze musiał dosiąść jej dupy. ‖ Można dosiąść dupy i ruchać jak cap w nieskończoność... (HM Zwr 184)

22. Dupa blada! [ndm] *przekl., wulg.* NP Maria, dupa blada, pojechała do Paryża, a ja nawet do Kalisza nie mogę. ‖ Kiedy się w końcu zaczną, dupa blada, te wakacje!

23. Dupa Jasiu / Jaś! [ndm] 'nieprawda' 'mówiący nie wierzy w to, co ktoś powiedział' *wulg., z lekceważeniem* NP Dupa Jaś! Ona wcale tam nie pojechała. ‖ Dupa Jasiu! On przecież nie ma żadnego majątku. □ Bog--Waw: 113

24. dupa wołowa 'o kimś pod jakimś względem niezaradnym' 'oferma' *posp./wulg., często z politowaniem lub niechęcią* NP Ta dupa wołowa może umrzeć z głodu: niczego nie potrafi kupić ani ugotować. ‖ Przecież słyszałeś, dupo wołowa. Trzymaj brudne łapska z dala od mojej łopaty. (WW Pt 220) □ SJPD, Skor, Tuf

25. Dupa / Dupę w troki! [ndm] 'niech ktoś skoncentruje się na czymś, żeby móc szybko przestać się tym zajmować' *wulg.* NP Dupa w troki! Za godzinę masz to z głowy. ‖ Dupa w troki i z powrotem, Columbato. (WW Pt 345)

26. Dupa zbita! [ndm] *przekl., wulg.* NP Idziesz, dupa zbita, a tu ci cegła na głowę spada. ‖ Jadę setką, a tu mi wyskakuje, dupa zbita, jakiś kundel prosto pod wóz.

27. dupa z uszami 'niezdara' 'niedorajda' 'maminsynek' *posp./wulg., uczn.* NP Piotr to taka dupa z uszami, pewnie zaraz zapyta, czy może ściągać. ‖ Nie mogę patrzeć na tę dupę z uszami, co z mamusią za rączkę przez jezdnię przechodzi.

28. __ [forma rozkaźnika niektórych czasowników] **dupę w troki!** 'niech ktoś skoncentruje się na czymś, żeby móc szybko przestać się tym zajmować' *wulg.* NP Weź dupę w troki i jutro jesteś po egzaminie. ‖ Zbieraj dupę w troki i leć za Harringtonem. (WW Pt 338) ‖ Jak chcesz się ze mną zobaczyć, to bierz dupę w troki i przyjeżdżaj do Nowego Jorku. (JI Hotel 453)

29. __ **gdzie psy dupami szczekają.** '__na końcu świata' '__z dala od ludzkich osiedli' *posp./wulg.* NP Od dawna mieszkał tam, gdzie psy dupami szczekają. ‖ Dzieciństwo spędził w środku lasu, gdzie psy dupami szczekają.

30. *ktoś* **gryzie się w dupę** __ [fraza przyimkowa lub zdanie składnikowe]. 'ktoś jest zły na siebie z jakiegoś powodu' *wulg.* NP Gryzie się w dupę, że jej nie pomógł. ‖ Piotr gryzie się w dupę, że nie zdążył na pociąg.

31. *ktoś* **idzie / chodzi na dupy.** 'o mężczyźnie: ktoś udaje się gdzieś, by zaspokoić swój popęd seksualny' *posp./wulg., młodzież.* NP Już jako dorastający młodzieniec zaczął chodzić z ojcem na dupy. ‖ Mam dziś wolny wieczór. Idziemy na dupy?

32. I Herkules dupa, kiedy ludzi kupa. 'nie można pokonać znacznie liczniejszego przeciwnika' *wulg. przysłowie* ☐ Bog-Waw: 485

33. __ **jak jasna dupa** [ndm] 'bardzo __' *wulg.* NP Chce mi się spać jak jasna dupa. ‖ Długi ten kij jak jasna dupa.

34. __ **jak z koziej dupy trąba** [ndm] 'o kimś a. o czymś, kto a. co zupełnie nie nadaje się do tego, o czym jest mowa' *posp./wulg., żart.* NP Hydraulik z niego był jak z koziej dupy trąba. ‖... wywiadowca ze mnie jest jak z koziej dupy trąba. (NIE)

35. Jasna dupa! [ndm] *przekl., wulg.* NP Jasna dupa, zapomniałem dowodu wpłaty! ‖ Jasna dupa! Co za wichura!

36. kij / kit *komuś* **w dupę.** [ndm] 'mówiący ignoruje kogoś w danym momencie, wyrażając swoje niezadowolenie z czyjejś odmownej reakcji na coś' *wulg.* NP Nie namówisz go do tego. Kij mu w dupę. ‖ Ona już nie wróci. Kit jej w dupę.

37. kopa *komuś* **w dupę!** [ndm] 'należy zachować się w stosunku do kogoś brutalnie' *wulg.* NP Skoro nie pomagają słowa, to kopa mu w dupę. ‖ Za dużo już świństw narobiła. Kopa jej w dupę. ☐ Bog-Waw: 174

38. *ktoś* **kręci dupą.** [ndk] 'ktoś kokietuje ruchami bioder i pośladków' *wulg.* NP Spójrz na tego pedała w czerwonej bluzie. Ledwie wstał od stołu, a już kręci dupą. ‖ Ilekroć podniesiesz głowę, ta kelnerka od razu zaczyna kręcić dupą. ☐ Tuf

39. Kurza dupa! [ndm] *przekl., wulg.* NP Co jest, kurza dupa, z naszą umową?! ‖Takich nóg jeszcze nie widziałem. Kurza dupa!

40. *ktoś* **leży do góry dupą.** [ndk] 'ktoś nic nie robi' *wulg.* NP Stale leży do góry dupą, je i tyje. ‖ Miesiącami leży do góry dupą, a ma ogromne dochody.

41. ktoś₁ liże komuś₂ dupę. [ndk] 'ktoś₁ podlizuje się komuś₂' *wulg.* NP Już od chwili zatrudnienia lizał dupę po kolei wszystkim dyrektorom. ‖Anna liże swojej wychowawczyni dupę. ‖Lizałem dupę szefowi przez cały tydzień — co było niezbędne — i udało mi się dostać pracę Peckovera. (HM Zwr 184)

42. ktoś ma piórko w dupie. 'ktoś nie potrafi przebywać przez dłuższy czas w tym samym miejscu' *posp./wulg., żart.* NP Dopiero na emeryturze zaczęła mieć piórko w dupie: stale odwiedza różne przyjaciółki w odległych zakątkach kraju. ‖Teściowa ma piórko w dupie. Od rana do wieczora jeździ po całym mieście.

43. ktoś₁ ma kogoś₂ a. coś w dupie. 'ktoś₂ a. coś nic kogoś₁ nie obchodzi' 'ktoś₁ nie chce nic wiedzieć o kimś₂ a. o czymś' *posp./wulg., z lekceważeniem* NP Mam w dupie te twoje pomysły. ‖Wszystko wskazuje na to, że on ma nas w dupie. ‖Młodzież ma w dupie bohaterstwo herosów narodowych, kocha sprawność idola estradowego. (WŁ Dobry 192) □ SJPD, SJPSz, Skor, Tuf

44. ktoś ma w dupie robaki. 'o kimś niespokojnym' 'o kimś, kto się kręci siedząc' *posp./wulg.* NP Ta kasjerka ma chyba w dupie robaki: niby siedzi, ale cała chodzi przy tym. ‖Babcia ma pewnie w dupie robaki, bo pod nią fotel skrzypi.

45. coś (można) o dupę / o kant dupy potłuc / rozbić. 'coś nie ma żadnej wartości' 'coś można całkowicie zignorować' *wulg., pogard., obrazowe* NP Co mnie obchodzą te twoje wiersze, o kant dupy można je potłuc. ‖Przestań się w końcu tym przejmować. O dupę to wszystko rozbić! ‖Ktoś kiedyś powinien beknąć za wszystkie te informacje, które można potłuc o kant dupy... (WŁ Naj 299) ‖... genialne pomysły senne... rano okazują się komiksem dla ubogich, można o dupę potłuc. (WŁ Dobry 40) ‖O dupę rozbić taką sprawiedliwość... (NIE) ‖ Niech skończą się gędy, już renty, procenty o dupę czas potłuc i kwita. (JSz Zeb 66) □ Bog-Waw: 114, Tuf

46. __ na dupie bez szmalu 'o kimś, kto stracił wszystkie pieniądze' *wulg., środ.* NP Wróciła nad ranem, oczywiście na dupie bez szmalu. ‖Zaraz po pierwszym moja stara jest na dupie bez szmalu.

47. ktoś nawet nie raczy ruszyć dupą __. 'ktoś jest całkowicie pozbawiony woli działania' 'ktoś jest niezdolny do tego, by zareagować na coś' *posp./wulg., z dezaprobatą* NP On nawet nie raczy ruszyć dupą, żeby przywitać gości i zaprosić ich do stołu. ‖ Gdzie się nie ruszyć, burdel dziki! Pojechał w teren z oper-grupą, wszędzie niedojdy, dekowniki, nawet nie raczą ruszyć dupą! (JSz Zeb 187)

48. niech ktoś₁ idzie w dupę / do dupy z kimś₂ a. czymś! 'mówiący chce, żeby ktoś₁ przestał mówić o kimś₂ a. o czymś' *wulg.* NP Idź w dupę z tym twoim Jackiem! ‖A idź do dupy z tymi reklamami!

49. niech ktoś₁ pocałuje kogoś₂ w dupę! 'niech ktoś₁ nie liczy na to, że uzyska od kogoś₂ to, czego chce' *wulg., pogard.* NP Nie mogę dłużej słuchać twojego marudzenia, pocałuj mnie w dupę! ‖ Idę spać. Pocałujcie mnie w dupę, kochane dzieci. □ Bog-Gar: 62, Bog-Waw: 68

50. niech *ktoś* ruszy dupą / dupę! 'mówiący chce, żeby ktoś zaczął coś robić' *wulg., z niecierpliwością* NP No, ruszże dupą! Zobacz, ile sprzątania! ‖ Niech ona w końcu ruszy dupę, zanim ja wyciągnę kopyta.

51. niech *ktoś* siedzi na dupie! 'mówiący nie chce, żeby ktoś reagował na to, co się dzieje' *wulg.* NP Siedź na dupie, nie przejmuj się jego zachciankami. ‖ Niech ona lepiej siedzi na dupie, bo będzie miała kłopoty. ‖ Nie rozrabiaj, nie podskakuj, siedź na dupie i potakuj.

52. niech *ktoś* ugryzie się w dupę! 'o kimś, kogo mówiący ignoruje w danym momencie' *wulg.* NP Ugryź się w dupę, nie potrzebuję już twojej pomocy! ‖Mam go zupełnie dosyć, niech się ugryzie w dupę.

53. niech *ktoś*₁ ugryzie się w dupę z *kimś*₂ a. *czymś*! 'o kimś₁, kogo mówiący ignoruje w danym momencie z powodu kogoś₂ a. czegoś' *wulg.* NP Niech ona się ugryzie w dupę z tymi pieniędzmi! ‖ Ugryź się w dupę z tym twoim malarzem!

54. niech *ktoś* wsadzi sobie *coś* w dupę! 'mówiący wzywa kogoś, by przestał go czymś absorbować' 'odmowna reakcja na czyjąś propozycję' *wulg., z lekceważeniem* NP Wsadź sobie w dupę te czeki! ‖Niech pan wsadzi sobie w dupę te sto dolarów i zjeżdża stąd natychmiast! ‖Bądźcie tak łaskawi, moi kochani, i wsadźcie sobie to dziedzictwo cierpienia w swoje cierpiące dupy! (PR Komp 76)

55. niech *ktoś* zabiera swoją dupę __ [fraza przyimkowa lub przysłówkowa określająca miejsce]! 'niech się ktoś wynosi __' *wulg.* NP Wstrętny jesteś! Zabieraj stąd swoją dupę! ‖ Nie mogę na ciebie patrzeć, zabieraj swoją dupę z naszego domu!

56. Nie ma dupy. [ndm, tylko jako komentarz do cudzej wypowiedzi] 'z całą pewnością' 'mówiący wyraża swoją pewność, że stanie się to, co ktoś inny sugeruje' *wulg.* NP Sądzisz, że Brazylia wygra? — Nie ma dupy. ‖ Chyba zdasz ten egzamin? — Nie ma dupy.

57. Nie ma dupy we wsi. [ndm, komentarz do cudzej lub własnej wypowiedzi] 'na pewno nie' 'to, o czym była mowa, jest niewykonalne' *wulg.* NP Nie zrobię tego. Nie ma dupy we wsi. ‖Piotr nie skończy tych studiów. Nie ma dupy we wsi.

58. *ktoś*₁ nogi *komuś*₂ z dupy powyrywa. 'ktoś₁ zrobi komuś₂ coś złego, jeżeli ktoś₂ wykona przewidywaną czynność' 'groźba' *wulg.* NP Jeśli jej to zrobisz, to on ci nogi z dupy powyrywa. ‖ Przestańcie się drzeć, bo wam nogi z dupy powyrywam. □ Bog-Waw: 228, Tuf

59. *ktoś*₁ obrabia / obrobił *komuś*₂ dupę. [ndk/dk] 'ktoś₁ obmawia kogoś₂' 'ktoś₁ mówi o kimś₂ źle' *wulg.* NP Nie obrabiaj mi dupy u Kowalskich, błagam cię! ‖Tego wieczoru obrobiła dupę wszystkim koleżankom z klasy.

60. ktoś₁ obrabia / obrobił komuś₂ dupę. [ndk/dk] 'o partnerze aktywnym: ktoś₁ współżyje z kimś₂ seksualnie' *wulg.* NP Obrobił jej dupę i zwiał. ‖ Zawsze po lekcjach obrabiał dupę którejś ze szkolnych koleżanek.

61. ktoś₁ obsmarowuje / obsmarował komuś₂ dupę. [ndk/dk] 'ktoś₁ obmawia kogoś₂' 'ktoś₁ mówi o kimś₂ źle' *wulg.* NP Jola uśmiecha się do ciebie, a potem obsmarowuje ci dupę z koleżankami. ‖ Obsmarował jej dupę w gronie przyjaciółek. Wszystkie odsunęły się od niej.

62. Oczy chcą, a dupa nie może. [ndm, zwykle w nawiązaniu do czyjejś wypowiedzi] 'o kimś bardzo łakomym' 'o kimś, kto lubi dużo i smacznie jeść' *posp./wulg., żart.* NP Zjedz jeszcze trochę tortu. — Oczy chcą, a dupa nie może. ‖ Masz ochotę na lody z bitą śmietaną? — Oczy chcą, a dupa nie może.

63. ktoś₁ odmawia / odmówił komuś₂ dupy. [ndk/dk] 'o partnerze biernym: ktoś₁ nie pozwala komuś₂ na to, by współżył z kimś₁ seksualnie' *wulg.* NP Zawsze odmawiała dupy swoim przełożonym. ‖ Odmówiła dupy taksówkarzowi.

64. ktoś __ [czasownik mówienia] o dupie Maryni / -y. 'ktoś mówi, nie mówiąc o niczym' 'ktoś wypowiada słowa, z których nic nie wynika' *posp./wulg.* NP Poszła do sąsiadki i gadały o dupie Maryni cały dzień. ‖ Do północy szczebiotały przy kawie o dupie Maryny.

65. pachnie od kogoś a. __ [fraza przyimkowa lub przysłówkowa określająca miejsce] **jak z dupy Kachnie.** [ndk] 'o kimś, od kogo a. o czymś, skąd czuć brzydki zapach' 'ktoś a. coś śmierdzi' *wulg., żart., rytmizowane* NP Kiedy tylko przychodzi, pachnie od niej jak z dupy Kachnie. ‖ Pachnie tam zawsze, jak z dupy Kachnie. ‖ Pachnie od tego kibla, jak z dupy Kachnie.

66. papier do dupy 'papier toaletowy' *posp./wulg.* NP Kupił tam papier do dupy, cały podziurawiony. ‖ W ich mieszkaniu wisiał zawsze tylko ścierny papier do dupy.

67. ktoś podnosi / podniósł dupę. [ndk/dk] 'ktoś wstaje' *wulg., obrazowe* NP Był zawsze uprzejmy. Podnosił dupę na widok każdego interesanta. ‖ Kiedy tylko wszedł, zaraz podniosła dupę. □ Bog-Waw: 269

68. ktoś₁ robi komuś₂ koło dupy. [ndk] 'ktoś₁ obmawia kogoś₂' 'ktoś₁ psuje komuś₂ opinię' *wulg.* NP Nie rób mu koło dupy, nie zasługuje na to. ‖ Najpierw się ze wszystkimi zaprzyjaźniał, a potem robił im koło dupy.

69. ktoś siedzi na dupie. [ndk] 'ktoś nic nie robi' *wulg.* NP Całymi dniami siedziała na dupie, czekając na koniec programu telewizyjnego. ‖... całe to barachło siedzi na dupie i od rana do wieczora przechwala się swoją pracą, a żaden z nich nie wart złamanego szeląga. (HM Zwr 137)

70. ktoś₁ siedzi komuś₂ (gdzieś) jak wrzód na dupie. [ndk] 'o kimś₁, czyje zachowanie jest dla kogoś₂ bardzo męczące' *wulg., z niechęcią* NP Marek siedzi mu już trzy godziny jak wrzód na dupie i ciągle milczy. ‖ Co tu tak siedzisz jak wrzód na dupie? Idź sobie w końcu!

71. słupy do podpierania dupy 'nogi' *wulg.*, *żart.*, *rytmizowane* NP Ale ma krzywe słupy do podpierania dupy! ‖ Takie słupy do podpierania dupy to może mieć tylko baletnica.

72. ktoś₁ truje komuś₂ dupę. [ndk] 'ktoś₁ przeszkadza komuś₂, ciągle mówiąc o czymś' 'ktoś₁ zawraca komuś₂ czymś głowę' *wulg.* NP Siedział cały dzień i truł mi dupę. ‖ Nie truj mi dupy, tylko posprzątaj!

73. ktoś trzęsie dupą __ [fraza przyimkowa lub zdanie składnikowe]. [ndk] 'ktoś boi się czegoś' *wulg.* NP Maria trzęsie dupą na myśl o egzaminie. ‖ Nie lubię, gdy ktoś trzęsie dupą z byle powodu. ‖ Trzęsie dupą, że mogą na nią donieść do prokuratury.

74. ktoś₁ trzyma się czyjejś₂ dupy. [ndk] 'ktoś₁ dobrowolnie podporządkowuje się komuś₂' *wulg.*, *z dezaprobatą* NP Aż do samej emerytury stale trzymała się dupy swojej starszej koleżanki biurowej. ‖ Przez całe dorosłe życie trzymała się mężowskiej dupy.

75. ktoś₁ trzyma kogoś₂ za dupę. [ndk] 'ktoś₁ pilnuje kogoś₂' 'ktoś₁ narzuca komuś₂ dyscyplinę' *wulg.* NP Maria trzyma za dupę swojego męża, nigdzie nie pozwala mu samemu wyjeżdżać. ‖ Trener tak trzymał za dupę dziewczyny, że wygrywały każdy mecz.

76. coś ugryzło kogoś w dupę. [dk] 'ktoś jest w złym humorze' *wulg.* NP Coś szefa dziś ugryzło w dupę. Spławia wszystkich interesantów. ‖ Stawia same pały. Chyba coś ją ugryzło w dupę.

77. ktoś umoczył dupę. [dk] 'ktoś nabawił się kłopotów' *wulg.* NP Zostaw te ciemne interesy, bo umoczysz dupę szybciej, niż myślisz. ‖ Przestań z nim walczyć, możesz zaraz dupę umoczyć. □ Tuf

78. ktoś₁ wchodzi / włazi komuś₂ w dupę (bez mydła / z poślizgiem). [ndk] 'ktoś₁ podlizuje się komuś₂' *wulg.* NP Nie znosił ludzi, którzy wchodzą swoim zwierzchnikom w dupę bez mydła. ‖ On zawsze włazi w dupę z poślizgiem tym, na których mu zależy. ‖... te warszawskie cwaniaczki... włażą nam w dupę, bo przedtem włazili w dupę komuchom, potem mieli zabawę w konspirację przy pomocy esbeków, a teraz chcą się podczepić do nas! (WŁ Naj 57)

79. W dupę! [ndm] *przekl.*, *wulg.* NP O, w dupę, ale tu bajzel! ‖ W dupę! Co za balony jej wiszą!

80. w dupę kogoś! [ndm] 'niech ktoś bije kogoś' 'mówiący wzywa adresata do podjęcia z kimś walki' *wulg.* NP W dupę tego chama! ‖ W dupę ją, niech wie, że ze mnie nie wolno kpić! ‖ Nie podoba mi się ten typ. W dupę go!

81. w dupę jebany / kopany / pierdolony 'taki, o którym mówiący myśli jako o kimś a. czymś bardzo złym' *wulg.* NP Znowu łazi tu ten żebrak, w dupę jebany. ‖ Nie mogę się pozbyć łobuza, w dupę pierdolonego. ‖ ...w dupę kopane czarnuchy! — zapiszczał. (VB Konk 113) ‖ Siedzimy tu jak te w dupę jebane ptaszynki na samych czubeńkach drzew. (JI Hotel 141)

82. W dupę jeża! [ndm] *przekl.*, *wulg.* NP Czy on, w dupę jeża, nigdy nie zda tego egzaminu? ‖ Maria pojechała, w dupę jeża, do Krakowa zamiast do Katowic.

82. w dupę pijany / zalany 'kompletnie pijany' *wulg.* NP Przywlókł się do domu nad ranem, w dupę zalany. ‖ Leżał w dupę pijany pod ścianą. ☐ Bog-Gar: 39

84. W dupę tam! [ndm] 'nieważne' 'o kimś a. o czymś, kto a. co mówiącego nic nie obchodzi' *wulg.*, *z lekceważeniem* NP Zapomniałem zabrać zegarka. W dupę tam! ‖ W dupę tam! Nie zamierzam tego robić. ‖ On czekał na ciebie pół dnia. — W dupę tam!

85. coś wisi komuś u / koło dupy. [ndk] 'coś kogoś nic nie obchodzi' *wulg.* NP Twoje długi wiszą mu koło dupy. ‖ Twoja ciężka praca wisi mi u dupy. (SPS ACh 267)

86. __ [forma czasownikowa] własna / swoja dupa. 'mówiący podkreśla, że obiektem zainteresowania danej osoby jest ona sama' *wulg.* NP Ewa myśli tylko o własnej dupie. ‖ Zosia dba o swoją dupę. ‖ Jego obchodzi wyłącznie własna dupa. ‖ Chyba nie chronisz niczego w ten sposób poza własną dupą.

87. w trzy / cztery dupy pijany / zalany 'kompletnie pijany' *wulg.* NP Przywieźli go wczoraj pijanego w trzy dupy. Nie wytrzeźwiał do rana. ‖ Po weselu trzeba było ją nieść, w cztery dupy zalaną. ☐ Bog-Gar: 39

88. ktoś wygląda jak dupa / pół dupy zza krzaka. [ndk, ndm przez liczbę] 'ktoś źle wygląda' *wulg.*, *żart.* NP Źle się czuł w samolocie, wyglądał jak dupa zza krzaka. ‖ Wyszedł już ze szpitala, nadal jednak wygląda jak pół dupy zza krzaka. ☐ Bog-Waw: 427

89. ktoś wyżej dupy nie podskoczy. [ndm przez czas] 'ktoś nie jest zdolny zrobić czegoś, co przekracza jego możliwości' *wulg.*, *żart.* NP Matura była dla niego szczytem marzeń. Na studia nie pójdzie, wyżej dupy nie podskoczy. ‖ Dawniej osiągał „sukcesy" tylko dzięki partii, dziś musi być bezrobotnym — wyżej dupy nie podskoczy.

90. ktoś₁ zawraca / zawrócił komuś₂ dupę czymś a. kimś₃. [ndk/dk] 'ktoś₁ zawraca komuś₂ głowę czymś a. kimś₃' 'ktoś₁ chcąc czegoś od kogoś₂ a. mówiąc coś do kogoś₂ o kimś₃, nudzi kogoś₂' *posp./wulg.* NP Nie zawracaj jej dupy tym swoim chłopakiem! ‖ Ciągle mi zawracasz dupę tą sprawą. ‖ Ania celowo zawracała dupę Sławkowi, chciała być zauważona. ☐ Tuf

91. Zimna dupa! [ndm] *przekl.*, *wulg.* NP Zimna dupa, co to za pociąg?! ‖ Nie doczekam się na niego, zimna dupa!

92. ktoś zmoczył dupę. [dk] 'o kimś, z kim stało się coś złego' *wulg.* NP Grał całą noc w pokera i znów strasznie zmoczył dupę. ‖ W tej knajpie potwornie zmoczył dupę.

93. komuś żal dupę ściska / ścisnął __ [fraza przyimkowa lub zdanie składnikowe]. [ndk/dk] 'ktoś żałuje czegoś' 'ktoś ma o coś do siebie pretensje' *wulg., żart.* NP Żal mi dupę ściska, że nie mogłam tam pojechać. ‖ Żal jej dupę ściska na myśl, że mogłaby być teraz w Paryżu.

Jako wyzwiska używane są jednostki: 3, 4, 6, 24, 27.

○ Zob. ponadto: chuj 9, 15, 16, 17, jebać 10, kurwa 16, najebać 5, pieprzyć 9, pierdolić 15, srać 8, 11

dupczasty

dupczasty 'mający szerokie biodra i duże pośladki' *posp./wulg.* NP Do jego klasy chodziły głównie panienki dupczaste i piersiaste. ‖ Popatrz na tę dupczastą dziewuchę! Jak ona ociężale się porusza. ‖ Zajęcia prowadził facet dupczasty, z olbrzymim brzuchem.

dupczyć

ktoś₁ dupczy kogoś₂. [tylko ndk] 'o partnerze aktywnym: ktoś₁ współżyje z kimś₂ seksualnie' *wulg.* NP Wszystkie przyjaciółki zawsze dupczył w hotelu „Bristol". ‖ Weroniki jeszcze nikt nie dupczył oprócz męża. ‖ Najpierw zafundował nam Marsa, a teraz dołożył Wenus, dupcząc prezydentównę, i to jak! Panienka jest w amoku... (VB Konk 93) ☐ Kiel, Tuf

dupek *posp./wulg.*

1. dupek 'o kimś niezaradnym życiowo' 'oferma' *zwykle z lekceważeniem i/lub politowaniem* NP Odkąd wyszła za tego dupka, musi sobie radzić ze wszystkim sama. ‖ Ten dupek nie potrafi nawet gwoździa przybić. ‖ To straszny dupek, nigdy mu się nic nie udaje. ◇ *zdr.* dupeczek, dupeniek ☐ Supl

2. dupek żołędny 'o kimś niezaradnym' 'oferma' *zwykle z lekceważeniem i/lub niechęcią* NP Andrzej to dupek żołędny. Nie licz na jego pomoc. ‖ Ten dupek żołędny na pewno niczego nie przygotował. ‖ Płakał, jak mu założyłem trzymanie, dupek żołędny jeden. (WW Pt 216) ☐ Kiel, Tuf

Obie jednostki używane też jako wyzwiska.

duperele

duperele [tylko formy l.mn., D -i] 'drobiazgi' 'głupstwa' *posp./wulg.* NP Te duperele nic mnie nie obchodzą, przejdź do sedna sprawy. ‖ Nie zawracaj mi głowy duperelami. || Właśnie to chcę panu wytłumaczyć i nie mogę, bo wciąż wałkujemy jakieś duperele! (WŁ Dobry 70) ||... chyba nie z wdzięczności zaczęliśmy rozmawiać o duperelach. (GW) □ SJPD, SJPSz

dupeusz

dupeusz 'o kimś niezaradnym pod względem seksualnym' *posp./wulg.* NP Rzuć w końcu tego dupeusza. Znajdź sobie prawdziwego chłopa. || Skazana jestem na pieprzenie się z takim dupeuszem. To żadna przyjemność.

dupiasty

dupiasty 'mający szerokie biodra i duże pośladki' *posp./wulg.* NP Czy ta dupiasta blondyna jest w naszej grupie? || Magda robi się coraz bardziej dupiasta. Pewnie jest w ciąży.

dupnąć *wulg.*

1. *ktoś* dupnął *czymś*, w / o *coś*₂. [dk] 'ktoś uderzył czymś₁ w / o coś₂' NP Piotr dupnął samochodem w drzewo. || Dupnęła tyłkiem o podłogę. || Jak dupnął łbem w telewizor, to ekran się rozwalił.
2. *coś* dupnęło. [dk] 'coś uległo uszkodzeniu' 'coś się rozbiło' NP Dupnęła skrzynia biegów pod samą górką. || W trakcie nagrywania koncertu magnetofon dupnął.

dupny *posp./wulg.*

1. dupny 'dotyczący kogoś a. czegoś, o kim a. o czym orzeka się słowo *dupa*' 'taki, o którym myśląc, można orzec słowo *dupa*' NP Sejm i Senat ostatnio ciągle dyskutują o sprawach dupnych. || Powiedz coś o swoich przeżyciach dupnych. Moja stara była przecież kiedyś twoją żoną.
2. dupny 'z nagimi kobietami' *rzad.* NP Lubił oglądać kolorowe tygodniki z dupnymi zdjęciami. || Piotr kupował w sex-shopie jakieś dupne filmy. □ Bog-Waw: 114

dupodajka

dupodajka 'kobieta, która chętnie współżyje seksualnie z przygodnymi mężczyznami' *posp./wulg.* NP Dziwka, kurwa czy dupodajka — wszystko jedno, jak ją nazwiesz. || Powiedziałem tylko, że jesteś za mądra na to, żeby się czasem zachowywać jak zwykła dupodajka, to wszystko. (PR Komp 184) □ Kiel, Tuf

69

dupol

dupol 'o człowieku głupim i naiwnym' *posp./wulg., z lekceważeniem i niechęcią* NP Szkoda czasu na wykład tego dupola. Lepiej pójść na kawę. ‖ Możesz sobie podarować rozmowę z tym dupolem.

Jednostka używana też jako wyzwisko.

dupoman

dupoman 'mężczyzna, który ma duże potrzeby seksualne i lubi uprawiać seks' 'o kimś bardzo pobudliwym i nie zaspokojonym seksualnie' *posp./wulg., z pogardą i/lub niechęcią* NP Temu dupomanowi nie wystarcza żona i kilka kochanek, jeszcze musi chodzić na kurwy. ‖ Ten chłopak jest chyba dupomanem: rzuca się na każdą dziewczynę z klasy i od razu wkłada łapska między nogi.

dupowaty

dupowaty 'niezaradny' *posp./wulg.* NP Mamy strasznie dupowatego szefa. O niczym nie potrafi sam zdecydować. ‖ Patti i ten jej dupowaty mąż przychodzili do mnie, ale miesiąc temu powiedziałem im, żeby się odpieprzyli. (SPS ACh 393) ‖... zawsze budził szacunek u dupowatych cywili. (NIE) ☐ Supl, Tuf

dupuś

dupuś 'oferma' 'o kimś pod jakimś względem niezaradnym' *posp./wulg., żart., pieszcz.* NP Nie umiał nawet napisać podania, dupuś jeden. ‖ Pojedź po tego dupusia, bo sam pewnie nie trafi.

Jednostka używana też jako wyzwisko.

dymać

ktoś₁ dyma kogoś₂ [ndk] ' o partnerze aktywnym: $ktoś_1$ współżyje z $kimś_2$ seksualnie' *wulg. obycz.* NP... sztafety, balety, rozbierane prywatki, kiedy dziesięciu pieprzy jedną napitą rurę, albo wszyscy dymają wszystkich na krzyż. (WŁ Dobry 103) ‖ Zawsze błagały go, żeby je dymał po powrocie ze stajni. (WŁ Lep 78) ☐ SJPD, Kiel, Tuf

dziobać

ktoś₁ **dziobie kogoś**₂. [ndk] 'o partnerze aktywnym: ktoś₁ współżyje z kimś₂ seksualnie' *wulg. obycz.* NP Żona nie potrafiła go zaspokoić. Dziobał raz na jakiś czas różne dziewuchy. ‖ Dziś mam ciotkę. Nie możesz mnie dziobać.

dziobak

dziobak 'członek męski' *wulg. obycz.* NP Jaś ma ostatnio przemęczonego dziobaka. Dziś stroni od panienek. ‖ Zobaczył dziwne plamy na dziobaku. Postanowił zrobić badania. □ Kiel, Tuf

dziubać

ktoś₁ **dziubie kogoś**₂. [ndk] 'o partnerze aktywnym: ktoś₁ współżyje z kimś₂ seksualnie' *wulg. obycz.* NP Już nie chodzą ze sobą, ale co pewien czas on ją dziubie. ‖ Tuliła się do niego, pieściła go, chciała, żeby ją dziubał. □ Tuf

dziura

dziura 'żeński narząd płciowy' *wulg. obycz.* NP Nie cierpi, jak jej ginekolog dłubie w dziurze. ‖ Swędzi mnie cała dziura. Wejdź jak najszybciej. ‖ Sztafety też nie dla mnie, pies je trącał, to jak sracz na dworcu, kolejka do jednej dziury, chromolę taki wyczyn, nie znalazłem kapucyna w śmieciach. (WŁ Dobry 103) ◇ *zdr.* dziureczka, dziureńka, dziurka, *zgr.* dziursko □ Kiel, Tuf

dzwon

dzwon 'jądra męskie' *wulg. obycz.* NP Ale mu dzwon wisi! Gdzie on go chowa? ‖ Podrywał czyjąś babę. Jej facet zgniótł mu ze złości dzwon. ◇ *zdr.* dzwoneczek, dzwonek

fajfus

fajfus 'członek męski' *wulg. obycz.* NP Zapnij rozporek, bo ci fajfus wyjdzie na wierzch. ‖ Pod jednym prysznicem kilku facetów naraz. Każdy myje swojego fajfusa. □ Kiel, Stęp, Tuf

f

fakować

Fakuj [*ang.* to fuck off 'spierdalać'] __ [fraza przyimkowa lub przysłówkowa określająca miejsce]! [tylko w formie 2. osoby rozkaźnika] 'odejdź __' 'uciekaj __' 'odczep się' *wulg.* NP Nie mogę na ciebie patrzeć, fakuj stąd! ‖ Złodzieju jeden, fakuj z tego pokoju! □ Dąbr: 185

fiut

fiut 'członek męski' *wulg. obycz.* NP Kto zostanie przyłapany, będzie miał urżniętego fiuta. (WŁ Naj 230) ‖ Dziura tej baby była pełna kurzu.... Wstyd mi się przyznać, ale wrzuciłem całe metry fiuta w tę cholerę. (SPS ACh 175) □ Dąbr: 204, Stęp, Tuf

flak

flak 'o zwiotczałym członku męskim' *wulg. obycz.* NP Po całonocnej dłubaninie ledwo mógł znaleźć swojego flaka w majtkach. ‖ Takiego flaka to może mieć małe dziecko, a nie dorosły mężczyzna! — pomyślała Anka, spojrzawszy na Andrzeja. ◇ *zdr.* flaczek □ Stęp, Tuf

flet *wulg. obycz.*

1. flet 'członek męski' NP Było mu tak zimno, że zeszczał się w portki, zanim zdążył wyjąć fleta. ‖ Owiń sobie czymś fleta, bo możesz coś złapać! ◇ *zdr.* flecik □ Dąbr: 204, 317, Kiel, Stęp, Tuf

2. ktoś₁ ciągnie / pociągnął komuś₂ fleta. [ndk/dk] 'o partnerze aktywnym, zwykle o kobiecie: ktoś₁ drażni mężczyźnie ustami członka, chcąc spowodować wytrysk' NP Ewa na każdej randce ciągnęła mu fleta. ‖ Obiecałeś, że nam pociągnie fleta! Przemagluje nas na cacy, sam tak mówiłeś! (PR Komp 164) □ Kiel, Tuf

3. ktoś₁ gra komuś₂ na flecie. [ndk] 'o partnerze aktywnym, zwykle o kobiecie: ktoś₁ drażni mężczyźnie ustami członka, chcąc spowodować wytrysk' NP Potrzebuję dziewczyny, która mi będzie długo grać na flecie — szepnął Andrzej, wchodząc do burdelu. ‖ Czy to agencja towarzyska? Czy wszystkie pracownice grają na flecie? □ Kiel, Stęp, Tuf

fujara

fujara 'członek męski' *wulg. obycz.* NP W czasie wycieczki zmarzła mi fujara od ciągłego sikania na powietrzu. ‖ Natura obdarzyła go takimi rozmiarami — inaczej, niż to było z fiutem księcia Henryka, który bez ustanku się targał za książęcą fujarę, by rosła mu dłuższa. (RN Fal 228) ◇ *zdr.* fujarka □ Kiel, Stęp, Tuf

gęś

niech *kogoś* a. *coś* **gęś kopnie!** [ndm] *przekl.* NP Niech gęś kopnie tę twoją skarbonkę i niech ją wszy zjedzą! ‖ Niech tę całą twoją robotę gęś kopnie! ‖ To cymbał jakiś. Niech go gęś kopnie! □ SJPD, SJPSz, Skor

gówniany

gówniany 'taki, o którym mówiąc myśli się jako o czymś złym' 'taki, który mówiącemu się nie podoba' 'o czymś nie nadającym się do użytku' *posp./wulg.* NP Co za gówniany lejek! Ciągle się zatyka. ‖ Gówniana pogoda. Leje od tygodnia. ◇ *przysł. odprzym.* gównianie □ Kiel, SJPSz

gówniarski

gówniarski 'mający związek z dzieciństwem i młodością' *posp./wulg.* NP Pamiętasz te lata gówniarskie? Piliśmy pod „Sokolicą" wódę w dużym piwie. ‖ W tych gówniarskich czasach tyle głupstw się robiło. □ Bog--Waw: 137

gówniarz *posp./wulg.*

1. gówniarz 'o dziecku' *z lekceważeniem i/lub poufałością* NP Nasz gówniarz jeszcze dobrze nie umie mówić. ‖ Czy twój gówniarz już się uczy angielskiego? ‖ Żeby ten gówniarz wiedział, że nie rozwiodłem się tylko przez niego. Wie, bo mu mówiłem. Zaczęła tak sobie żyć na boku, jak nasz gówniarz miał pięć lat. (RB Rok 39) ◇ *n. ż.* gówniara

2. gówniarz 'smarkacz' 'o kimś, kogo nie można traktować w sposób poważny' *pogard.* NP Dał mu w pysk jakiś gówniarz. ‖ Zachował się na tym przyjęciu jak gówniarz. ‖ Gówniarze napastują bezbronne dziewczyny. Przyszedłem po to, żeby gówniarze przestali to robić. (WŁ Dobry 105) ◇ *n. ż.* gówniara □ SJPD, SJPSz, Kiel

Jednostki 1, 2 są używane też jako wyzwiska.

gówno *wulg.*

1. gówno 'kał' NP Uważaj, bo możesz wejść w gówno. ‖ Zrób porządek z tymi krowimi gównami. ‖ Pływają tam po wodzie dwa monstrualne kawały gówna. (HM Zwr 120) ‖... gówno rozpryskiwało się na szkle piętnaście centymetrów od nosa jej ukochanego... (PR Komp 146) ‖ Ludzie przewalali się wokół mnie niczym warzywa w pęczkach. Przypominali to, co jedli. A z tego, co jedli, powstawało gówno. Nic więcej. (HM Sex 52) ◇ *zdr.* gówienko □ SJPD, SJPSz, Kiel, Tuf

2. gówno 'o czymś, co uważa się za rzecz złą' 'o czymś, co nie nadaje się do użytku' NP Te nożyczki to gówno. Niczego nie można nimi rozciąć. ‖ Nie jedz tego gówna! Może ci zaszkodzić. ‖ Kupiłem używany samochód. Okazało się, że to jest kupa gówna.

3. gówno 'o kimś bezwartościowym' 'o kimś, o kim mówiący myśli jako pozbawionym godności' 'łajdak' NP Ty jesteś jedno wielkie gówno. ‖ To całe towarzystwo to kupa gówna. ‖ Ja tego filmu nie widziałem, Burt Reynolds to dla mnie gówno z wąsami, jeden z tych hollywoodzkich gnojków, którzy udają prawdziwych facetów... (VB Konk 185) ‖ Ale byłeś gównem i dalej jesteś, ty sakramencki łysku. (NIE) □ SJPD, SJPSz

4. Gówno! [ndm, odrębne wypowiedzenie stanowiące bezpośrednią reakcję na czyjąś wypowiedź] 'nie' 'zupełnie nie' *ze złością* NP Udało ci się coś załatwić w tym biurze? — Gówno! Przerwa śniadaniowa. ‖ Przeczytałeś ten artykuł? — Gówno! Prąd wyłączyli. ‖ — Otwieramy kasę pancerną i przez pół minuty lista jest moja — rzekł Tolik. — Gówno! — ryknął Siuder, waląc ręką w stół. — Nie wolno mi nikomu pokazywać tej listy. (WŁ Naj 136) ‖ — Pewnie moglibyście się wynieść. — Gówno — powiedział Slagel. — Pluton rozleciałby się, gdybyśmy to zrobili. (SPS ACh 79)

5. gówno [B l.p.] __ [czasownik dopuszczający użycie B]. 'nic nie' 'zupełnie nic nie' NP Gówno zarobisz na tej posadzie. ‖ On gówno zrozumiał z tego wykładu. ‖ Ten zapis gówno znaczy. ‖ Jeśli chodzi o zaszczyty i osiągnięcia, pewnie gówno dla was znaczy, mamusiu i tatusiu, że akurat burmistrz mianował mnie zastępcą komisarza... (PR Komp 103) ‖ Gówno wiesz, jak się zrelaksować — mówi pani Ralph. (JI Świat 221) ‖ Wyobrażał sobie, że szefowie muszą znać zwyczaje tych ludzi, dopóki nie przekonał się, że gówno wiedzą. (SPS ACh 232)

6. *ktoś* gówna z progu nie zepchnie. 'o kimś niechlujnym w gospodarstwie domowym' NP Ale sobie znalazł żonę! Gówna z progu nie zepchnie. ‖ On pewnie z jakiejś wiochy pochodzi, bo w akademiku to gówna z progu nie zepchnie. □ Bog-Gar: 43

7. gówno *komuś₁, do czegoś* a. *kogoś₂.* [ndm] 'mówiący nie chce, żeby ktoś₁ wtrącał się do czegoś a. do tego, co dotyczy kogoś₂' NP Gówno jej do tego, gdzie on pracuje i ile zarabia. ‖ Gówno ci do mojego dziecka i jego lekcji. □ Skor

8. coś gówno kogoś obchodzi. [ndk] 'coś kogoś nie interesuje' 'ktoś nie powinien się wtrącać do czegoś' *z lekceważeniem* NP Gówno mnie obchodzi, z kim ty sypiasz. ‖ Nie bądź taki ciekawski! Gówno cię to obchodzi, co ja będę robił w święta. ‖ Gówno mnie obchodzi, że jego ubranie cuchnie tak obrzydliwie, kiedy wraca do domu... (PR Komp 75) ‖ Van Norden ma chyba zdrowy stosunek do tych spraw. Też już gówno go obchodzi te piętnaście tysięcy franków; intryguje go sama sytuacja. (HM Zwr 181) ☐ Bog-Gar: 57, SJPD, SJPSz, Skor

9. Gówno prawda. [ndm, jednostka stanowiąca reakcję na cudzą wypowiedź] 'wbrew przypuszczeniom adresata to nieprawda' NP Gówno prawda. On niczego takiego nie powiedział. ‖ Piotr już wyjechał. — Gówno prawda. Widziałem go przed chwilą. ‖ Opowiadał mi, że jej włożył sześć czy siedem razy. Wiem, że to gówno prawda... (HM Zwr 151) ☐ Bog-Gar: 68, Bog-Waw: 137

10. gówno śmierdzące 'ktoś a. coś, o kim a. o czym mówiący myśli jako o kimś a. o czymś bardzo złym' *pogard*. NP Czy to gówno śmierdzące przestanie w końcu za mną łazić? ‖ Po co kupiłaś to gówno śmierdzące! Przecież tego nikt nie zje. ☐ Bog-Waw: 137

11. __ gówno / gówna warte. [pierwszy segment ndm] '__ bezwartościowe' NP Cała ta twoja praca jest gówno warta. ‖ Co za koszmarne towarzystwo! Wszyscy jesteście gówno warci. ‖ ... ich żołnierze byli gówno warci... (SPS ACh 138) ‖ My mamy tylko stare trzydziestki czwórki, które są gówno warte. (SPS ACh 312) ☐ Bog-Waw: 138

12. gówno z kogoś, nie __ [nazwa zawodu]. 'o kimś, kto według opinii mówiącego źle robi to, co należy do danego zawodu' *z dezaprobatą i lekceważeniem* NP Gówno z ciebie, nie marynarz. ‖ Gówno z niego, nie poeta. ☐ SJPD

13. ktoś wdepnął w gówno. [dk] 'ktoś nabawił się kłopotów' 'ktoś znalazł się w trudnej sytuacji' NP Zerwij z nią, bo możesz wdepnąć w gówno. ‖ ...jego troską główną jest, że w straszliwe wdepnął gówno. (JSz Zeb 196)

grucha *wulg. obycz.*

1. grucha 'członek męski' NP Zobacz, jaką ma gruchę! W spodniach mu się nie mieści. ‖ Jak wskoczył do łóżka z tą swoją gruchą, to zemdlała z wrażenia. ◊ *zdr.* gruszka ☐ Tuf

2. ktoś bije gruchę / leci / strzela / śmiga w gruchę. [ndk] 'o mężczyźnie: ktoś onanizuje się' NP Już jako kilkunastoletni chłopak codziennie bił gruchę. ‖ Stary dziad, a jeszcze ciągle strzela w gruchę. ‖ Tyle czasu siedzi w tym kiblu. Pewnie śmiga w gruchę. ☐ Stęp, Tuf

3. ktoś stawia gruchę. [ndk] 'ktoś uprawia seks' NP Co robisz dziś wieczorem? — Będę stawiała gruchę. ‖ Nie przychodź jutro do mnie. Stawiam gruchę.

grzmocić

ktoś₁ grzmoci kogoś₂. [ndk] 'o partnerze aktywnym: ktoś₁ odbywa z kimś₂ stosunek seksualny' *wulg. obycz.* NP Kiedy mieszkali razem, Piotr grzmocił Jolkę codziennie przed snem. ‖ Czy zaczniesz mnie w końcu grzmocić? — dopominała się o swoje prawa młoda mężatka. ☐ Stęp, Tuf

h

heblować

ktoś₁ hebluje kogoś₂. [ndk] 'o partnerze aktywnym, zwykle o mężczyźnie: ktoś₁ odbywa z kimś₂ stosunek seksualny' *wulg. obycz.* NP Tak hebluje wszystkie swoje dziewuchy, że zaintrygowani sąsiedzi nadsłuchują. ‖ Paweł był kompletnie pijany. Nie próbował nawet swojej starej heblować. ☐ Stęp, Tuf

holender

Holender! [ndm, zwykle w funkcji parentezy] *przekl.*, *eufem.* NP Zapomniałem, holender, załatwić najważniejszej sprawy. ‖ Czy ona, holender, w końcu pójdzie spać? ‖ Holender! Niepotrzebnie zabierałem głos na tym posiedzeniu. ☐ SJPD, SJPSz

i

interes

interes 'członek męski' *wulg. obycz.*, *eufem.* NP Zapnij rozporek, bo ci zaraz wyjdzie interes z przyległościami. ‖ Jakiś ekshibicjonista na środku skrzyżowania wyjął swój interes. ‖ A duży masz interes, chłopcze? ☐ Dąbr: 204, 288, Kiel, Tuf

j

ja

Ja cię! [ndm] *przekl., eufem.* NP Jaka fajna kiecka! Ja cię! ‖ Co za koszmarny sen! Ja cię! ‖ Wszystko rozkopane, nie ma którędy przejść! Ja cię! ‖ Aleś wyłysiał! Ja cię!

jajo

jaja / jajca / jajka 'jądra męskie' *posp./wulg.* NP Mogłabyś wziąć jaja tego skurwysyna w swoją straszliwą paszczękę! (JI Hotel 481) ‖ A może niedźwiedź odgryzł ci jaja? — spytała Franny. (JI Hotel 544) ‖ Ona zaś chwytała mnie za jajca dzwonne i wargami skubała ów przedziwny kapturek, całusami okrywając trzonek, który mi wnet pęczniał od pieszczot. (RN Fal 230) ‖ Ssała i ssała, ciągnęła bez ustanku, zarazem wciskając mi zręczne paluszki do zadka, a kiedy poczuła, że zaczynam kipieć, ścisnęła mnie za jajca... (RN Fal 453) ☐ Kiel, Tuf

jasny *przekl.*

1. Do jasnej / jasnej-ciasnej! [ndm] *eufem.* NP Do jasnej! Czy włączą to światło w końcu? ‖ Dlaczego nie wyrzuciłaś śmieci? Do jasnej! ‖ Mam dosyć tego twojego jęczenia, do jasnej-ciasnej! ‖ Czy ty nie rozumiesz, co do ciebie mówię, do jasnej-ciasnej! ☐ Dąbr: 284

2. Do jasnej anielki! / Jasna anielka! [ndm] NP Przestań się drzeć, do jasnej anielki! ‖ Gdzie on się podział, do jasnej anielki! ‖ Jasna anielka! Zapomniałem zabrać kluczy! ‖ Co cię tak pogryzło? Jasna anielka! ☐ Dąbr: 185

3. Jasny gwint! [ndm] NP Kto cię tak koszmarnie oskubał? Jasny gwint! ‖ Jasny gwint! Pogubiłam wszystkie notatki. ☐ Dąbr: 185, SJPSz

◯ Zob. ponadto: cholera 2–5, 9, 11, cholewa 2, 3, choroba 2, dupa 33, 35, krew 1, 2, piorun 1, 2, 3, 6, szlag 1, 2

jebacki

jebacki 'dotyczący współżycia seksualnego' *wulg.!* NP Kiecki lady M. w górze. Bulla papieska wyprężona. Następnie spełnia się mokre dzieło jebackie w mokrym szkockim poranku. (RN Fal 93) ‖ Jeżeli ta opowieść jest fikcją, to przecież nie bardziej skłamaną od tylu innych jebackich i kopulanckich sprawozdań... (RN Fal 374)

jebać *wulg.!*

1. *ktoś*₁ jebie *coś* a. *kogoś*₂. [ndk] 'kogoś₁ nic nie obchodzi coś a. ktoś₂' 'ktoś₁ ignoruje coś a. kogoś₂' 'ktoś₁ ma do czegoś a. do kogoś₂ wrogi stosunek' NP Jebał starych, nie słuchał ich żadnych rad, ani błagań — zawsze robił, co chciał. ‖ Jebię te wszystkie zebrania, narady, nasiadówki. Szkoda na to czasu.

2. *coś* jebie *kogoś*. [ndk] 'coś komuś dokucza' NP Cały dzień Zosię jebał żołądek. ‖ Czy ty myślisz, że psa może jebać głowa? ‖ Tak go jebała ręka, że poszedł na prześwietlenie.

3. ktoś₁ jebie kogoś₂ / jebie się z kimś₂. [ndk] 'ktoś₁ współżyje z kimś₂ seksualnie' NP Zenek jebie swoją babę bez przerwy. ‖ Ta stara dziwka jebała się z tym młodzikiem przez całą noc. ‖ Czemuż tak leżysz bezczynnie, efebie?... Mam urlop... dzisiaj nie jebię... (AS Sł 50) ◇ *rzecz. odczas.* jebanie NP No dobra, kochani, żarcie gotowe! Wytrzymacie z jebaniem do po kolacji? (JI Małż 105) ◇ *zdr.* jebanko NP Jedynym lekarstwem na chandrę Severina... jest porządne jebanko. (JI Małż 141) □ Kiel, Tuf

4. jebany 'taki, o którym myśli się jako o kimś a. o czymś bardzo złym' 'taki, do którego mówiący ma wrogi stosunek' *z pogardą i/lub ze złością* NP Czekał z niecierpliwością na wiosnę. Miał dosyć tego jebanego kożucha i zasranych buciorów, które w kółko musiał czyścić z błota i śniegu. ‖ Niech żaden z was, jebanych zawodowców, nie waży się mnie ruszyć! (SPS ACh 96) ‖ Grecki bożek. Podobno tak go nazywali. — Wzdrygnął się, przeniknięty nagłym dreszczem. — Ostatnio ci jebani Grecy tak mnie prześladują. (MN Grecki 112) □ Kiel, Stęp

5. bodajby / żeby kogoś a. coś pies jebał! niech kogoś a. coś pies jebie! [ndm] *przekl.* NP Nie odezwę się do Pawła więcej. Bodajby go pies jebał! ‖ Co za drętwa impreza! Żeby to pies jebał! ‖ Niech ją jebie pies, nie będę prosiła o litość!

6. Cię jebię! [główny akcent zdaniowy na *cię*, ndm] *przekl.*, *przejaw stanu ekscytacji* NP Cię jebię! Jaka fajna laseczka tu idzie! ‖ Co za wspaniałe spodnie! Cię jebię!

7. Ja jebię! [główny akcent zdaniowy na *ja*, ndm] *przekl.*, *przejaw stanu ekscytacji* NP Ja jebię! Co za ulewa! ‖ Ale się dziś odpieprzyłaś! Ja jebię!

8. coś jebie się komuś. [ndk] 'coś się komuś miesza' 'coś się komuś kręci' NP Słabo już pamiętam dawnych uczniów. Nazwiska mi się jebią dokumentnie. ‖ Babci jebią się wszystkie stare banknoty. Za dużo zer musi odcinać.

9. ktoś₁ jebie się z czymś a. kimś₂. [ndk] 'ktoś₁ zajmuje się czymś zbyt długo' 'ktoś₁ obchodzi się z kimś₂ zbyt delikatnie' NP Jebał się z tą robotą przez cały tydzień. ‖ Nie jeb się tak z tym dzieciakiem! Wykąp i połóż spać.

10. ktoś₁ jebie kogoś₂ w dupę. [ndk] 'o partnerze aktywnym, zwykle o mężczyźnie: ktoś₁ współżyje z kimś₂ seksualnie' NP Jurek w każdy weekend jebie Jolkę w dupę. ‖ On zawsze jebał w dupę każdą swoją nową sekretarkę.

11. pies kogoś a. coś jebał. [ndm] 'o kimś a. o czymś, kogo a. co mówiący ignoruje w danym momencie' NP Nie czekamy na tego twojego chłopa. Pies go jebał! ‖ Nie wiem, czy ona wróci do Jurka. Pies ją jebał! ‖ O jedenastej wszystko zostało ustalone: uciekną na Borneo. Pies jebał męża! Ona i tak nigdy go nie kochała. (HM Zwr 143)

12. w mordę jebany 'taki, o którym mówiąc myśli się jako o kimś a. o czymś bardzo złym' 'taki, do którego mówiący ma wrogi stosunek'

z pogardą i/lub ze złością NP Naszczał mi do buta, w mordę jebany! ‖ Ty w mordę jebany gnoju! — zachrypiał „Misio", łapiąc frajera za klapy, żeby strzelić mu byka na czoło. (WŁ Dobry 33) □ Bog-Waw: 157, Kiel ○ Zob. ponadto: chuj 16, dupa 81, kurwa 20, pizda 11

jebadło *wulg.!*

1. jebadło 'łóżko' *żart.* NP Był taki zmęczony, że ledwo dowlókł się do jebadła. ‖ Nie wytrzymam z tobą dłużej we wspólnym jebadle! — powiedziała żona do męża po dziesięciu latach małżeństwa.
2. jebadło 'o kimś, kto ma duże potrzeby seksualne i lubi uprawiać seks' *zwykle z pogardą i/lub politowaniem* NP To stare jebadło nie daje mi nigdy w nocy spokoju, kiedyś mi cipę przewierci na wylot. ‖ To jebadło kurwiło się we wszystkich hotelach w miasteczku.
3. jebadło czworonożne 'łóżko' *żart.* NP Kupili sobie w końcu jakieś jebadło czworonożne. ‖ Wszystkie ich dzieci powstawały w tym samym jebadle czworonożnym.

jebak

jebak [W -u, l.mn.: M -i a. jebacy] 'mężczyzna o wysokiej aktywności i sprawności seksualnej' 'mężczyzna, który ma duże potrzeby seksualne i lubi uprawiać seks' *wulg.!* NP Ten jebak w końcu złapał syfa. ‖ Nawet nie wiem, czy byliśmy kochankami — powiedziała ze szlochem Ucz. — Oczywiście, że tak. — Chyba tylko jebakami! (JI Małż 21) ‖ Robotniczo-chłopskie syny potem idą na dziewczyny, dzielnie jebią chłopcy — ha!, lecz największy jebak — ja! (JSz Zeb 50) ◇ *zdr.* jebuś, *n.ż.* jebaczka, *zdr.* jebasia, jebusia, *zgr.* jebicha □ Tuf
Jednostka używana też jako wyzwisko.

jebaka

jebaka [W -o, l.mn.: M -i a. jebacy] 'mężczyzna o wysokiej aktywności i sprawności seksualnej' 'mężczyzna, który ma duże potrzeby seksualne i lubi uprawiać seks' *wulg!* NP Ta biedna romantyczka trafiła w swoim życiu na takiego jebakę. ‖ Nie jestem dobry w pierdoleniu, Endri. Nigdy nie byłem dobry. Mój brat, ten to jest jebaka. Trzy razy dziennie, dzień w dzień. (HM Zwr 115) ‖ Ten niedźwiedź to taki jebaka — powiedziała Ruthie — że nawet mnie by przeleciał. (JI Hotel 490) ‖... spieprzaj, ty mały jebako! — syknęła kobieta w marynarskiej kurtce. (JI Świat 384) □ Bog-Waw: 158, Kiel, Stęp, Tuf

Jednostka używana też jako wyzwisko.

jebnąć *wulg.!*

1. *ktoś₁ jebnął coś komuś₂*. [dk] 'ktoś₁ ukradł coś komuś₂' NP Jakaś menda jebnęła wczoraj matce torebkę na ulicy. ‖ Ktoś mi w nocy jebnął samochód sprzed bloku.

2. *ktoś jebnął czymś₁ w / o coś₂*. [dk] 'ktoś rzucił czymś₁, uderzając w coś₂ a. o coś₂' NP Jebnął kamieniem w szybę. ‖ Jebnęli dla zabawy ogryzkami o bramę.

3. *ktoś₁ jebnął kogoś₂ czymś₁ w coś₂*. [dk] 'ktoś₁ uderzył mocno kogoś₂ czymś₁ w coś₂' NP Jebnął go pałą w plecy. ‖ Jebnęła się szczotką w palec u nogi.

4. *ktoś jebnął w kalendarz / katafalk*. [dk] 'ktoś umarł' NP Zięć Piotra wczoraj jebnął w kalendarz. ‖ Jego stara już dwa lata temu jebnęła w katafalk. □ Stęp

5. *coś jebnęło*. [dk] 'coś się rozbiło' 'coś się popsuło' 'coś spadło' NP Opona mu jebnęła w samochodzie. ‖ Butelka z mlekiem jebnęła na mrozie. ‖ Nagle żyrandol jebnął na podłogę.

6. *jebnięty* 'niespełna rozumu' NP Nie można z nim w ogóle poważnie porozmawiać. On jest mocno jebnięty. ‖ Trudno sobie poradzić z tym jebniętym szwagrem.

jeny

(O) jeny! [ndm] *przekl., eufem.* NP O jeny! Wszystko mi się popieprzyło! ‖ Pogubiłam bilety i znaczki. O jeny! ‖ Jutro tak wcześnie trzeba wstać. O jeny!

Jezus *przekl.*

1. (O) Jezu! [ndm] NP Kolana mamy czarne od tego ślizgania, no i zimno jest, o Jezu, jak zimno! (WW Pt 217) ‖ O Jezu, jak dobrze słyszeć jego śmiech. (WW Pt 366) ‖ Jezu, jak ja bym chciał trafić jakąś bogatą dupę... (HM Zwr 131) ‖ Jezu, jak ja siebie nienawidzę! (HM Zwr 167) □ Bog-Waw: 160

2. (O) Jezu Chryste! [ndm] NP O Jezu Chryste, nie mogę się już tak szarpać! ‖ O Jezu Chryste, jaka to strata czasu! ‖ Jezu Chryste! Co on sobie teraz myśli?! (WW Pt 343)

3. (O) Jezus Maria! [ndm] NP Jezus Maria, teraz cię przerżnę jak należy. (HM Sex 42) ‖ Jezus Maria. Chyba wyczytał coś takiego u Marczyńskiego. (RB Rok 164)

○ Zob. ponadto: rana 2

kaczka

niech *kogoś* a. *coś* kaczki zdepczą! [ndm] *przekl.* NP Czego on znów tutaj szuka? Niech go kaczki zdepczą! ‖ Po tej klatce bez przerwy biegają jakieś psy. Niech je kaczki zdepczą! □ SJPD, SJPSz, Skor

kaduk

Do / U kaduka! [ndm] *przekl., przestarz.* NP Co jest, do kaduka, z twoją pewnością siebie? ‖ Czy nie masz, u kaduka, lepszych pomysłów? □ SJPD

kapucyn *wulg. obycz.*

1. kapucyn 'członek męski' NP Miętosiła mu kapucyna, póki nie zesztywniał. ‖ Sztafety też nie dla mnie, pies je trącał, to jak sracz na dworcu, kolejka do jednej dziury, chromolę taki wyczyn, nie znalazłem kapucyna w śmieciach. (WŁ Dobry 103) ◇ *zdr.* kapucynek □ Kiel, Tuf

2. *ktoś* trzepie / wali kapucyna. [ndk] 'o mężczyźnie: ktoś onanizuje się' NP... dlaczego leżąc samotnie w łóżku w Nowym Jorku wciąż rozpaczliwie trzepię kapucyna? (PR Komp 42) ‖ Tamta kurwa z miasta pozostawiła mu tylko niesmak. Trzepanie kapucyna było równie dobre. (SPS ACh 59) ‖ W czasach walki z AIDS to właśnie trzepanie kapucyna jest najbezpieczniejszą formą seksu. (GW) □ Tuf

kark

bodajby / żeby *ktoś* kark skręcił! niech *ktoś* kark skręci! *przekl.* NP Rozbebeszył mi wszystkie rury i wyszedł. Bodajby kark skręcił! ‖ Pomieszałeś mi wszystkie notatki. Żebyś kark skręcił! ‖ Potłukł najładniejszy wazon. Niech kark skręci!

kartacz

Do stu / stu tysięcy kartaczy! [ndm] *przekl., przestarz.* NP Co ty sobie myślisz, do stu tysięcy kartaczy! ‖ Odczep się w końcu od tego cwaniaka i oszusta, do stu tysięcy kartaczy!

kij *posp./wulg., eufem.*

1. I kij. [ndm, używane w nawiązaniu do wcześniejszego tekstu] 'i koniec' 'mówiący stwierdza, że nie ma nic więcej do powiedzenia na dany temat' NP Będę brała zasiłek. I kij. ‖ Nie wrócę więcej do tego domu. I kij. ‖ Zatrzymali go w żłobku, póki nie wytrzeźwiał. I kij. □ Bog-Waw: 166

2. kij *komuś* **w oko / ucho**. [ndm] 'mówiący ignoruje kogoś w danym momencie, wyrażając swoje niezadowolenie z czyjejś odmownej reakcji na coś' *z lekceważeniem* NP Jak nie chcesz zostać, to sobie jedź! Kij ci w oko! ‖ Skoro nie chce tego prezentu, to kij jej w ucho. ‖ Kij wam w oko, palanty, nie wasza zasługa, o przesileniu wiedziałem, bo miałem taki sen, w którym to się stało! (WŁ Dobry 40)

○ Zob. ponadto: dupa 36

kisiel

ktoś **ma kisiel w majtkach**. 'o kobiecie: ktoś jest silnie podniecony seksualnie' *wulg. obycz., żart.* NP Kiedy zbliżał się do niej, zawsze miała kisiel w majtkach. ‖ Wystarczyło, że pomyślała o spotkaniu z nim. Już miała kisiel w majtkach.

kit

kit *komuś* **w oko / ucho**. [ndm] 'mówiący ignoruje kogoś w danym momencie, wyrażając swoje niezadowolenie z czyjejś odmownej reakcji na coś' *posp./wulg., eufem., z lekceważeniem* NP Nie chcesz się spotkać w gronie starych przyjaciół? Kit ci w oko! ‖ Nie przyjedziesz na urodziny wnuczki? Kit ci w ucho! □ Bog-Gar: 45

○ Zob. ponadto: dupa 36

koń *wulg. obycz.*

1. koń 'członek męski' NP Lubił, kiedy brała go za konia przed zaśnięciem. ‖ Zanurzał swojego konia byle gdzie i wkrótce złapał syfa. ◇ *zdr.* konik, koniczek □ Dąbr: 207, Kiel, Stęp, Tuf

2. ktoś bije / rąbie / trzepie / wali konia. [ndk] 'o mężczyźnie: ktoś onanizuje się' NP W nocy trzepiesz konia i marzysz o cyckach, ale chcesz się kulturalnie wyrażać... (JI Hotel 324) ‖ No to, tego, jak sobie radzisz z ciupcianiem? — Mam romanse, Arn, poza tym walę konia. (PR Komp 162) ‖ Mam dość roli grzecznego chłopca, który publicznie sprawia przyjemność rodzicom, a prywatnie wali konia! (PR Komp 42) □ Bog-Waw: 384, 402, Kiel, Stęp, Tuf

3. ktoś jedzie / jeździ na koniu. [ndk] 'o kobiecie: ktoś odbywa stosunek seksualny w pozycji jeźdźca' NP Uchyliłam drzwi od piwnicy, a tam

Magda z Jankiem. Magda właśnie jechała na koniu. ‖ Ze wszystkimi facetami kochała się, jeżdżąc na koniu.

korzeń

korzeń 'członek męski' *wulg. obycz.* NP To, czego mi brak w korzeniu, nadrabiam językiem. (SPS ACh 208) ‖ Tam jest takie zapotrzebowanie na cokolwiek, w postaci otworów, gdzie można umieścić swój korzeń, że trudno w to uwierzyć. (AP Pam 85) ☐ Dąbr: 203, Kiel, Tuf

krew *przekl.*

1. bodajby / niech / żeby *kogoś* **a.** *coś* **jasna / nagła krew!** [ndm] NP Znów wyłączyli prąd. Bodajby ich jasna krew! ‖ Boże! Ile tu komarów! Niech je nagła krew! ‖ Co za duchota w tym pociągu! Żeby to jasna krew!

2. bodajby / żeby *kogoś* **a.** *coś* **jasna / nagła krew zalała! niech** *kogoś* **a.** *coś* **jasna / nagła krew zaleje!** [ndm] NP Ukradli mi wszystkie dokumenty. Bodajby ich jasna krew zalała! ‖ Ale ma głupie pomysły! Żeby ją nagła krew zalała! ‖ Niech mnie jasna krew zaleje, to przecież mój daleki kuzyn! ☐ Bog-Waw: 177

kręcić

Ja cię kręcę! [główny akcent zdaniowy na *ja*; ndm] *przekl.* NP Ale ma chłop korzeń! Ja cię kręcę! ‖ Takiego koncertu jeszcze nie słyszałem. Ja cię kręcę! ‖ Jaka fajna gra! Ja cię kręcę!

kuchnia

Kuchnia! [ndm] *przekl., eufem., młodzież.* NP Czyś ty, kuchnia, z byka spadł? ‖ Ona się nie nadaje, ona, kuchnia, nawet do czterech policzyć nie umie.

kuciapka

kuciapka 'żeński narząd płciowy' *wulg. obycz., żart.* NP Jacuś, zrób kanapkę, bo ja idę myć kuciapkę. (NIE) ‖ Ej, po Orawskiej stronie kąpał się dziad z babką. Ej, utonęła babka do góry kuciapką. Nie tyle żal babki, ile tej kuciapki. Ej, byłoby dla dziadka futerko do czapki. (Kiel.) ◇ *zgr.* kuciapa ☐ Kiel, Tuf

kula

niech *kogoś* a. *coś* **kule biją!** [ndm] *przekl.*, *przestarz.* NP Rozlazła jej się cała forsa. Niech ją kule biją! ‖ Ten zawsze wymyśli, niech go kule biją, coś bardzo oryginalnego.

kur *przekl.*, *eufem.*

1. (O) kur! [ndm] NP O kur! Nie mogę się obudzić. ‖ Ale nas opryskał, o kur!

2. (O) kur zapiał! [ndm] NP O kur zapiał! Ale łazienka! Na rowerze można tu jeździć. ‖ Kur zapiał! Czy on przestanie wreszcie drzeć mordę? ☐ Bog-Waw: 181

kurczę *przekl.*, *eufem.*

1. (O) kurczę! [ndm, zwykle w funkcji parentezy] NP O kurczę, jak mi się chce spać! ‖ O, rany, jak gorąco! Kurczę, chyba zdejmę kurtkę i ułożę ją równiutko w kostkę... (PR Komp 121) ‖ Bogaty cham wszystko zeżre. Jak, kurcze, podjedzie mercedesem 600, kurcze, z kierowcą w liberii, kurcze, jak se strzeli łososia z kawiorem, kurcze, jak się doprawi piersią kuropatwy, kurcze... Król życia jestem, co nie? (NIE) ☐ Bog-Waw: 181

2. Kurczę blade / pieczone! [ndm] NP Kurczę blade! Znów to samo jedzenie! ‖ Kurczę pieczone, ale miałeś szczęście! ‖ Kurczę blade, szefie, ona chodzi na sumę, to trwa tyle czasu, że można wykorkować! (WŁ Dobry 10)

kurde *przekl.*, *eufem.*

1. (O) kurde! [ndm, zwykle w funkcji parentezy] NP Znów, kurde, nie zdążyłam na pociąg. ‖ Wesołych Świąt, kurde! — krzyknęła Franny z dolnego piętra. (JI Hotel 196)

2. Kurde balans / bele / felek / flak / frans / mol / molo! [ndm, zwykle w funkcji parentezy] NP Kurde balans, a to pech! ‖ Czy ja zawsze muszę, kurde felek, wysłuchiwać twoich wynurzeń? ‖ Gdzie wcięło te nożyczki, kurde frans! ‖ Kurde mol, ależ on miał knigi! Szyłem je i czytałem naraz. (WŁ Dobry 12) ‖... ale piękność, jak jaka Greta Garbo, kurde mol, takie nie stoją za ladą i ubierają się inaczej niż zwykłe dziewczyny... (WŁ Dobry

107)

kurdupel

kurdupel 'o kimś niskiego wzrostu' *posp./wulg.*, *pogard.* NP Wodzu, zamknij gębę temu kurduplowi — westchnął Nortolt... (VB Konk 113) ‖ Zawsze był kurduplem, a teraz jest wyższy ode mnie. (WW Pt 359) ◇ *zdr.* kurdupelek ☐ SJPD, SJPSz

kurduplowaty

kurduplowaty 'niskiego wzrostu' 'niewielki' *posp./wulg.*, *pogard.* NP Niedawno tu był, gadał z jakimś kurduplowatym facetem. ‖ Była bardzo wysoka i dlatego chyba nie cierpiała kurduplowatych chłopaków. ☐ SJPD, SJPSz

kurewski *wulg.!*

1. kurewski 'dotyczący kogoś, o kim orzeka się słowo *kurwa*' 'taki, o którym myśląc, można orzec słowo *kurwa*' NP To są moje kurewskie pończochy, zwykle w nich chodzę do pracy — powiedziała Anka, prostytutka z hotelu „Victoria". ‖ Centrum kurewskiego życia znajduje się na rogu ulic Poznańskiej i Nowogrodzkiej. (NIE) ‖... w II klasie zakochał się w małej filigranowej blondyneczce o kurewskim wyrazie twarzy... (DB Mała 11) ‖...wszystkie matki i żony klęły Hotel-Lux, gdzie faceci zostawiali kurewską forsę, bo jeden numer kosztował tyle, że mógłbyś za to kupić dobrą jesionkę... (WŁ Dobry 24)

2. kurewski 'taki, o którym mówiąc, myśli się jako o kimś a. o czymś bardzo złym' NP Dwa razy naprawiali już lokomotywę. Tym kurewskim pociągiem nigdzie nie dojedziemy. ‖ Nie mogę żyć w tym kurewskim klimacie. ‖ Był mniej pewny włosów, kurewskiej natapirowanej peruki w kolorze miodowoblond, pod którą swędziała go skóra. (JI Świat 380) ◇ *przysł.* kurewsko ☐ Bog-Waw: 182

3. kurewski 'mający daną cechę w bardzo dużym stopniu' NP Śnieżyca w Sylwestra była kurewska. Zanim gdziekolwiek doszli, zapadali się w śniegu po kolana. ‖ Mróz jest naprawdę kurewski. (WW Pt 170) ‖ Byliśmy oddziałem lub resztką oddziału, bo spieprzaliśmy.... Dawaliśmy kurewskiego dyla, ktoś nas gonił, straszny wróg... (WŁ Dobry 41) ◇ *przysł. odprzym.* kurewsko

4. kurewskie nasienie 'o kimś, czyje postępowanie mówiący ocenia jako bardzo złe' 'łajdak' *pogard.* NP Donosi ciągle na wszystkich to kurewskie nasienie. Trzeba się go pozbyć jak najszybciej. ‖ Nie mogą znaleźć tego kurewskiego nasienia. Znów kogoś zakatrupił.

5. Kurewskie nasienie! [ndm] *przekl.* NP Kurewskie nasienie! Zgniły mi wszystkie kartofle tego roku. ‖ To ty ją zwabiłeś do lasu, kurewskie nasienie, i wypieprzyłeś. ☐ SJPD, Kiel

Jako wyzwisko używana jest jednostka 4.

kurewstwo *wulg.!*

1. kurewstwo 'łajdactwo' 'draństwo' 'postępowanie nieetyczne' *z pogardą* NP To zwykłe kurewstwo, żeby trzeba było pół dnia czekać pod drzwiami urzędnika. ‖ Nie mógł znieść panującego w tym departamencie kurewstwa i postanowił zrezygnować z pracy. ‖ W socjalizmie kurewstwo było ograniczone, kalekie jak socjalistyczna gospodarka niedoboru. (NIE) ☐ Supl, Kiel

2. kurewstwo 'o zbiorowości, o której mówiący myśli jako o czymś bardzo złym' *ze złością* NP W tej firmie wszyscy są przeciwko wszystkim. Trudno pracować z takim kurewstwem. ‖ Karaluchy łaziły po całym mieszkaniu. Nie mogę sobie dać rady z tym kurewstwem.

3. kurewstwo 'o prostytutkach jako zbiorowości' NP Dziewczyny, które znałem dotąd..., niepodobne również do luksusowego kurewstwa, tego ze śródmiejskich kawiarni, czy ze zdjęć porno. (WŁ Dobry 103) ‖ Nie wyobrażasz pan sobie, redaktorze, co by było, jakby się to kurewstwo rozeszło po mieście. (NIE)

4. kurewstwo 'uprawianie prostytucji' NP Z czego ty żyjesz, dziewczyno? — Głównie z kurewstwa. ‖ Cichodajki to panie, które wdzięki swe sprzedają po cichu. Zjawisko stare i znane. Kiedyś traktowane było jako pospolite kurewstwo. (NIE)

5. kurewstwo 'współżycie seksualne kobiety z przypadkowo poznawanymi mężczyznami' NP Kurewstwo było dla niej zawsze miłą zabawą, bała się jednak czasami, że może coś złapać. ‖ Co wieczór wychodził od niej ktoś inny, cały swój wolny czas spędzała na kurewstwie. ☐ Supl

kurka *przekl., eufem.*

1. Kurka! [ndm, zwykle w funkcji parentezy] NP Idę sobie, kurka, małą staromiejską uliczką, a tu, kurka, z jakiejś knajpy, wytacza się, kurka, moja dawna dziewczyna. ‖ Życzył mi, kurka, szczęścia i jeszcze w rękę pocałował.

2. Kurka wodna! [ndm, zwykle w funkcji parentezy] NP I filuję, kurka wodna, a te skurwysyny, niby to nogi fotela całując — zębami je gryzą jak bobry, przegryźć chcą! (WŁ Dobry 292) ‖ Spojrzałem na tego przy kierownicy i aż mną trzchło: kurka wodna, skąd ja znam ten ryj? (WŁ Dobry 44) ‖ Zenek, puknij się w czoło, to był, kurka wodna, żart! (WŁ Naj 256)

kurna *przekl., eufem.*

1. (O) kurna! [ndm, zwykle w funkcji parentezy] NP Adam odmówił, kurna, przystąpienia do spółki. ‖ O, kurna! Jakie te buty mają obcasy! ☐ Bog-Waw: 181

2. Kurna chata / olek! [ndm, zwykle w funkcji parentezy] NP Coraz trudniej, kurna chata, utrzymać rodzinę z takiej pensji. ‖ Zawsze mówisz, kurna olek, co ci ślina na język przyniesie.

kurtka

Kurtka na wacie! [ndm] *przekl., eufem.* NP Czy ten bachor, kurtka na wacie, przestanie się wreszcie drzeć? ‖ Nie udało mu się przyhamować i rąbnął, kurtka na wacie, w nadjeżdżającego z boku fiata.

kurwa *wulg.!*

1. kurwa [l.mn. D: kurew a. kurw] 'prostytutka' NP Łatwo uwierzę, że wydawał pieniądze na kurwy, bo chyba tylko kurwa mogłaby znieść takie plugawe monstrum. Nie wiem i nie dbam o to, czy naprawdę wyczyniał ze stadem kurew wszystkie te świństwa, które tu opisał. (RN Fal 434) ‖ Kurwy nie mogą sobie pozwolić na odczuwanie przyjemności. (SPS ACh 314) ‖ Widocznie rozumowali tak: skoro już ma być kurwą, to niech przynajmniej będzie kurwą czystą i właściwie obutą. (JI Świat 17) ‖ Budżet się wali! Będziecie kurwy, płacić podatki. (NIE) ◇ *zdr.* kurewka, kurwiczka, *zgr.* kurwicha, kurwisko ☐ Dąbr: 250, Kiel, Stęp, SJPD, SJPSz, Tuf

2. kurwa 'kobieta, która chętnie współżyje seksualnie, i której jest obojętne, z kim to robi' NP Jolka jest znana ze swoich upodobań. Czy ty zawsze musisz romansować z jakąś kurwą? ‖ Ta kurwa często zostawała po pracy w swoim biurze i chętnie dawała wszystkim przełożonym. ‖ Z tej Mańki musiała być niezła kurwa, lubiła się rżnąć na wszystkich imprezach. ◇ *zdr.* kurewka, kurwiczka, *zgr.* kurwicha, kurwisko

3. kurwa 'o kobiecie' *z pogardą i/lub ze złością* NP Co to za kurwa? Zawsze musisz się oglądać za nowymi przyjaciółkami w pracy? ‖ Stanie taka kurwa przy samym kasowniku i nie da biletu wsadzić. ◇ *zdr.* kurewka, kurwiczka, *zgr.* kurwicha, kurwisko

4. kurwa 'o kimś, kto dla osiągnięcia korzyści robi coś, co mówiący uważa za moralnie złe' 'łajdak' *pogard.* NP Marek to zwykła kurwa. Zrobiłby wszystko, żeby zostać posłem. ‖ Tylko kurwa mogłaby wstąpić do tej organizacji. ‖ Mnie tam nigdy nie żal kurew, bo kurwą nie można zostać, trzeba się nią urodzić i umrzeć... (MH Utw 426) ‖ Autorom projektu... idzie o przekształcenie Polaków w sprzedajnych donosicieli, to znaczy w kurwy w wyżej wymienionym sensie. (NIE)

5. Kurwa! [ndm, zwykle w funkcji parentezy] *przekl.* NP Który tam, kurwa, trzymał granaty przeciwczołgowe? (WW Pt 341) ‖ Kurwa, przecież pisarz tego nie mógł machnąć, jak rany Boga! (WŁ Lep 172) ‖ Kurwa, i cały portfel mam mokry — dodał Benny wyżymając spodnie na siedzeniu... (JI Świat 79) ‖ Jasne, kurwa, sam dyrektor będzie się za tobą wstawiał, żebyś nie wrócił i przestał mu żonę pierdolić... (RB Rok 123) ☐ Dąbr: 180–182, Kiel

6. kurwa *czyjaś* **/** *kogoś* 'kochanka' *pogard.* NP Ta pani to kurwa Piotra. ‖ Już w połowie imprezy każdy polazł ze swoją kurwą w krzaki, żeby ją rżnąć. ‖ Kurwa tatusia wyjeżdża do Hamburga i muszę jej pomóc się pakować — powiedziała dziewica różanymi usteczkami dziecka. (RB Nagi 16)

7. dyplomowana kurwa 'o doświadczonej prostytutce' *żart.* NP W portowych burdelach dyplomowane kurwy potrafią robić wszystkie numery. ‖ Żyjesz beztrosko jak dyplomowana kurwa na zasłużonej emeryturze.

8. Która chce być kurwą, nie pomoże warta. *przysłowie* ☐ Skor: I, 369

9. Kurwa kurwie lba nie urwie. *parafraza przysłowia*: Kruk krukowi oka nie wykole. ☐ SJPD, Skor: I, 369, Kiel

10. Kurwa mać! [ndm, zwykle w funkcji parentezy] *przekl.* NP Kolejka była krótka, pół godziny, tylko że ja, kurwa mać, nienawidzę kolejek od zawsze i nigdy nie pokocham... (WŁ Dobry 54) ‖ Kurwa mać, co ja tu robię wśród tej hołoty! (WŁ Naj 61) ‖ Kurwa mać — pomyślałem — jak tu bronić tej resztki nieszczęsnego państwa... (RB Rok 54)

11. kurwa *kogoś* a. *czyjaś* **mać!** [forma zaimka 3. osoby lub dzierżawczego 1. i 2. osoby; ndm, zwykle w funkcji parentezy] *przekl.* NP Chcesz odpowiadać za zniszczenie mienia, kurwa twoja mać? (WW Pt 218) ‖ Na górę i porozdawać im te szpadle, kurwa ich mać, ale już! (WW Pt 218) ‖ Całe wzgórze, kurwa jego mać, obsiali minami. (WW Pt 336) ‖ Był tu jeden taki, kurwa jego mać, zdjęć narobił i napisał, że kradniemy. (NIE) ☐ Bog-Waw: 182

12. kurwa męska 'mężczyzna pobierający gratyfikację za usługi homoseksualne' NP Kurw męskich bał się jak ognia. Przeczuwał, że od razu może się czegoś nabawić. ‖ Jestem w porządnej knajpie, przysiada się do mnie jakaś kurwa męska i zaraz łapie mnie za jaja. ‖ Piotr to kurwa męska. Płacą mu za każde obciągnięcie lachy. ‖ W kryminale robił stale za kurwę męską. ☐ Bog-Waw: 182, Stęp, Tuf

13. kurwa męska 'łajdak' NP Tylko taka kurwa męska może zostać pierwszym sekretarzem. ‖ Ta kurwa męska bank obrabowała i uciekła.

14. Kurwa nędza! / Do / U kurwy nędzy! [ndm, zwykle w funkcji parentezy] *przekl.*, *ze złością* NP Chamstwo, prostactwo, barbarzyństwo, oto ich cywilizacja, kurwa nędza! (VB Konk 235) ‖ Tyś ją, do kurwy nędzy, pocałowała w usta! (PR Komp 130) ‖ — Kto tam, u kurwy nędzy? — Mówcie: kto tam, u kurwy nędzy, panie majorze. (SPS ACh 230) ‖ Co to, do kurwy nędzy, ma wspólnego z Ptaśkiem? (WW Pt 166) ☐ Bog-Waw: 182

15. kurwa nie do zdarcia 'o kobiecie, która zawsze chętnie współżyje seksualnie z każdym mężczyzną i ma nieograniczone możliwości w tym zakresie' NP Była kurwą nie do zdarcia. Robiła wszystko za wielką forsę. ‖ Potrafi się jebać przez tydzień bez przerwy. To kurwa nie do zdarcia.

16. kurwa (*czyjaś*) w dupę pierdolona mać! [ndm] *przekl.* NP Ale musiała mu posmarować za taką robotę! Kurwa jego w dupę pierdolona mać! ‖ Strajkują już od miesiąca bez przerwy. Kurwa ich w dupę pierdolona mać! ☐ Kiel

17. kurwa (*czyjaś*) w pizdę zajebana mać! [ndm] *przekl.* NP Hołota zdemolowała całe więzienie. Kurwa ich w pizdę zajebana mać! ‖ Bez tych fachowców to ty jesteś dupa wołowa, kurwa twoja w pizdę zajebana mać! ☐ Kiel

18. __ [forma czasownika ruchu] **na kurwy** [tylko l.mn.]. '__ po to, żeby skorzystać z usług prostytutki' NP Kiedy wyjeżdża na delegacje, zawsze chodzi na kurwy. ‖ W Hongkongu ... urżnęliśmy się i kapitan zaproponował, żeby pojechać do burdelu na kurwy. (VB Konk 95) ‖ Około północy poszli na kurwy, pili, dopóki prawie całkiem się nie spłukali. (SPS ACh 179)

19. *ktoś* rzuca kurwami. [ndk] 'ktoś mówi w sposób wulgarny' 'ktoś używa słowa *kurwa*' NP Marek strasznie schamiał. Ostatnio rzuca kurwami na prawo i lewo. ‖ Wasze bachory przeklinają, rzucając co najmniej kurwami, co bardzo nieładnie, a w szkole irytuje księdza katechetę. (NIE)

20. W kurwę jebany! *przekl.* NP On chce doprowadzić całą firmę do bankructwa, w kurwę jebany! ‖ Czy ona musi włazić w dupę wszystkim urzędnikom, w kurwę jebana? ☐ Bog-Waw: 183, Kiel, Stęp

Jako wyzwiska używane są jednostki: 1–4, 6, 7, 12–13, 15.

kurwiarnia

kurwiarnia 'dom publiczny' *wulg.!* NP Właścicielka przydrożnego motelu zrobiła z niego kurwiarnię. ‖ Nie rezerwuj noclegu w tej kurwiarni, chyba że chcesz coś złapać. ☐ Kiel, Tuf

kurwiarz

kurwiarz [l.mn.: M -e, D = B -y a. -ów] 'mężczyzna, który chętnie i często zadaje się z kobietami żądnymi przygód seksualnych' *wulg.!* NP Z Mariana jest straszny kurwiarz, ciągle jebie inną babę. ‖ Twój mąż to pospolity kurwiarz, co wieczór ma kogo innego. ‖ ... dziewczyna na wszelki wypadek posyła mnie na badania i dyskretnie wypytuje sąsiadów: czy ten pan nie jest aby kurwiarzem? (BH Lekcje 63) ☐ Kiel, SJPDSupl, SJPSz, Tuf

kurwiątko *wulg.!*

1. kurwiątko 'o młodej, niedoświadczonej prostytutce' *pieszcz.* NP Ekskluzywny samochód przed hotelem „Forum" od razu otoczyły kurwiątka. ‖ Już pod koniec podstawówki zdobyła zawód: została kurwiątkiem. ☐ Tuf

2. kurwiątko 'o młodej niedoświadczonej kobiecie, która chętnie współżyje seksualnie, i której jest obojętne, z kim to robi' *pieszcz.* NP Znajdź sobie lepszą dziewczynę, rzuć to kurwiątko. ‖ Anka to zwykłe kurwiątko, wszyscy chłopcy z klasy już ją rypali.

kurwica *wulg.!*

1. *ktoś* dostaje / dostał kurwicy (__) [fraza przyimkowa lub pytanie zależne]. [ndk/dk] 'kogoś ogarnia złość' NP Kurwicy dostał z powodu bólu zęba. ‖ Od tych ciągłych upałów dostaję już kurwicy. ‖ Kurwicy dostawał, kiedy włączała radio na cały regulator.

2. kurwica *kogoś* bierze / wzięła (__) [fraza przyimkowa lub pytanie zależne]. [ndk/dk] 'kogoś ogarnia złość' NP Kurwica go bierze na myśl o spotkaniu z dawnym szefem. ‖ Kurwica ją wzięła z powodu przyjazdu męża.

kurwić *wulg.!*

1. *ktoś* kurwi się. [tylko ndk] 'o kobiecie: ktoś chętnie współżyje seksualnie z przypadkowo poznawanymi mężczyznami' NP Zośka kurwi się w hotelu „Bristol". ‖ Mając szesnaście lat poznała alfonsa i zaczęła się kurwić. ‖ Jedni żebrzą, inni kradną, dziewczyny się kurwią. (NIE) ‖ Postanowiła spędzać wieczory w samotności. Była zbyt stara, by się kurwić. ☐ SJPD, Supl, Kiel, Tuf

2. *ktoś* kurwi się. [tylko ndk] 'ktoś postępuje w sposób nieetyczny dla osiągnięcia korzyści' NP Gdy tylko został sędzią, zaczął się kurwić. Stale bierze łapówki. ‖ Czy każda władza musi się kurwić, czy to jej stały atrybut? — zastanawiał się młody uczony, słuchając „Wiadomości". ☐ Supl

kurwidołek

kurwidołek 'nocny lokal rozrywkowy, w którym spotykają się kobiety żądne przygód seksualnych' *wulg.*, *żart.* NP Ostatnie przygotowania do sylwestrowego balu. Bale najbardziej modne w dewizowych kurwidołkach. „Victoria", „Forum". (MN Grecki 15) ‖ Każda stuknięta dziwka w Nowym Jorku wie o tym kurwidołku. (JI Świat 301) ‖ Mrożkowy strach przed światem każe ubrać ten świat w szaty kurwidołka... (GW) ☐ Kiel, Tuf

kurwik

***ktoś*, ma kurwiki w oczach.** [ndk] 'ktoś₁ patrzy na kogoś₂ wyzywająco' 'ktoś₁ daje komuś₂ wzrokiem do zrozumienia, że chce mieć z nim stosunek seksualny' *wulg.*, *żart.* NP Kiedy ją odwiedzał, zawsze miała kurwiki w oczach. ‖ Widok każdego przystojnego bruneta sprawiał, że zaczynała mieć kurwiki w oczach.

kurwiszcze

kurwiszcze 'o doświadczonej prostytutce' 'o kobiecie, która chętnie współżyje seksualnie z każdym przypadkowo poznanym mężczyzną, i która spędza dużo czasu na uprawianiu seksu' *wulg.!* NP Co to za paskudne kurwiszcze! Nie dotknąłbym jej. ‖ Co ty będziesz robił z tym starym kurwiszczem przez cały weekend? ☐ Stęp, Kiel, Tuf

kurwiszon

kurwiszon [l.mn.: M -y, D, B -ów] 'o doświadczonej prostytutce' 'o kobiecie, która chętnie współżyje seksualnie z każdym przypadkowo poznanym mężczyzną, i która spędza dużo czasu na uprawianiu seksu' *wulg.!* NP Czekał na jakąś początkującą dziwkę, nie chciał się pieprzyć z tym starym kurwiszonem. ‖ Gnojówka miasta-bohatera, ściek ukochanej stolicy, praski Dziedziniec Cudów, nadwiślańskie szambo, i ja, władca mętów, oprychów, alfonsów i kurwiszonów, synów marnotrawnych i wyrzutków społeczeństwa... (WŁ Dobry 59) ◇ *zdr.* kurwiszonek ☐ SJPD, Kiel, Stęp, Supl, Tuf

kurwować

***ktoś* kurwuje.** [ndk] 'ktoś mówi w sposób wulgarny' 'ktoś używa słowa *kurwa' wulg.!* NP Rodzice nie potrafili go wychować: pił, kradł, kurwował od dziecka. ‖ Zanim zwierzyli się z lokaty kapitału, narzekali, kurwowali i oskarżali dyrekcję. (GW)

91

kurwowaty *wulg.!*

1. kurwowaty 'taki jak kurwa' 'taki jak u kurwy' NP Maria ma taki kurwowaty charakter. Za każdym chłopem by poleciała. ‖ Nie podoba mi się ta twoja dziewczyna. Ona jest chyba trochę kurwowata.

2. kurwowaty 'skłonny do tego, by postępować w sposób nieetyczny dla osiągnięcia korzyści' NP To kurwowaty sędzia. Uzależnia wyroki od stanu majątkowego stron. ‖ Wszyscy wyżsi urzędnicy w tym resorcie byli kurwowaci. Trzeba było do nich przychodzić z wypchanym portfelem.

kurzy *przekl., eufem.*

1. (O) kurza! [ndm, zwykle w funkcji parentezy] NP Ja już, kurza, dłużej nie wytrzymam tego jej wrzasku. ‖ Czy on musi zawsze, kurza, wracać zapruty?

2. Kurza melodia / noga / stopa / twarz ! [ndm, zwykle w funkcji parentezy] NP Nie mogę, kurza melodia, znaleźć tej miejscówki. ‖ Ktoś mi musiał, kurza noga, podpieprzyć zapalniczkę. ‖ Na jej ustawiczną histerię nikt już nic, kurza stopa, nie poradzi. ‖ Oblewał dziś, kurza twarz, wszystkich po kolei. ☐ Dąbr: 180

◯ ZOB. PONADTO: dupa 39

kuśka

kuśka 'członek męski' *posp./wulg.*, *żart.* NP Pewien człek z miasteczka Sucha miał kuśkę na kształt obucha. (AS Sł 18) ‖ Helen sięgnęła ręką i pociągnęła go za kuśkę. (JI Świat 236) ‖ Natura poskąpiła kuśki, ale nie jesteś bez szans, benzyniarzu! — drwił. (VB Konk 144) ☐ Kiel

kutas *wulg.*

1. kutas 'członek męski' NP Gwałcicielowi nieletnich należy odciąć kutasa bez znieczulenia. (NIE) ‖... pszczoły użądliły go nawet w kutasa, tak że spuchł mu jak bania... (BH Lekcje 58) ‖ Bez oporu rozpinała mój rozporek i bawiła się kutasem w czasie przedstawienia. (HM Sex 9) ‖... Murzyni mają duże kutasy dzięki temu, że wpychają je prędko, a wyciągają powoli. (SPS ACh 446) ◇ *zdr.* kutasek, kutasik ☐ SJPD, SJPSz, Kiel, Tuf

2. kutas 'o mężczyźnie, którego postępowanie mówiący ocenia jako złe' 'o mężczyźnie pod jakimś względem niezaradnym' NP Nie proś o nic tego kutasa, on niczego nie umie załatwić. ‖ Ten kutas pracuje w jakiejś pierdolonej firmie swojego wuja. (JI Hotel 480) ‖ A o ludzi pozamykanych z nieprzytomnymi wyrokami, co ich los skazał, żaden kutas się nie upomni... (RB Rok 36)

3. kutas z gumy 'przedmiot imitujący członka męskiego' NP Weronika o mało nie zemdlała, zobaczywszy na wystawie sex-shopu sterczącego kutasa z gumy. ‖ W chwilach samotności wkładała sobie kutasa z gumy i od razu było jej lepiej.
Jenostka 2 używana też jako wyzwisko.

kuźwa

Kuźwa! [ndm, zwykle w funkcji parentezy] *przekl.*, *eufem.* NP Co ty sobie, kuźwa, myślisz, że zawsze będę za tobą, kuźwa, łaził jak ten pies? ‖ Zjeżdżaj stąd, kuźwa, bo zaraz zawołam policję! □ Dąbr: 181

laska *wulg. obycz.*

1. laska 'członek męski' NP Ledwie się położył, od razu chwyciła go za laskę. ‖ Jakaś dziwka chciała Pawłowi odgryźć laskę. ◇ *zgr.* lacha, *zdr.* laseczka □ Dąbr: 204, Stęp, Tuf

2. *ktoś*₁ ciągnie / obciąga / robi *komuś*₂ laskę. [ndk] 'o partnerze aktywnym, zwykle o kobiecie: $ktoś_1$ drażni mężczyźnie ustami członka, chcąc spowodować wytrysk' NP Nie cierpiał, kiedy ciągnęła mu laskę. ‖ Ilekroć do niej przychodził, obciągała mu laskę. ‖ Nie wiedziała, że Piotr jest pedałem. Zemdlała, kiedy robił jakiemuś facetowi laskę. □ Stęp, Tuf

licho *przekl.*

1. bodajby / niech / żeby *kogoś* a. *coś* licho! [ndm] NP Nie zawracaj mi głowy! Bodajby cię licho! ‖ Zgubiłam portmonetkę. Niech to licho! ‖ Co to za autobus! Żeby go licho! □ SJPD, SJPSz, Skor

2. bodajby / żeby *kogoś* a. *coś* licho wzięło / porwało! niech *kogoś* a. *coś* licho weźmie / porwie! [ndm] NP Urwał mi guzik od płaszcza. Bodajby go licho wzięło! ‖ Spóźniłam się na samolot! Niech to licho weźmie! ‖ Wszystko spieprzyłeś. Żeby cię licho porwało! □ SJPD, SJPSz

3. Do / U licha! [ndm] NP Cóż mnie, do licha, może obchodzić pański daleki krewny! ‖ Do licha, panie kapitanie, mamy naszego jeńca. (SPS ACh 64) ‖ Dlaczego, u licha, musiałeś czepiać się pułkownika Korna? (JH Par 141) ‖ Cóż, u licha, powodowało jego spaczonym, złośliwym,..., umysłem, kiedy pozbawił starych ludzi kontroli nad stolcem? Po co, u licha, stworzył ból? (JH Par 194) □ SJPD, SJPSz, Skor

4. Do / U licha ciężkiego! [ndm] NP Znowu nie możesz, do licha ciężkiego, niczego pojąć! ‖ Odczep się ode mnie, u licha ciężkiego! □ SJPD, SJPSz, Skor

litość

Na litość boską! [ndm] *przekl.* NP Nie wkładaj paluchów do kontaktu, na litość boską! ‖ Przestań wrzeszczeć, na litość boską! (JH Par 245) □ SJPD, SJPSz

lizodup

lizodup 'ktoś schlebiający komuś' 'ktoś nadskakujący komuś dla pozyskania jego względów' *posp./wulg.*, *z pogardą* NP W naszym plutonie było mnóstwo lizodupów. Nie cierpieliśmy ich. ‖ Odczep się ode mnie! — krzyknął Potter. — Zawsze byłeś lizodupem Skunksa. (JI Świat 79)

ł

łomotać

ktoś₁ **łomoce kogoś**₂. [ndk] 'o partnerze aktywnym, zwykle o mężczyźnie: ktoś₁odbywa z kimś₂ stosunek seksualny' *wulg. obycz.*, *eufem.* NP Tak ją łomotał przez całą noc, że aż materac pękł. ‖ Jak ją łomoce na poddaszu, to na parterze sufit się trzęsie. □ Bog-Waw: 192, Stęp, Tuf

m

maczuga

maczuga 'członek męski' *wulg. obycz.* NP Ile ta twoja maczuga dziewuch przerypała! ‖ Maczuga go boli od wielonocnej dłubaniny. □ Dąbr: 204

mać

taka *czyjaś* [tylko zaimki dzierżawcze] **mać!** [ndm] *przekl.*, *eufem.* NP Rozpieprzył mi całą szczękę, taka jego mać! ‖ Będzie tu w końcu spokój! Taka wasza mać! □ Supl

materac

materac 'o kobiecie, która chętnie współżyje seksualnie z przypadkowo poznawanymi mężczyznami' *wulg. obycz.*, *eufem.* NP Nie utrzymuj kontaktów z tym starym materacem! ‖ Nie chciał spać z tym materacem. Bał się, że może coś złapać.

matka *przekl.*

1. (O) matko! [ndm] NP O matko! Coś ty tu nawyprawiał! ‖ Cały dzień
i całą noc ktoś tu łazi. O matko! Doprawdy trudno wytrzymać. ‖ O matko!
Kiedy ty w końcu dorośniesz!

2. (O) matko boska / święta! [ndm] NP Matko święta! To on naprawdę
ma pierdolca! Nie umie sam jeść? (WW Pt 33) ‖ Harrington wrzeszczy
z bólu! — O Boże, Boże! O Matko boska! O matko! Moja noga! O mój
Boże! (WW Pt 338) □ Bog-Waw: 196, SJPD

menda

menda 'o kimś, czyje postępowanie mówiący uważa za etycznie niewłaściwe' 'łajdak' *posp./wulg.* NP Odczep się ode mnie, ty stara mendo! ‖ Ta
menda znowu zrobiła na mnie donos. ‖ Nie mogę dłużej pracować z taką
mendą. □ SJPD, SJPSz

Jednostka używana też jako wyzwisko.

miłość

Na miłość boską! [ndm] *przekl.* NP Na miłość boską! Zabierz stąd tego
kundla! ‖ Na miłość boską, puść mnie! (SPS ACh 253) ‖ Na miłość boską,
pamiętaj, że jesteśmy goli. (HM Zwr 179) ‖ Na miłość boską, Joe,
przestań! Zamęczysz tę biedną dziewczynę. (HM Zwr 183) ‖ Gdzie, na
miłość boską, podziewała się moja siostra? (PR Komp 48) □ SJPD,
SJPSz, Skor

mineciarz

mineciarz 'o mężczyźnie, który lubi robić minetę' *wulg. obycz.* NP Ten
stary mineciarz żadnej dziewczynie nie przepuścił. ‖ Już jako młody
chłopak był mineciarzem. Ogona w ogóle nie używał. ◇ *n. ż.* mineciara
□ Kiel, Stęp

mineta

ktoś₁ robi komuś₂ minetę. [ndk] 'o partnerze aktywnym: ktoś₁ drażni
ustami i językiem czyjeś₂ narządy płciowe' *wulg. obycz.* NP Lubiła
chłopców, którzy robili jej minetę. ‖ Zanim w nią wszedł, zawsze
robił jej minetę. □ Kiel, Tuf

mleczarnia

mleczarnia 'piersi kobiece' 'biust' *wulg. obycz.* NP Mleczarnię miała monstrualnych rozmiarów, kładło na niej głowę zawsze kilku facetów naraz. ||... aktorki upychają w obiektyw swój goły cyc lub dupę, lub mleczarnię i dupę naraz. (WŁ Dobry 103) □ Kiel, Stęp, Tuf

morda *przekl., posp./wulg.*

1. pies *komuś* **mordę lizał!** [ndm] NP Rób sobie, co chcesz. Pies ci mordę lizał! || Niech sobie jedzie dziewczyna w świat! Pies jej mordę lizał! □ SJPD, SJPSz

2. W mordę jeża / kopany! [ndm] NP O której to się wraca do domu na noc, w mordę jeża! || Czy on zawsze, w mordę kopany, musi robić wszystkim jakieś świństwa?

○ ZOB. PONADTO: jebać 12

nabiał *wulg. obycz.*

n

1. nabiał [tylko l.p.] 'jądra męskie' NP Jakiś łobuz kopnął go w nabiał przed samym domem. || Posłuchaj, jakim głosem on mówi. Chyba nie ma nabiału. □ Dąbr: 207

2. nabiał [tylko l.p.] 'piersi kobiece' 'biust' NP Ładna dziewczyna, ale zupełnie bez nabiału. || Co za nabiał! Nic dziwnego, że nie może dostać cyckonosza. □ Stęp

nacipnik

nacipnik 'majtki damskie' *posp./wulg., żart.* NP Jak ci jest fajnie w tym nacipniku! || Zośka każdego tygodnia nosi nacipnik w innym kolorze. □ Stęp, Tuf

nadmuchać

*ktoś*₁ **nadmuchał** *kogoś*₂. [dk] 'o mężczyźnie w stosunku do kobiety: ktoś₁ zapłodnił kogoś₂' *wulg. obycz.* NP Kiedy on ją mógł nadmuchać? — Pewnie w grudniu. || Ktoś ją nadmuchał, ale ona sama nie wie kto.

nadupczyć

***ktoś*₁ nadupczył się z *kimś*₂.** [dk] 'czyjeś₁ (dotychczasowe) współżycie seksualne z kimś₂ zaspokoiło kogoś₁' *wulg.* NP Nadupczył się z nią przez tydzień i wrócił do domu. ‖ Po tym ostatnim numerze uznał, że już nadupczył się z nią do syta.

najebać *wulg.!*

1. *ktoś*₁ najebał *kogoś*₂ / *komuś*₂. [dk] 'ktoś₁ pobił kogoś₂ dotkliwie' NP Wyszedł stamtąd z rozbitą głową. Nieźle go najebali. ‖ Ale jej najebali. Krwi nie mogła zatamować. □ Kiel, Stęp

2. *ktoś*₁ najebał *komuś*₂ (__). [dk] 'ktoś₁ naubliżał komuś₂' 'ktoś₁ nawymyślał komuś₂' NP Uciekła stamtąd z obrzydzeniem. Najebali jej od dziwek. ‖ Najebali jej od dewotek, grożąc pobiciem. □ Stęp

3. *ktoś* ma najebane we łbie. 'ktoś jest niespełna rozumu' 'ktoś jest ograniczony umysłowo' NP Po co się z nim w ogóle zadajesz? On ma najebane we łbie. ‖ Cała jej rodzina miała porządnie najebane we łbie.

4. *ktoś*₁ najebał się z *kimś*₂. [dk] 'czyjeś₁ (dotychczasowe) współżycie seksualne z kimś₂ zaspokoiło kogoś₁' NP Najebał się z nią tego lata do utraty sił. Szuka teraz samotności. ‖ Przepraszam, przyjdę później. Poczekam, aż się z nim najebiesz.

5. najebany w trzy dupy 'kompletnie pijany' NP Zastał go w domu samego, najebanego w trzy dupy. ‖ Wrócił z roboty najebany w trzy dupy. Nie dało się z nim gadać.

nakurwić

***ktoś*₁ nakurwił się z (*kimś*₂).** [tylko dk] 'o kobiecie: czyjeś₁ (dotychczasowe) współżycie seksualne z przypadkowo poznawanymi mężczyznami zaspokoiło kogoś₁' *wulg.!* NP Dziewucha nakurwiła się parę lat w przydrożnym motelu ze wschodnimi handlarzami. ‖ Nakurwiłaś się już do syta? Wracaj do rodzinnego domu.

naopieprzać *posp./wulg., eufem.*

1. *ktoś*₁ naopieprzał *kogoś*₂. [dk] 'czyjeś₁ wymyślanie komuś₂ osiągnęło wysoki stopień' NP Ostatnio nauczyciele naopieprzali syna. Rzeczywiście rozleniwił się bardzo. ‖ Związki zawodowe naopieprzały dyrekcję przez całą jej kadencję.

2. *ktoś* naopieprzał się. [dk] 'ktoś naobijał się' NP Za mało naopieprzałeś się w czasie tych ferii? ‖ Kowalski naopieprzał się do tej pory strasznie. Należałoby go zwolnić.

naopierdalać *wulg.!*

1. *ktoś*, naopierdalał *kogoś*₂. [dk]'czyjeś₁ wymyślanie komuś₂ osiągnęło wysoki stopień' NP Naopierdalałeś go już dostatecznie długo. Może wystarczy? ‖ Naopierdalała męża przez cały wieczór. Czuł się upokorzony.
2. *ktoś* naopierdalał się. [dk] 'ktoś naobijał się' NP Naopierdalałeś się przez te studia. Czas zabrać się do jakiejś pracy. ‖ Naopierdalałem się dziś w biurze. Prawie nie było interesantów.

napicznik

napicznik 'majtki damskie' *posp./wulg.*, *żart.* NP Skąd masz, stara, taki napicznik? Pewnie od jakiegoś faceta. ‖ Nie zakładaj żadnych napiczników! Zaraz idziemy do łóżka. □ Stęp

napieprzać *posp./wulg., eufem.*

1. *ktoś* napieprza. [ndk] 'ktoś ucieka' NP Maria tak napieprzała przed jakimś bandytą, że zgubiła torebkę i wszystkie dokumenty. ‖ Zobaczył żmije w krzakach i zaczął napieprzać w kierunku drogi.
2. *coś* napieprza *kogoś*. [ndk] 'coś boli kogoś' NP Żołądek ją napieprzał od rana. Dostała sraczki. ‖ Nie mogę podnieść tej walizy. Kręgosłup mnie napieprza.

napieprzyć *posp./wulg., eufem.*

1. *ktoś*₁ napieprzył / napieprza *kogoś*₂. [dk/ndk] 'ktoś₁ pobił kogoś₂' NP Dlaczego Beata płacze? Kto ją napieprzył? ‖ Napieprzyli go wczoraj na stadionie. Boli go cała szczęka. □ Kiel
2. *ktoś*₁ napieprzył *komuś*₂ *czegoś*. [dk] 'ktoś₁ naopowiadał komuś₂ czegoś' NP Poszedł do dziekana i napieprzył mu bzdur o kandydacie na dyrektora. ‖ Napieprzył jej trochę bajek o trudnym dzieciństwie i dostał trójkę.
3. *ktoś*₁ napieprzył się z *kimś*₂. [dk] 'czyjeś₁ (dotychczasowe) współżycie seksualne z kimś₂ zaspokoiło kogoś₁' NP Stary ramol, a jeszcze potrafił tak napieprzyć się z jakąś młódką, że dziewczyna była w siódmym niebie. ‖ Napieprzyliście się już? Jeżeli tak, to chodźcie do nas.

napierdalać *wulg.!*

1. *ktoś* napierdala. [ndk] 'ktoś ucieka' NP Ktoś ją gonił bezskutecznie. Tak napierdalała, że pogubiła buty po drodze. ‖ Wszyscy napierdalali ze szczytu przed spodziewanym huraganem. ☐ Bog-Waw: 216

2. *coś* napierdala *kogoś*. [ndk] 'coś boli kogoś' NP Ząb napierdalał mnie przez całą noc. ‖ Strasznie go głowa napierdala. Chyba skróci swoje zajęcia.

napierdolić *wulg.!*

1. *ktoś*₁ napierdolił / napierdala *kogoś*₂. [dk/ndk] 'ktoś₁ pobił kogoś₂' NP Napierdolili go wczoraj w bramie. Żal było na niego patrzeć. ‖ Złapali go na skrzyżowaniu i tak go napierdolili, że nie mógł się ruszyć. ☐ Bog-Waw: 216, Kiel, Stęp

2. *ktoś*₁ napierdolił *komuś*₂ *czegoś*. [dk] 'ktoś₁ naopowiadał komuś₂ czegoś' NP Napierdolił mi anegdot o swoim trudnym dzieciństwie. To jakiś wariat albo aktor. ‖ Napierdolił jej bajek o starszej siostrze.

3. *ktoś*₁ napierdolił się z *kimś*₂. [dk] 'czyjeś₁ (dotychczasowe) współżycie seksualne z kimś₂ zaspokoiło kogoś₁' NP Napierdoliłaś się z nim już chyba do syta? ‖ Napierdoliłeś się z Justyną? Wracajcie do swoich domów.

napierdzieć

***ktoś* napierdział __** [fraza przyimkowa lub przysłówkowa określająca miejsce]. [dk] 'ktoś zanieczyścił powietrze w jakimś miejscu, wydzielając przez odbyt brzydki zapach' *posp./wulg.* NP Kto tak napierdział w salonie? Trzeba wywietrzyć przed przyjściem gości. ‖ Ktoś tu strasznie napierdział. Nie ma czym oddychać.

napierdzielać *posp./wulg., eufem.*

1. *ktoś* napierdziela. [ndk] 'ktoś ucieka' NP Przestraszył się ich i napierdzielał w stronę lasu. ‖ Nie mogę tak szybko napierdzielać jak ty. Mam za wysokie obcasy.

2. *coś* napierdziela *kogoś*. [ndk] 'coś boli kogoś' NP Kość go tak napierdzielała po tym wypadku, że postanowił ją prześwietlić. ‖ Pewnie będzie zmiana pogody. Matkę napierdzielają korzonki.

napierdzielić *posp./wulg., eufem.*

1. *ktoś*₁napierdzielił / napierdziela *kogoś*₂. [dk/ndk] 'ktoś₁ pobił kogoś₂' NP Napierdzielili go w jakimś lokalnym pociągu, a potem okradli. ‖ Jak można było tak chłopaka napierdzielić!

2. *ktoś*₁ napierdzielił *komuś*₂ *czegoś*. [dk] 'ktoś₁ naopowiadał komuś₂ czegoś' NP Napierdzielił wychowawczyni anegdot o swoich rodzicach. ‖ Dziewczyna napierdzieliła lekarzowi mnóstwo niestworzonych rzeczy o swojej chorobie.

napompować

***ktoś*₁ napompował *kogoś*₂.** [tylko dk] 'o mężczyźnie w stosunku do kobiety: ktoś₁ zapłodnił kogoś₂' *wulg. obycz., żart.* NP Czy to ty Zośkę napompowałeś? ‖ Napompował ją jakiś Murzyn i mają być trojaczki.

naruchać

***ktoś*₁ naruchał się z *kimś*₂.** [dk] 'czyjeś₁ (dotychczasowe) współżycie seksualne z kimś₂ zaspokoiło kogoś₁' *wulg.* NP Jak się już naruchaliście, to chodźcie na kolację. ‖ Jeszcze się z nim nie naruchałaś? Radzę ci: znajdź sobie lepiej kogoś innego.

narypać

***ktoś*₁ narypał się z *kimś*₂.** [dk] 'czyjeś₁ (dotychczasowe) współżycie seksualne z kimś₂ zaspokoiło kogoś₁' *wulg. obycz.* NP Narypał się już z tym kurwiszczem i postanowił wyjechać z miasteczka. ‖ Paweł narypał się z daleką kuzynką przez parę tygodni. Będzie z tego dziecko.

nasrać *wulg.*

1. *ktoś* nasrał __ [fraza przyimkowa lub przysłówkowa określająca miejsce]. [dk] 'ktoś wypróżnił się __' NP Pies nasrał na wycieraczkę. ‖ Dzieciak nasrał na buty ojca. ‖ Gołąb nasrał koło okna. ☐ Kiel

2. *ktoś* ma nasrane do głowy / w głowie. 'ktoś jest niespełna rozumu' 'ktoś jest ograniczony umysłowo' NP Po co ją o to pytasz? Ona ma nasrane w głowie. ‖ Ty chyba masz nasrane do głowy! (JI Hotel 521)

naszczać

***ktoś* naszczał __** [fraza przyimkowa lub przysłówkowa określająca miejsce]. [dk] 'ktoś oddał mocz __' *posp./wulg.* NP Wszystko tu cuchnie.
100 Ktoś tu musiał naszczać. ‖ Chłopak naszczał do kubka z herbatą.

nawpieprzać *posp./wulg., eufem.*

1. *ktoś*₁ nawpieprzał *komuś*₂ *czegoś*. [dk] 'ktoś₁ naopowiadał komuś₂ o czymś rzeczy nieprawdopodobnych' *z dezaprobatą* NP Musiał mi nawpieprzać trochę bzdur o swoich chorobach. To przecież stary hipochondryk. ‖ Nawpieprzał nam ballad o swoich sukcesach.
2. *ktoś*₁ nawpieprzał *komuś*₂ (__) [fraza przyimkowa lub zdanie składnikowe]. [dk] 'ktoś₁ nawymyślał komuś₂ z jakiegoś powodu' NP Ojciec nawpieprzał synowi za to, że ciągle się upija. ‖ Ciągle oblewa egzaminy. Matka nawpieprzała mu za to.
3. *ktoś* nawpieprzał *czegoś*₁ do *czegoś*₂. [dk] 'ktoś nawrzucał czegoś₁ do czegoś₂' NP Nawpieprzała muszelek do szuflady. Nie dało się schować dokumentów. ‖ Nawpieprzał ogryzków do popielniczki. Nie można było strząsnąć popiołu.
4. *ktoś* nawpieprzał się *czegoś*. [dk] 'ktoś zjadł czegoś bardzo dużo' NP Dziecko nawpieprzało się czekolady i ma zatwardzenie. ‖ Chłopak nawpieprzał się jakichś świństw. Trzeba z nim pójść do lekarza.

nawpierdalać *wulg.!*

1. *ktoś*₁ nawpierdalał *komuś*₂ *czegoś*. [dk] 'ktoś₁ naopowiadał komuś₂ o czymś rzeczy nieprawdopodobnych' *z dezaprobatą* NP Nawpierdalał mi różnych bajeczek o umierającym dziadku, żeby tylko usprawiedliwić swoją nieobecność. ‖ Nawpierdalam jej trochę głupot o chorobie żołądka, to może mnie zwolni.
2. *ktoś*₁ nawpierdalał *komuś*₂ (__) [fraza przyimkowa lub zdanie składnikowe]. [dk] 'ktoś₁ nawymyślał komuś₂ z jakiegoś powodu' NP Zosia wróciła pijana nad ranem. Stary nawpierdalał jej za to. ‖ Adam okradł własnego teścia. Poszkodowany nawpierdalał zięciowi.
3. *ktoś* nawpierdalał *czegoś*₁ do *czegoś*₂. [dk] 'ktoś nawrzucał czegoś₁ do czegoś₂' NP Nawpierdalał mi tyle tych pestek do zlewu, że musiałem hydraulika wołać. ‖ Nawpierdalał neologizmów do tego artykułu. Kazali mu pisać od nowa.
4. *ktoś* nawpierdalał się *czegoś*. [dk] 'ktoś zjadł czegoś bardzo dużo' NP Nawpierdalał się kartofli. Teraz mu brzuch pęka. ‖ Nawpierdalał się orzechów. Dostał sraczki.

nawpierdzielać *posp./wulg., eufem.*

1. *ktoś*₁ nawpierdzielał *komuś*₂ *czegoś*. [dk] 'ktoś₁ naopowiadał komuś₂ o czymś rzeczy nieprawdopodobnych' *z dezaprobatą* NP Nawpierdzielał mi niestworzonych historii o losach swoich przodków. ‖ Nawpierdzielał mu anegdot o teściach, żeby od razu ich polubił.

2. *ktoś*₁ nawpierdzielał *komuś*₂ (__) [fraza przyimkowa lub zdanie składnikowe]. [dk] 'ktoś₁ nawymyślał komuś₂ z jakiegoś powodu' NP Nawpierdzielali mu, że ukrywa bandytów. ‖ Stary nawpierdzielał córce za to, że nie wraca do domu na noc.

3. *ktoś* nawpierdzielał *czegoś*₁ do *czegoś*₂. [dk] 'ktoś nawrzucał czegoś₁ do czegoś₂' NP Nawpierdzielał tyle pieprzu do bigosu, że nie dało się go zjeść. ‖ Nawpierdzielał wulgaryzmów do swojego przemówienia.

4. *ktoś* nawpierdzielał się *czegoś*. [dk] 'ktoś zjadł czegoś bardzo dużo' NP Nawpierdzielał się lodów. Gardło go boli. ‖ Nawpierdzielał się różnych świństw, żeby go wypuścili z kryminału.

niech

niech *kogoś* a. *coś* [tylko zaimki]! *przekl.* NP Gdzież on polazł? Niech go! ‖ Zgubiłem gdzieś okulary. Niech je! □ SJPD, SJPSz

○ ZOB. PONADTO: Bóg 2, cholera 2–4, chuj 6–9, 36–39, czort 1, diabeł 2–4, drzwi, dunder, dupa 48–55, gęś, jebać 5, kaczka, kark, krew 1, 2, kula, licho 1, 2, piekło 2, pies 1, piorun 1, 2, pizda 6, 7, pojebać 4, pokręcić, poskręcać, potaśtać, prąd, skonać, szlag 1, 2, wysrać 2, znać

niewydymka

niewydymka 'o kobiecie uważanej za nadmiernie cnotliwą, która nie chce z nikim współżyć seksualnie' *wulg. obycz., żart.* NP Paweł poderwał ostatnio jakąś niewydymkę, która marzy tylko o miłości platonicznej. ‖ Nie zawracaj sobie nią głowy. To przecież niewydymka.

O   obesrać *wulg.*

1. *ktoś*₁ ob(e)srał / ob(e)srywa *coś* a. *kogoś*₂. [dk/ndk] 'ktoś₁ zanieczyścił coś a. kogoś₂ kałem' NP Zanim się podniosła, zawsze musiała obesrać dokładnie całą deskę. ‖ Czy ty ciągle musisz obsrywać łazienkę? ‖ W rezultacie musiał wytrzeć... buty, bo je sobie obsrał od wewnętrznej strony. (JI Hotel 73) □ Kiel, Supl

2. *ktoś*₁ ob(e)srał / ob(e)srywa *kogoś*₂. [dk/ndk] 'ktoś₁ obmówił kogoś₂' 'ktoś₁ obgadał kogoś₂' NP Porządnie mnie obsrał w swoim oficjalnym wystąpieniu. ‖ Kiedy wracała do domu, sąsiadki zawsze ją obsrywały. □ Supl

obeszczać

ktoś₁ ob(e)szczał coś a. **kogoś₂.** [dk] 'ktoś₁ zanieczyścił coś a. kogoś₂ moczem' *wulg.* NP Obeszczał całą ścianę w dworcowym kiblu. ||... Olanek wyciągnął kutasa, a że był po dziesięciu kuflach piwa, to obeszczał reklamę Nachodzkich Zakładów Tkackich... (BH Lekcje 59)

objebać

ktoś₁ objebał kogoś₂ za coś. [dk] 'ktoś₁ nawymyślał komuś₂ za coś' 'ktoś₁ nakrzyczał na kogoś₂ z jakiegoś powodu' *wulg.!* NP Szef objebał całą ekipę za remont kamienicy. || Dyrektor objebał nas wszystkich za nieobecność na zebraniu.

ochujeć

ktoś ochujał. [tylko dk] 'ktoś zgłupiał' 'ktoś zwariował' *wulg.!* NP Sierżancie, czy wyście kompletnie ochujeli? || Co za polecenie? Szef pewnie do reszty ochujał. || To ja sobie myślę: czy ty dokładnie ochujałeś, bucu? (NIE)

odesrać

ktoś odesrał się. [dk] 'ktoś wypróżnił się' *wulg.* NP Wszystkie kible zajęte, nie ma gdzie się odesrać. || Muszę koniecznie odesrać się przed wyjazdem. || Już cztery dni nie mogę się porządnie odesrać. Coś mi utkwiło jak gruda... (HM Zwr 148)

odeszczać

ktoś odeszczał się. [dk] 'ktoś oddał mocz' *wulg.* NP Poczekaj na mnie. Idę się odeszczać. || Odeszczał się w końcu po całym dniu biegania po urzędach.

odjebać *wulg.!*

1. ktoś odjebał coś. [dk] 'ktoś skończył coś robić' 'ktoś zrobił coś byle jak' NP Odjebał cały kurs i wystawił słuchaczom zaświadczenia. || Odjebał to wypracowanie, schował zeszyt i wyszedł.

2. komuś odjebało. [dk] 'mówiący ocenia czyjeś postępowanie jako odbiegające od normy' 'ktoś zwariował' 'ktoś zgłupiał' NP Ale mu

103

odjebało! ‖ Co ona zrobiła? Chyba jej odjebało. ‖ Przestaniesz w końcu? Odjebało ci?

3. *ktoś* odjebał się. [dk] 'ktoś wystroił się' 'ktoś ubrał się bardzo elegancko' NP Ale Anka odjebała się na ten dancing! ‖ Miał dostać medal. Odjebał się na tę uroczystość jak na własny ślub. ☐ Kiel

4. *ktoś*₁ odjebał się od *kogoś*₂ a. *czegoś*. [dk] 'ktoś₁ odczepił się od kogoś₂ a. czegoś' 'ktoś₁ zostawił kogoś₂ a. coś w spokoju' NP Wykończył ją psychicznie, zanim się od niej odjebał. ‖ Odjeb się w końcu od tej roboty. Jest tyle ciekawszych zajęć.

odpieprz

__ na odpieprz. 'niedbale' 'byle jak' *posp./wulg.*, *eufem.* NP Wszystkie prace domowe wykonywała na odpieprz. W mieszkaniu było brudno jak w chlewie. ‖ Plan kolejnej budowli znów zrobił na odpieprz.

odpieprzyć *posp./wulg., eufem.*

1. *ktoś* odpieprzył / odpieprza *coś*. [dk/ndk] 'ktoś skończył coś robić' 'ktoś zrobił coś byle jak' NP Adam odpieprzył wreszcie ten artykuł i dzisiejszy wieczór spędzamy razem. ‖ Wszystkie rysunki zawsze odpieprzała. ☐ Supl

2. *ktoś* odpieprzył / odpieprza się. [dk/rzadziej ndk] 'ktoś wystroił się' 'ktoś ubrał się bardzo elegancko' NP Pamiętasz tę pierwszą randkę z Piotrem. Odpieprzyłam się wtedy, żeby to nie była ostatnia. ‖ Anka odpieprza się nawet wtedy, kiedy wychodzi do sklepu po zakupy.

3. *ktoś* odpieprzył / odpieprza się jak stróż w Boże Ciało. [dk/rzadziej ndk] 'ktoś ubrał się niestosownie do okoliczności' 'ktoś ubrał się zbyt strojnie' NP Ona nie umie się ubierać. Znów odpieprzyła się jak stróż w Boże Ciało. ‖ Na każde imieniny odpieprza się jak stróż w Boże Ciało.

4. *ktoś*₁ odpieprzył się od *kogoś*₂ a. *czegoś*. [dk] 'ktoś₁ odczepił się od kogoś₂ a. czegoś' 'ktoś₁ zostawił kogoś₂ a. coś w spokoju' NP Odpieprz się od niego, krzywdy ci przecież nie zrobił! ‖ Odpieprzcie się! — wrzasnął skazany i wbiegł na szafot. (WŁ Dobry 290) ☐ Bog-Gar: 58, Supl

odpierdol

__ na odpierdol. 'niedbale' 'byle jak' *wulg.*! NP Czy musiałeś to robić na odpierdol? ‖ Każda jego robota jest zawsze wykonana na odpierdol.

odpierdolić *wulg.!*

1. ktoś odpierdolił / odpierdala coś. [dk/ndk] 'ktoś skończył coś robić' 'ktoś zrobił coś byle jak' NP Odpierdoliłem w końcu te zadania, możemy iść do kina. ‖ On zawsze błyskawicznie odpierdala swoją robotę i gdzieś znika. □ Supl

2. ktoś odpierdolił / odpierdala się. [dk/rzadziej ndk] 'ktoś wystroił się' 'ktoś ubrał się bardzo elegancko' NP Ale odpierdoliła się przed tą wizytą! ‖ Ewa odpierdala się zawsze przed każdą imprezą.

3. ktoś odpierdolił / odpierdala się jak stróż w Boże Ciało. [dk/rzadziej ndk] 'ktoś ubrał się niestosownie do okoliczności' 'ktoś ubrał się zbyt strojnie' NP Spójrz na Zośkę. Odpierdoliła się jak stróż w Boże Ciało. ‖ Ona zupełnie nie ma gustu. Nawet na przyjęcie gości odpierdala się jak stróż w Boże Ciało. □ Kiel

4. ktoś$_1$ odpierdolił się od kogoś$_2$ a. czegoś. [dk] 'ktoś$_1$ odczepił się od kogoś$_2$ a. czegoś' 'ktoś$_1$ zostawił kogoś$_2$ a. coś w spokoju' NP Odpierdol się w końcu od tej dziewczyny, ona przecież ciebie nie znosi. ‖ Powiedz mu, żeby się od niego odpierdolił. ‖ Spływaj, Sophie! Odpierdol się, Jack! Dajcie mi wreszcie święty spokój! (PR Komp 107) □ Kiel, Supl

odpierdziel

__ na odpierdziel. 'niedbale' 'byle jak' *posp./wulg., eufem.* NP Jak masz za mało czasu, to zrób to na odpierdziel. ‖ Chałupę mieli urządzoną na odpierdziel.

odpierdzielić *posp./wulg., eufem.*

1. ktoś odpierdzielił / odpierdziela coś . [dk/ndk] 'ktoś skończył coś robić' 'ktoś zrobił coś byle jak' NP Jak odpierdzielę lekcje, będę mógł się z tobą bawić. ‖ Nie lubiła prowadzić tych zajęć. Z reguły je odpierdzielała.

2. ktoś odpierdzielił / odpierdziela się. [dk/rzadziej ndk] 'ktoś wystroił się' 'ktoś ubrał się bardzo elegancko' NP Jak mają ci wręczyć medal, to powinieneś się odpierdzielić. ‖ Przecież to stypa, a nie wesele. Nie musicie się odpierdzielać.

3. ktoś odpierdzielił / odpierdziela się jak stróż w Boże Ciało. [dk/rzadziej ndk] 'ktoś ubrał się niestosownie do okoliczności' 'ktoś ubrał się zbyt strojnie' NP Ten sweter to chyba z odpustu. Odpierdzieliłaś się jak stróż w Boże Ciało. ‖ Na zabawę do remizy strażackiej odpierdzielały się jak stróż w Boże Ciało.

4. ktoś$_1$ odpierdzielił się od kogoś$_2$ a. czegoś. [dk] 'ktoś$_1$ odczepił się od kogoś$_2$ a. czegoś' 'ktoś$_1$ zostawił kogoś$_2$ a. coś w spokoju' NP Czy odpierdzielisz się wreszcie od mojej żony? ‖ Przestań ją zamęczać głupimi pytaniami! Odpierdziel się od niej!

ogon

ogon 'członek męski' *wulg. obycz.* NP Ciągnęła go za ogon, dopóki się nie wyprostował. ‖ Twój ogon do niczego już się nie nadaje. ◇ *zdr.* ogonek □ Dąbr: 204, Stęp, Tuf

ogór

***ktoś* zakisił / zamoczył ogóra.** [dk] 'o mężczyźnie: ktoś odbył stosunek seksualny' *wulg. obycz.* NP Nie ma go w domu. Pewnie gdzieś poszedł zakisić ogóra. ‖ Odpręż się, uspokój się! Powinieneś zamoczyć ogóra. Dobrze ci to zrobi. □ Tuf

ojebać

***ktoś*₁ ojebał *kogoś*₂ za *coś*.** [dk] 'ktoś₁ nawymyślał komuś₂ za coś' 'ktoś₁ nakrzyczał na kogoś₂ z jakiegoś powodu' *wulg.!* NP Dyrektor ją ojebał za to wczorajsze wystąpienie. ‖ Jak wrócę dziś na bani, stara mnie za to ojebie.

opieprz

__ opieprz od *kogoś*₁ za *coś* a. *kogoś*₂. 'upomnienie od kogoś₁ w związku z czymś a. kimś₂' *posp./wulg., eufem.* NP Dostał opieprz od żony za to, że pozwolił dziecku bawić się w kałuży. ‖ Miałem niezły opieprz od dziekana za jednego z podwładnych.

opieprzać *posp./wulg.,eufem.*

1. *ktoś* opieprza się. [ndk] 'ktoś nic nie robi' 'ktoś obija się' NP Przez cały semestr się opieprzał, a teraz dziwi się, że nie dostał żadnego zaliczenia. ‖ Dziś opieprzałam się w biurze. Prawie nie było interesantów. ‖... ja tam się nie opieprzam. (JI Świat 18)

2. *ktoś*₁ opieprza / opieprzył *kogoś*₂ za *coś*. [ndk/dk] 'ktoś₁ wymyśla komuś₂ za coś' 'ktoś₁ krzyczy na kogoś₂ z jakiegoś powodu' NP Opieprzyła chłopaka za to, że zapomniał kostiumu na wf. ‖ Dyrektorka ma zwyczaj opieprzać rodziców za wybryki uczniów.

opierdalać *wulg.!*

1. *ktoś* **opierdala / opierdolił** *coś*. [ndk/dk] 'ktoś zjada coś' 'ktoś zjada czegoś dużo' NP Na obozie dzieciaki opierdalały codziennie po dwa talerze zupy. ‖ Opierdolił cały półmisek sałatki i nie mógł wstać od stołu. □ Kiel

2. *ktoś* **opierdala się**. [tylko ndk] 'ktoś nic nie robi' 'ktoś obija się' NP Opierdalał się całymi godzinami, czekając na koniec urzędowania. ‖ ... słuchajcie, wy się opierdalacie w pracy! (NIE) □ Kiel

3. *ktoś₁* **opierdala / opierdolił** *kogoś₂* **za** *coś*. [ndk/dk] 'ktoś₁ wymyśla komuś₂ za coś' 'ktoś₁ krzyczy na kogoś₂ z jakiegoś powodu' NP Słyszysz, jak go opierdala za to wczorajsze wczesne wyjście. ‖ Szef opierdolił go za tę robotę.

opierdol

__ **opierdol od** *kogoś₁* **za** *coś* a. *kogoś₂*. 'upomnienie od kogoś₁ w związku z czymś a. kimś₂' *wulg.!* NP Ale miałem opierdol od szefa za pomysły tego nowego pracownika! ‖ Dostał opierdol od rodziców za zachowanie przy gościach. ‖ Przepraszam, jeśli szanowny obywatel jest tak zwanym funkcjonariuszem, to lepiej niech tego nie robi, bo czeka obywatela duża przykrość, czyli opierdol w pracy. (WŁ Dobry 33)

opierdziel

__ **opierdziel od** *kogoś₁* **za** *coś* a. *kogoś₂*. 'upomnienie od kogoś₁ w związku z czymś a. kimś₂' *posp./wulg.*, *eufem.* NP Boję się wracać do domu, czeka mnie opierdziel od ojca za długie wagary. ‖ Dostanę chyba od nich opierdziel za niedotrzymanie terminu umowy. □ Bog-Waw: 245

opierdzielać *posp./wulg.*, *eufem.*

1. *ktoś* **opierdziela / opierdzielił** *coś*. [ndk/dk] 'ktoś zjada coś' 'ktoś zjada czegoś dużo' NP Piotr jest coraz grubszy. Opierdziela codziennie garnek kartofli. ‖ Nie mógł się ruszyć: opierdzielił dwa talerze bigosu.

2. *ktoś* **opierdziela się**. [tylko ndk] 'ktoś nic nie robi' 'ktoś obija się' NP Przestaniesz się w końcu opierdzielać? Obetnę ci premię. ‖ W czasach szkolnych opierdzielała się całymi miesiącami. Trzy razy musiała zdawać maturę.

3. *ktoś₁* **opierdziela / opierdzielił** *kogoś₂* **za** *coś*. [ndk/dk] 'ktoś₁ wymyśla komuś₂ za coś' 'ktoś₁ krzyczy na kogoś₂ z jakiegoś powodu' NP Codziennie spóźniał się do pracy i codziennie go za to opierdzielali. ‖ Matka opierdzieliła chłopaka za to, że zgubił klucze.

107

osrać *wulg.*

1. *ktoś*₁ osrał / osrywa *coś* a. *kogoś*₂. [dk/ndk] 'ktoś₁ zanieczyścił coś a. kogoś₂ kałem' NP Pijany żołnierz osrał w pociągu cały kibel. ‖ Jakiś chory psychicznie facet osrał z balkonu przechodniów.

2. *ktoś*₁ osrał / osrywa *coś* a. *kogoś*₂. [dk/ndk] 'ktoś₁ zignorował coś a. kogoś₂' NP Osrał całą robotę, wziął forsę i wyjechał. ‖ Co za łajdak! Wziął zaliczkę i mnie osrał.

ostrojebiec

ostrojebiec 'mężczyzna o wysokiej aktywności i sprawności seksualnej, który lubi uprawiać seks i robi to w sposób agresywny' *wulg.!* NP Po co ty sypiasz z takim ostrojebcem? Znajdź sobie kogoś spokojnego! ‖ Mam nowego faceta. Ale z niego ostrojebiec! Dupę mi całą rozerwał. ☐ Kiel, Tuf

oszczać

_ktoś_₁ oszczał _coś_ a. _kogoś_₂. [tylko dk] 'ktoś₁ zanieczyścił coś a. kogoś₂ moczem' *wulg.* NP Dzieciak oszczał przejeżdżającego rowerzystę. ‖ Nie zdążył do kibla. Oszczał sobie całe portki i buty.

ożeż

ożeż ty (w *coś*)! [akcent na *o-* i na wyrażenie w B; ndm] *przekl., wyrażenie w B często wulg.* NP Ożeż ty w mordę kopany! ‖ Ożeż ty w torbę! ‖ Ożeż ty w dupę! ‖ Zbastuj! Ożeż ty w kurwę...! — Tu rozległ się znany mi już dźwięk uderzenia ciałem w ciało... (JI Hotel 137) ☐ Bog-Waw: 250, Dąbr: 181 (pisownia jednostki za Bog-Waw)

p

pal

_ktoś_₁ wbił / wbija _kogoś_₂ na pal. [dk/ndk] 'o mężczyźnie w stosunku do kobiety: ktoś₁ odbył z kimś₂ stosunek seksualny' *wulg. obycz.* NP Wbił ją na pal i zwiał. ‖ Co to za dziewucha? Uda ci się od razu wbić ją na pal?

pała *wulg. obycz.*

1. pała 'członek męski' NP Potem Ofelia ugryzła mnie w pałę. (RN Fal 203) ‖... tak pachną tylko debilne osobniki z jedynym atutem w postaci twardej pały w rozporku... (DB Mała 9) ☐ Dąbr: 204, Tuf

2. *ktoś₁* obciąga / obciągnął *komuś₂* pałę. [ndk/dk] 'o partnerze aktywnym, zwykle o kobiecie: ktoś₁ drażni mężczyźnie ustami członka, chcąc spowodować wytrysk' NP Kiedy tylko przychodził, zdejmowała mu majtki i obciągała pałę. ‖ Weronika nie znosiła obciągać facetom pały, nie lubiła smaku spermy.

picza

picza 'żeński narząd płciowy' *posp./wulg*. NP Kiedy jedzie do miasta, nie chędoży, tylko płaci czterysta piastrów za lizanie tej paskudnej piczy. (SPS ACh 192) ‖ Chciałbym mieć jakąś piczę do polizania — rzekł de Wolf. (SPS ACh 208) ◇ *zdr.* piczka, piczuchna, piczusia □ SJPD, Kiel, Tuf

piekło *przekl.*

1. bodajby / żeby *ktoś* z piekła nie wyszedł! NP Zniszczyłeś jej życie, łobuzie! Bodajbyś z piekła nie wyszedł! ‖ Okantowała nas ta cwaniara. Żeby z piekła nie wyszła! □ SJPD, SJPSz, Skor

2. niech *kogoś* piekło pochłonie! [ndm] NP Ten sukinsyn, niech go piekło pochłonie, znów tu czegoś szuka. ‖ Zjeżdżaj stąd draniu! Niech cię piekło pochłonie!

pieprznąć *posp./wulg., eufem.*

1. *ktoś₁* pieprznął *coś komuś₂*. [tylko dk] 'ktoś₁ ukradł coś komuś₂' NP Adam pieprznął ojcu klucze od biurka. ‖ Zosia pieprznęła koleżance nowe kolczyki.

2. *ktoś* pieprznął *czymś₁* w / o *coś₂*. [tylko dk] 'ktoś rzucił czymś₁, uderzając w coś₂ a. o coś₂' NP Dzieciaki pieprznęły petardą o mur domu. ‖ Pieprznął kapustą w miskę i woda prysnęła na całą kuchnię. □ SJPSz

3. *ktoś₁* pieprznął *kogoś₂ czymś₁* w *coś₂*. [tylko dk] 'ktoś₁ uderzył kogoś₂ czymś₁ w coś₂' NP Jak pieprznął go w łeb piłką, to spadły mu okulary. ‖ Policjant pieprznął ją w plecy pałą. Od tego czasu ma bóle kręgosłupa. □ SJPSz

4. *coś* pieprznęło. [tylko dk] 'coś spadło' 'coś się rozbiło' NP Pieprznął magnetofon i zabawa się skończyła. ‖ Wieszak się urwał i kożuch pieprznął na podłogę.

5. pieprznięty 'niespełna rozumu' NP Stary jest pieprznięty. Nie można się z nim dogadać. ‖ Justyna ma pieprzniętą siostrę. Ona chyba nigdy nie pójdzie do szkoły.

pieprzyć *posp./wulg., eufem.*

1. ktoś pieprzy. [ndk] 'ktoś mówi' 'ktoś mówi głupstwa' *z lekceważeniem* NP Oni tam nic nie robią. Siedzą, piją kawę i pieprzą całymi godzinami. || Co ty pieprzysz? Chyba już masz w czubie. || Przestańcie mi tu pieprzyć, Disney! Podejrzani to chodzą po ulicach, a wy... jesteście winni, oskarżeni i skazani! (WŁ Lep 211) □ SJPD, SJPSz, Kiel

2. ktoś pieprzy. [ndk] 'ktoś kłamie' NP Co ona tam będzie pieprzyć! Dobrze wiem, jak było. || Niech on nie pieprzy! To wszystko jest przecież do sprawdzenia. □ Bog-Gar: 61

3. ktoś₁ pieprzy coś a. kogoś₂. [ndk] 'kogoś₁ nic nie obchodzi coś a. ktoś₂' 'ktoś₁ ignoruje coś a. kogoś₂' NP Pieprzę dziś wykłady, nie ruszam się z łóżka. || Pieprzę twoją matkę! — burknął gość i ruszył w kierunku dużych drzwi z siatką. (JI Świat 302) ||... nie należy się niczym przejmować, należy pieprzyć wszystko, tym bardziej, że wszystko jest chwilowe, tymczasowe, prowizoryczne, wszystko mija, jak zły lub dobry sen... (WŁ Dobry 280)

4. ktoś₁ pieprzy kogoś₂ / pieprzy się z kimś₂. [ndk] 'ktoś₁ współżyje z kimś₂ seksualnie' NP Dobrze cię rżnę? Dobrze cię pieprzę? (AP Pam 15) || ... sztafety, balety, rozbierane prywatki, kiedy dziesięciu pieprzy jedną napitą rurę, albo wszyscy dymają wszystkich na krzyż. (WŁ Dobry 103) || Pod prysznicem pieprzyliśmy się tak, że ona siedziała na mnie, opinając mnie nogami i opierając się o ścianę, zaś ramiona mając zarzucone na szyję, a ja odwalałem całą czarną robotę. (PP Raul 42) □ Bog-Waw: 260, SJPD, SJPSz, Kiel, Tuf

5. Cię pieprzę! [główny akcent zdaniowy na *cię*; ndm] *przekl.* NP Ale samochód! Cię pieprzę! || Jaki fajny nacycnik! Cię pieprzę!

6. Ja pieprzę! [główny akcent zdaniowy na *ja*; ndm] *przekl.* NP Ale ona ma wielkie dupsko! Ja pieprzę! || Co za wspaniały prezent! Ja pieprzę! □ Kiel

7. Nie pieprz! [tylko w formie 2. osoby rozkaźnika] 'mówiący chce spowodować, żeby ktoś przestał mówić głupstwa' NP Nie pieprz! On nie kupuje swojej sekretarce biżuterii. || Rodzice nie mogli go wyrzucić z domu. Nie pieprz!

8. pieprzony 'taki, o którym mówiąc myśli się jako o kimś a. o czymś złym' *z lekceważeniem i/lub ze złością* NP Nie mogę słuchać tych pieprzonych kazań tych pieprzonych księży. W kółko o życiu poczętym. || Nie ma co robić w taką pieprzoną pogodę na odludziu.

9. Pieprz się we własną dupę! [tylko w formie 2. osoby rozkaźnika] 'odczep się' NP Nie mam ci już nic do powiedzenia. Pieprz się we własną dupę! || Zaczynam nowe życie, chłopcze. Pieprz się we własną dupę!

10. ktoś₁ pieprzy komuś₂ bzdury /głodne kawałki / głupoty. [ndk] 'ktoś₁ mówi do kogoś₂ o rzeczach nieprawdopodobnych' 'ktoś₁ mówi do kogoś₂ rzeczy niewiarygodne' NP Czy on musi w kółko pieprzyć mi jakieś głupoty? ‖ Pieprzysz jakieś bzdury o porwaniu ci kobiety... (VB Konk 201) ‖ Przyszła z samego rana i do wieczora pieprzyła mi głodne kawałki.

11. *ktoś*₁ pieprzy *komuś*₂ o *czymś* a. *kimś*₃. [ndk] 'ktoś₁ mówi do kogoś₂ o czymś a. o kimś₃' z *lekceważeniem* NP Pieprzyła mi cały wieczór o wszystkich swoich amantach i w końcu zasnęła. ‖ Pieprzyła nam zawsze o kieckach albo o fryzurach.

12. *coś* pieprzy się *komuś*. [ndk] 'coś się komuś miesza' 'coś się komuś kręci' NP Zawsze na egzaminie pieprzyły się jej wszystkie daty. ‖ To było tak dawno. Pieprzą mi się śluby tych kuzynek.

13. *ktoś*₁ pieprzy się z *czymś* a. *kimś*₂. [ndk] 'ktoś₁ zajmuje się czymś zbyt długo' 'ktoś₁ obchodzi się z kimś₂ zbyt delikatnie' NP Marek pieprzy się z tym wypracowaniem już od tygodnia. ‖ Ta urzędniczka pieprzy się z tym klientem, jakby był co najmniej księciem.

pierd

pierd 'wydzielany przez odbyt brzydki zapach, któremu mogą towarzyszyć dźwięki' 'bąk' *posp./wulg.* NP Poślizg zabrzmiał jak kłaśnięcie, jak mokry pierd. (HM Sex 42) ‖ Wybaczcie, panowie, że walę tak śmiało, lecz tego pierdu wstrzymać się nie dało. (SPS ACh 211) ‖ Ruthie lekko uniosła pośladek i z jej wielgachnego tyłka wydobył się tęgi pierd. (JI Hotel 489)

pierdliwy

pierdliwy 'o zapachu wydzielanym przez odbyt' 'brzydko pachnący' *posp./wulg.* NP Franny wtykała mi język w ucho albo przykładała usta do szyi i wydawała pierdliwy dźwięk. (JI Hotel 11) ‖ Na koniec wydawała całe mnóstwo pierdliwych dźwięków i wilgotnych cmoknięć. (JI Hotel 521)

pierdolec *wulg.*

1. pierdolec [l.p.: B = D -a, l.mn.: M = B -e] 'bzik' 'wariactwo' NP Co jej jest? — Po prostu pierdolec. ‖ Nikt z kolegów nie reaguje już na jej pierdolca.

2. *ktoś* ma / dostaje / dostał pierdolca. [ndk/dk] 'ktoś jest niespełna rozumu' 'ktoś zwariował' NP Za cholerę nie mogę zrozumieć, dlaczego jeszcze nie dostałem pierdolca. (NIE) ‖ Ale niech jej się nie daj Boże nie zacznie wydawać, że jest zakochana czy coś w tym stylu... Dopiero wtedy dziewczyna dostaje pierdolca. (JI Hotel 364) ‖ Pierdolca można dostać, jak się o tym wszystkim myśli, bo na zdrowy rozum to niepojęte! (WŁ Naj 342)

3. _ktoś_ ma / dostaje / dostał pierdolca. [ndk/dk] 'ktoś boi się czegoś' NP Tak między Bogiem a prawdą, to mieliśmy niezłego pierdolca! (WW Pt 9) ‖ Spokojnie, pomalutku, w szczerym polu dostaję pierdolca. (WW Pt 345)

pierdolić _wulg.!_

1. _ktoś_ pierdoli. [ndk] 'ktoś mówi' 'ktoś mówi głupstwa' _z lekceważeniem_ NP Przy sąsiednim stoliku jakaś baba od godziny pierdoli po japońsku. ‖ W Anglii jest pełno baranów mówiących po angielsku, tutaj są małpy, które mówią po angielsku, na Antarktydzie pingwiny dukają po angielsku,..., wszędzie ktoś pierdoli od rzeczy po angielsku... (VB Konk 113) □ SJPD, SJPSz

2. _ktoś_ pierdoli. [ndk] 'ktoś kłamie' NP Co mi tu będziesz pierdolić! Wiem, jak było. ‖ Ona pierdoli. Wszystko było nie tak. □ Kiel

3. _ktoś_$_1$ pierdoli _coś_ a. _kogoś_$_2$. [ndk] 'kogoś$_1$ nic nie obchodzi coś a. ktoś$_2$' 'ktoś$_1$ ignoruje coś a. kogoś$_2$' 'ktoś$_1$ ma do czegoś a. do kogoś$_2$ wrogi stosunek' NP Ewa pierdoli starych, wraca do domu nad ranem. ‖ Pierdolić wszystkich zasranych sierżantów z tego plutonu! (SPS ACh 360) ‖... nienawidzę komuchów,..., pierdolę ten system, sram na tę partię... (WŁ Dobry 243) ‖ Do diabła z kukułczym kukaniem! Pierdolić wiosnę! (RN Fal 53) □ SJPD, SJPSz, Kiel

4. _ktoś_$_1$ pierdoli _kogoś_$_2$ / pierdoli się z _kimś_$_2$. [ndk] 'ktoś$_1$ współżyje z kimś$_2$ seksualnie' NP To moja baba i ja ją będę pierdolił. ‖ To banał, ale i prawda, że im więcej pierdolisz, tym bardziej chcesz pierdolić i tym lepiej pierdolisz! (HM Sex 37) ‖ Sam dyrektor będzie się za tobą wstawiał, żebyś nie wrócił i przestał mu żonę pierdolić. (RB Rok 123) □ SJPD, SJPSz, Kiel,Tuf

5. Cię pierdolę! [główny akcent zdaniowy na _cię_; ndm] _przekl._, _przejaw stanu ekscytacji_ NP Co za śliczna kiecka, cię pierdolę! ‖ Ale ma cyc, cię pierdolę!

6. Ja pierdolę! [główny akcent zdaniowy na _ja_; ndm] _przekl._, _przejaw stanu ekscytacji_ NP Ja pierdolę, ale się odwaliłaś! ‖ Co za potworna duchota, ja pierdolę! □ Bog-Waw: 260, Kiel

7. Nie pierdol! [tylko w formie 2. osoby rozkaźnika] 'mówiący chce spowodować, żeby ktoś przestał mówić głupstwa' NP Babcia znalazła sobie jakiegoś bogatego faceta i będzie się rozwodzić z dziadkiem. — Nie pierdol! ‖ Ona wcale nie skończyła studiów. Nie pierdol! □ Bog-Waw: 260

8. Pierdolicie, Hipolicie. [ndm] 'dezaprobata tego, co ktoś powiedział' 'mówiący nie wierzy, by to, co ktoś powiedział, było prawdą' _z lekceważeniem_, _rytmizowane_ NP Jutro mamy wolny dzień. — Pierdolicie, Hipolicie. ‖ Nowak zrezygnował z pracy. — Pierdolicie, Hipolicie. □ Bog-Waw: 260

9. ktoś₁ pierdoli komuś₂ bzdury / głodne kawałki / głupoty. [ndk] 'ktoś₁
mówi do kogoś₂ o rzeczach nieprawdopodobnych' 'ktoś₁ mówi do kogoś₂
rzeczy niewiarygodne' NP Pierdoliła takie bzdury, że aż dziadek podniósł
się z łóżka. ‖ Zawsze pierdoli ojcu jakieś głupoty, żeby tylko znaleźć dla
siebie usprawiedliwienie. ‖ Przymknij się! Musisz zawsze pierdolić jakieś
głodne kawałki? ☐ Bog-Waw: 261

10. ktoś₁ pierdoli komuś₂ o czymś a. kimś₃. [ndk] 'ktoś₁ mówi do kogoś₂
o czymś a. o kimś₃' *z lekceważeniem* NP Pierdoliła mi przez dwie godziny
o swoim chłopaku. ‖ Ona potrafi mu pierdolić cały dzień o kieckach.

11. coś pierdoli się komuś. [ndk] 'coś się komuś miesza' 'coś się komuś
kręci' NP Nie mogę się tego nauczyć, daty mi się stale pierdolą.
‖ Dzieciństwo własne, syna, rodziców — wszystko już mu się pierdoli.
☐ Kiel

12. ktoś₁ pierdoli się z czymś a. kimś₂. [ndk] 'ktoś₁ zajmuje się czymś
zbyt długo' 'ktoś₁ obchodzi się z kimś₂ zbyt delikatnie' NP Pierdoliła się
z tym ciastem cały wieczór. ‖ Nie pierdol się tak z teściową, wal jej prosto
z mostu.

13. Pierdolisz. [tylko w formie 2. osoby czasu teraźniejszego, jako reakcja
na cudzą wypowiedź] 'mówiący nie wierzy, by to, co ktoś powiedział, było
prawdą' 'dezaprobata tego, co ktoś powiedział' *z lekceważeniem* NP
Adam wraca do Polski i kupuje dom nad jeziorem. — Pierdolisz. ‖ Paweł
kogoś pobił i obrabował. Przymknęli go. — Pierdolisz.

14. pierdolony 'taki, o którym mówiąc myśli się jako o kimś a. o czymś
bardzo złym' 'taki, do którego mówiący ma wrogi stosunek' *z pogardą
i/lub ze złością* NP Wszystko jedno co robi i dokąd idzie — nic mu się nie
podoba. Albo ten pierdolony kraj, albo pierdolona praca, albo wreszcie
jakaś pierdolona dupa, z którą mu nie wyszło. (HM Zwr 131) ‖ Pierdolone
wojsko dałoby ci i sto pięćdziesiąt procent inwalidztwa, żeby tylko nie
mieć z tobą więcej nic wspólnego. (WW Pt 364) ‖... trzeba by go powiesić,
skurwysyna, za te jego pierdolone buciory wojskowe, żeby wreszcie
skonał! (PR Komp 150) ☐ Bog-Waw: 261, Kiel

15. Pierdol się! / Pierdol się we własną dupę! [tylko w formie 2. osoby
rozkaźnika] 'odczep się' NP Pierdol się, stary! Nie ma o czym gadać.
‖ Zakładam nową spółkę, a ty pierdol się we własną dupę!
◯ Zob. ponadto: chuj 12, dupa 81, kurwa 16

pierdolnąć *wulg.!*

1. ktoś₁ pierdolnął coś komuś₂. [tylko dk] 'ktoś₁ ukradł coś komuś₂' NP
Jakiś facet pierdolnął pijakowi portfel w tramwaju. ‖ W szkole ktoś
pierdolnął Ani kostium gimnastyczny.

2. ktoś pierdolnął czymś₁ w / o coś₂. [dk] 'ktoś rzucił czymś₁, uderzając **113**

w coś$_2$ a. o coś$_2$' NP Jak pierdolnął piłką w okno, to szyba wyleciała. ‖ Chuligan pierdolnął kamieniem o grobowiec.

3. ktoś$_1$ pierdolnął kogoś$_2$ czymś$_1$ w coś$_2$. [dk] 'ktoś$_1$ uderzył mocno kogoś$_2$ czymś$_1$ w coś$_2$' NP Jak pierdolnął go w zęby sygnetem, to krew z wargi trysnęła. ‖ Kolanem pierdolnął go w jaja, zabrał portfel i uciekł. ☐ Bog-Waw: 261

4. ktoś pierdolnął w kalendarz / katafalk. [tylko dk] 'ktoś umarł' NP Jego teściowa już rok temu pierdolnęła w kalendarz. ‖ Zupełnie nieoczekiwanie pierdolnął w katafalk. Trzeba go było pochować.

5. coś pierdolnęło. [tylko dk] 'coś się rozbiło' 'coś spadło' NP Pierdolnął telewizor. Dobrze, że szyby nie poleciały. ‖ Kożuch pierdolnął z wieszaka na podłogę. ‖ Jak siedziałem, to czytałem w gazetach, jak Gierek robi drugą Polskę, jak się ta druga pierdolnęła, to czytam i słyszę, że zrobimy dla odmiany drugą Japonię. (RB Rok 70)

6. pierdolnięty 'niespełna rozumu' NP Przyzwyczajony do zaplutych formularzy. Może on sam jest pierdolnięty i czyta tylko to, co jest oplute... (WW Pt 71) ‖ Czy wszystkie szpitale w kraju są teraz pełne pierdolniętych żołnierzy? (WW Pt 116) ‖... kobieta jest z natury niezrównoważona, czyli mówiąc zwyczajnie: pierdolnięta, przepraszam, chora psychicznie... (DB Mała 36) ☐ Bog-Waw: 261

pierdolnik

pierdolnik 'głośnik' 'głośnik radiowy' *posp./wulg., środ.* NP We wszystkich pokojach pozakładano pierdolniki, tylko w tym jeszcze nie ma. ‖ Jak będę wychodzić, zawołam cię przez pierdolnik.

pierdoła *posp./wulg.*

1. pierdoła [ten a. ta pierdoła, l.mn.: M -y, D -ów a. pierdoł] 'o kimś pod jakimś względem niezaradnym i z tego powodu gadatliwym' 'niedołęga i gaduła' *często z politowaniem i/lub niechęcią* NP Ten pierdoła zamęczy go na śmierć swoimi prośbami. ‖ Nie wierzę, by ktoś chciał się ożenić z taką pierdołą. ‖ Ta pierdoła Weiss nie uwierzy w ani jedno moje słowo. (WW Pt 165) ‖ Radzą wciąż: gadu gadu, dyskutują, lecz o czym? Wokół czego rozmowa tych trzech pierdoł się toczy? (JSz Zeb 94) ☐ SJPD, SJPSz, Tuf

2. pierdoła chińska / saska 'o kimś pod jakimś względem niezaradnym i z tego powodu gadatliwym' 'niedołęga i gaduła' *często z politowaniem i/lub niechęcią* NP Te pierdoły chińskie najprostszej sprawy nie umieją załatwić, siedzą tylko i medytują. ‖ Stanie taka pierdoła saska przed całą klasą i nie wie nawet, co można zrobić z rękami.

Jednostki używane też jako wyzwiska.

pierdoły

pierdoły [tylko formy l.mn., D pierdół a. pierdoł] 'głupstwa' 'bzdury' *posp./wulg.* NP W tym podręczniku są same pierdoły, weź lepiej po prostu encyklopedię. ‖ Zmieniam klasę. Nie mogę słuchać pierdół, które ona wygaduje. ◇ *zdr.* pierdołki ☐ Tuf

pierdzieć *posp./wulg.*

1. *ktoś* pierdzi / pierdnął. [ndk/dk] 'ktoś puszcza bąki' 'ktoś wydziela przez odbyt brzydki zapach, któremu mogą towarzyszyć dźwięki' NP Z salonu wytoczył się pijany dziennikarz, wlazł do wc i tam ugrzązł. Słychać było jak pierdzi, czka i mamrocze... (WŁ Dobry 297) ‖...jeżeli przyjdzie mu ochota pierdnąć, to zaraz pierdnie, nie krzyżując kolan i nie przywierając do krzesła. (RN Fal 126) ☐ SJPD, SJPSz, Kiel, Tuf

2. *coś* pierdzi / pierdnęło. [ndk/dk] 'coś wydziela brzydki zapach' NP Ten autobus strasznie pierdzi, nie ma tu czym oddychać. ‖ Coś nagle pierdnęło. Po chwili czuć było zapach siarkowodoru.

3. *ktoś* pierdzi w stołek. [tylko ndk] 'ktoś zajmuje się bezproduktywnymi czynnościami urzędniczymi' *z lekceważeniem, żart.* NP Tam się nic nie dzieje. Siedzą lalunie, piją kawkę, pierdzą w stołki. ‖ Przenoszę pana do drukarni, tam nie można tylko pierdzieć w stołek. ☐ Bog-Waw: 261

pierdziel

pierdziel 'o kimś, kogo mówiący ignoruje z jakiegoś powodu' *wulg., pogard.* NP Nie przez przypadek dali pierdzielowi zadanie przy węglu... (WW Pt 219) ‖ Nie był to ślepy, jąkaty pierdziel z nerwowym tikiem, jak należało się spodziewać. (JI Świat 182) ☐ Kiel

pierdzielić *posp./wulg., eufem.*

1. *ktoś* pierdzieli. [ndk] 'ktoś mówi' 'ktoś mówi głupstwa' *z lekceważeniem* NP Usiadła i pierdzieliła zupełnie bez przerwy. Nie dało się tego słuchać. ‖ Potrafi pierdzielić od rana do wieczora, sama nie wiedząc o czym.

2. *ktoś* pierdzieli. [ndk] 'ktoś kłamie' NP Przestań wreszcie pierdzielić! Wszyscy i tak wiedzą, jak było naprawdę. ‖ Zośka pierdzieli. To było zupełnie inaczej.

3. *ktoś₁* pierdzieli *coś* a. *kogoś₂*. [ndk] 'kogoś₁ nic nie obchodzi coś a. ktoś₂' 'ktoś₁ ignoruje coś a. kogoś₂' NP Zenek pierdzieli te studia. Chce pójść do jakiejś roboty. ‖ Nie macie z nią żadnych szans. Ona was wszystkich pierdzieli.

4. Ja pierdzielę! [główny akcent zdaniowy na *ja*; ndm] *przekl., przejaw stanu ekscytacji* NP Co za elegancja, ja pierdzielę! ‖ Ale mu brzuch urósł, ja pierdzielę! ‖ Ja pierdzielę! Dlaczego to tak schrzanili?

5. Nie pierdziel! [tylko w formie 2. osoby rozkaźnika] ‘mówiący chce spowodować, żeby ktoś przestał mówić głupstwa’ NP Nie pierdziel! Ona nie ma żadnego majątku. ‖ On na pewno złapał syfa. — Nie pierdziel!

6. coś pierdzieli się komuś. [ndk] ‘coś się komuś miesza’ ‘coś się komuś myli’ NP Nie nauczyła się niczego. Wszystko jej się pierdzieli. ‖ Pierdzielą mu się bohaterowie kilku powieści.

7. Pierdzielisz. [tylko w formie 2. osoby czasu teraźniejszego, jako reakcja na cudzą wypowiedź] ‘mówiący nie wierzy, by to, co ktoś powiedział, było prawdą’ ‘dezaprobata tego, co ktoś powiedział’ *z lekceważeniem* NP Gocha nie zdała egzaminu i powtarza rok. — Pierdzielisz. ‖ Zlikwidowali tę firmę i zwolnili go z roboty. — Pierdzielisz.

pierdzielnąć *posp./wulg., eufem.*

1. ktoś₁ pierdzielnął coś komuś₂. [tylko dk] ‘ktoś₁ ukradł coś komuś₂’ NP Pierdzielnęli Zośce rower z piwnicy. ‖ Kiedy wychodził z banku, pierdzielnęli mu całą forsę z teczki.

2. ktoś pierdzielnął czymś₁ w / o coś₂. [dk] ‘ktoś rzucił czymś₁, uderzając w coś₂ a. o coś₂’ NP Ze złości pierdzielnął piórem o stół i połamał obsadkę. ‖ Pierdzielnął kamieniem w samochód i wybił kierowcy oko. ☐ Bog-Waw: 261

3. ktoś₁ pierdzielnął kogoś₂ czymś₁ w coś₂. [tylko dk] ‘ktoś₁ uderzył mocno kogoś₂ czymś₁ w coś₂’ NP Pierdzielnął go cegłą w łeb i zabrał mu teczkę. ‖ Kiedy próbował ją zgwałcić, pierdzielnęła go łokciem prosto w jaja.

4. coś pierdzielnęło. [tylko dk] ‘coś się rozbiło’ ‘coś wybuchło’ ‘coś spadło’ NP Piecyk pierdzielnął i Joanna się poparzyła. ‖ Lampa pierdzielnęła na podłogę.

pierdziówa

pierdziówa ‘grochówka’ *posp./wulg., żart.* NP Dziś w stołówce na obiad była pierdziówa. ‖ Zawsze po pierdziówie bolała go wątroba. ☐ Stęp

pierdziworek

pierdziworek ‘śpiwór’ *posp./wulg., żart., młodzież.* NP Na wycieczkę trzeba było zabrać pierdziworki. Nie wiadomo, czy będą miejsca w schroniskach. ‖ Chłopak lubił spać w pierdziworku, nawet kiedy było ciepło. ‖ Kładziemy się do pierdziworków. (SPS ACh 360)

pierniczyć

Ja pierniczę! [główny akcent zdaniowy na *ja*; ndm] *przekl.,eufem., przejaw stanu ekscytacji* NP Jaki fantastyczny widok z tego szczytu, ja pierniczę! ‖ Ale mu gębę rozchrzanił! Ja pierniczę!

pies *przekl.*

1. bodajby / niech / żeby *kogoś* a. *coś* **pies**! [ndm] NP Zgubiłaś te klucze? Bodajby cię pies! ‖ Nie oddał ci forsy? Niech go pies! ‖ Co za koszmarny upał! Żeby to pies!
2. pies *kogoś* a. *coś* **drapał / jechał / trącał**! [ndm] NP Jak chce iść, to niech idzie. Pies go drapał! ‖ Nie masz ani chwili czasu dla mnie? Pies cię jechał! ‖ Nie czekamy na nich dłużej. Pies ich trącał! □ SJPD, SJPSz, Skor, Dąbr: 188
○ Zob. ponadto: dupa 29, jebać 5, 11, morda 1, pojebać 4

pinda

pinda 'o kobiecie' *posp./wulg., z lekceważeniem i/lub ze złością* NP Pytała o ciebie jakaś pinda. Czeka na korytarzu. ‖... państwo wygruziło nyguskę z posady kopem wzwyż, na korespondenta do Londynu. Nie minął miesiąc, a ta pinda podziękowała im przez mikrofon „Wolnej Europy",... (WŁ Dobry 18) ◇ *zdr.* pindeczka, pindula, pindzia *pieszcz.* □ SJPD, SJPSz, Kiel, Stęp, Tuf

piorun *przekl.*

1. bodajby / niech / żeby *kogoś* a. *coś* **piorun / jasny piorun**! [ndm] NP Gdzie są moje okulary? Niech je jasny piorun! ‖ Bodajby cię piorun! Skąd ty wracasz? ‖ Co za fachowiec! Żeby go jasny piorun! □ SJPD, SJPSz
2. bodajby / żeby *kogoś* a. *coś* **piorun / jasny piorun strzelił / trzasnął**! **niech** *kogoś* a. *coś* **piorun / jasny piorun strzeli / trzaśnie**! [ndm] NP Co za komunikacja! Żeby to jasny piorun trzasnął! ‖ Przemoczyłaś całe buty. Bodajby cię piorun strzelił! ‖ Cały piecyk się rozpieprzył. Niech go jasny piorun strzeli! □ SJPD, SJPSz, Skor
3. Do jasnego pioruna! [ndm] NP Czy ty niczego nie rozumiesz, do jasnego pioruna! ‖ Ona nie potrafi, do jasnego pioruna, najdrobniejszej sprawy załatwić. □ Skor

4. Do / U pioruna! [ndm] NP Co z tym światłem, u pioruna! ‖ Dlaczego, do pioruna, nie miałbym się trochę rozerwać! (PR Komp 253) □ SJPD, SJPSz, Skor

5. Do stu / wszystkich piorunów! [ndm] NP Autobus nie jest z gumy, do stu piorunów! ‖ Uspokój się w końcu, do wszystkich piorunów! □ SJPD, SJPSz, Skor

6. Jasny piorun! [ndm] NP Gdzie się podziały te papierosy? Jasny piorun! ‖ Jasny piorun! Znów podarłeś nowe skarpety.

7. W pioruny! [ndm] NP W pioruny! Nie idę dziś do szkoły. ‖ Czy on w końcu zacznie, w pioruny, gdzieś pracować?!

pipa *posp./wulg.*

1. pipa 'żeński narząd płciowy' NP To stary ginekolog, ma już zmęczone łapska od grzebania w pipach przez całe życie. ‖ Wychylił się z łóżka i złapał ją za pipę. ◇ *zdr.* pipcia, pipeczka, pipka, pisia, pipula, pipulka, pipunia, pipusia *pieszcz.* □ Kiel

2. pipa 'o kobiecie traktowanej jako obiekt zainteresowań seksualnych' NP Czemu się tak śpieszysz? Czeka gdzieś na ciebie jakaś ciepła pipa? ‖ Czy ty musisz podwalać się do każdej pipy?

3. pipa 'o kimś pod jakimś względem niezaradnym' 'oferma' *pogard.* NP Ten obdarciuch, ta pipa, nie potrafi nawet wieszaka do kożucha przyszyć. ‖ Nie wychodź za tę pipę, będziesz miała smutne życie.

pizda *wulg.!*

1. pizda 'żeński narząd płciowy' NP Już przy pierwszym spotkaniu zachwyciła go jej pizda, przynosząca mu rozkosz i ukojenie. ‖ Agata ma pizdę jak kapelusz. (DB Mała 25) ‖ Lubiła kochać wnętrzem pizdy, leżąc całkowicie nieruchomo, jak w transie. (HM Sex 14) ‖... przez sekundę długą jak nieskończoność gryzłem włosy nad jej pizdą... (HM Sex 42) ◇ *zdr.* pizdeczka, pizdeńka, pizduchna, pizdula, pizdulka *pieszcz.* □ Kiel, Stęp, Supl, Tuf

2. pizda 'o kobiecie traktowanej jako obiekt zainteresowań seksualnych' *pogard.* NP Od miesiąca włóczy się już z jakąś nową pizdą. ‖ Weronika była jego zdaniem najzgrabniejszą pizdą, z jaką kiedykolwiek się kochał. ‖ Od czasu do czasu... widywałem go jak szedł do łazienki po spotkaniu z amerykańską pizdą. (HM Sex 35) ◇ *zdr.* pizdeczka, pizdeńka, pizduchna, pizdula, pizdulka *pieszcz.*

3. pizda 'o kimś, czyje postępowanie mówiący ocenia jako bardzo złe' 'łajdak' 'człowiek podły' *pogard.* NP Piotr to zwykła pizda. Obrobił nam dupę i wyjechał. ‖ Ta pizda chce, żeby mu na każde zawołanie dawać w łapę.

pizdnąć

ktoś₁ pizdnął kogoś₂ czymś₁ w coś₂. [tylko dk] 'ktoś₁ uderzył kogoś₂ czymś₁ w coś₂' *wulg.!* NP Czy musiałeś mnie pizdnąć tym guzikiem akurat prosto w oko? ‖ Jak pizdnął łokciem w szafę, to drzwi się otworzyły.

pizdogrzebek

pizdogrzebek 'ginekolog' *wulg.!, żart.* NP Byłam u pizdogrzebka. Powiedział mi, że jestem w ciąży. ‖ Wyobraź sobie, że ten pizdogrzebek chciał mnie przerżnąć. □ Tuf

pizdowaty

pizdowaty 'niezaradny' *wulg.!* NP To pizdowaty adwokat. On cię nie obroni. ‖ W tej grupie wszyscy są tacy pizdowaci. Nikt ci w niczym nie pomoże.

pizduś

pizduś 'zniewieściały mężczyzna' 'mężczyzna o lalkowatej urodzie' *wulg.!, żart.* NP Nie żałujesz, że wyszłaś za mąż za takiego pizdusia? ‖ Na naszym roku są sami pizdusie, nie ma kogo poderwać.

piździawka

piździawka 'silny wiatr' *wulg.!, żart.* NP Co za piździawka! Nie mogę utrzymać równowagi. ‖ Ależ mamy dzień — na dworze mżawka z piździawką! (RN Fal 50)

piździć *wulg.!*

1. coś piździ. [tylko w 3. osobie l.p.] 'wieje' NP Coś piździ i piździ. Zamknij okno! ‖ Ale na dworze dziś piździ, mówię ci, istny huragan.

2. coś piździ jak na Uralu / jak w Kieleckiem. [tylko w 3. osobie l.p.] 'mocno wieje' 'wieje silny wiatr' NP W naszej dzielnicy zawsze piździ jak na Uralu. ‖ Schowaj się do klatki, na całym osiedlu piździ jak w Kieleckiem.

4. pizda 'o kimś pod jakimś względem niezaradnym' 'oferma' NP Z Jasia to dopiero była pizda, guzika nawet nie potrafił przyszyć. ‖ Cóż z niej była za pizda! Ani gotować nie umiała, ani szyć, ani nawet prasować.

5. pizda 'ślad na ciele powstały w wyniku silnego uderzenia' 'krosta na ciele' NP Ale ma pizdę pod okiem! ‖ Jak mogę iść na bal z taką pizdą na twarzy? ‖ Jaka twarda pizda mi na czole wyskoczyła!

6. niech *ktoś* idzie w pizdu [z akcentem na -u]! 'o kimś, kogo mówiący ignoruje w danym momencie' 'mówiący wyraża wolę, żeby ktoś odczepił się od niego' NP Nie zawracaj mi głowy. Idź w pizdu! ‖ Przestań łazić za mną jak cień. Idź w pizdu!

7. niech *ktoś*$_1$ idzie w pizdu z *kimś*$_2$ a. *czymś*! [z akcentem na -u] 'mówiący chce, żeby ktoś$_1$ przestał mówić o kimś$_2$ a. o czymś 'niech ktoś$_1$ przestanie zawracać głowę kimś$_2$ a. czymś' NP Idź w pizdu z tymi twoimi pomysłami! ‖ Niech on idzie w pizdu ze swoimi pretensjami!

8. *komuś* oczy pizdą zarosły. [ndm] 'ktoś nie zdaje sobie sprawy z tego, co się dzieje' NP Nie widzisz, co on robi? Chyba ci oczy pizdą zarosły. ‖ Oczy jej pizdą zarosły. Nie wiedziała, że wkrótce zostanie babcią.

9. Pizda łysa! [ndm] *przekl.* NP Pizda łysa! Ale się wkopałem! ‖ Co za tłok! Pizda łysa! □ Kiel

10. pizda w korach 'o kimś pod jakimś względem niezaradnym' 'oferma' NP Stanie w drzwiach jak taka pizda w korach. Nie wiadomo, czy płakać, czy śmiać się. ‖ Siedzi stara pizda w korach, nigdy nic sensownego nie powie.

11. w pizdę jebany 'taki, o którym mówiący myśli jako o kimś a. o czymś bardzo złym' NP Nie znosił tego cwaniaka w pizdę jebanego. ‖ Sąsiedzi w pizdę jebani tylko czyhają na jego śmierć.

12. W pizdę jeża! [ndm] *przekl.* NP Czy on, w pizdę jeża, zacznie wracać do domu na noc!? ‖ Może w końcu, w pizdę jeża, złapią tego bandytę.

13. W pizdu! [z akcentem na -u; ndm] *przekl.* NP O w pizdu, ale tu burdel! ‖ O w pizdu! Z takim tępakiem dawno nie miałem do czynienia.

14. __ [wyrażenie oznaczające oddalanie] **w pizdu.** [z akcentem na -u; ndm] '__ precz' NP On ją wyrzucił w pizdu. ‖ Nie chciał z nim gadać. Wywalił go w pizdu. □ Bog-Waw: 401

15. w pizdu z *kimś* a. *czymś*! [z akcentem na -u; ndm] 'nadawca nie chce mówić o kimś a. o czymś z jakiegoś powodu' 'ktoś a. coś mówiącego nic nie obchodzi' 'wyraz ignorancji mówiącego względem kogoś a. czegoś' NP W pizdu z jego kanarkiem! ‖ W pizdu z takimi wykładami! ‖ W pizdu z dyrektorem i jego pomysłami!

Jako wyzwiska używane są jednostki: 2, 3, 4, 9.

○ ZOB. PONADTO: kurwa 17

piździelec

piździelec [W -e/-u] 'ktoś zasługujący na pogardę' 'łajdak' 'drań' 'człowiek podły' *wulg.!* NP Ten piździelec zawsze na nas wszystkich donosił. ‖ Piździelcze jeden. Nieszczęsny pierdoło. W nocy trzepiesz konia i marzysz o cyckach, ale chcesz się kulturalnie wyrażać... (JI Hotel 324) ‖ Myślałam, że jesteś inny niż wszyscy, ty piździelcu, ty pierdolony skurwysynu! (PR Komp 101–102) □ Bog-Waw: 264, Kiel

Jednostka używana też jako wyzwisko.

pobrandzlować

***ktoś* pobrandzlował się.** [dk] 'ktoś spędził jakiś czas na onanizowaniu się' *posp./wulg.* NP Pobrandzlował się w kiblu i wrócił do przedziału. ‖ W czasie przerwy pobiegł do szatni, żeby się pobrandzlować.

pochędożyć

***ktoś* pochędożył sobie.** [dk] 'ktoś spędził trochę czasu na uprawianiu seksu' *wulg. obycz., przestarz.* NP Po południu mogli z Morganem pojechać do miasta, uderzyć w gaz i pochędożyć sobie. (SPS ACh 22) ‖... słyszał, że można sobie pochędożyć za trochę czekolady. (SPS ACh 179)

pociupciać

***ktoś*₁ pociupciał *kogoś*₂.** [dk] 'o partnerze aktywnym: ktoś₁ spędził trochę czasu na współżyciu seksualnym z kimś₂' *wulg. obycz., żart.* NP Położył się obok niej, pociupciał ją i zasnął. ‖ Może jej wcale nie wypierdolił, może ona sama chciała, żeby ją z lekka pociupciał... z tymi bogatymi dupami nigdy nie wiadomo, czego od ciebie oczekują. (HM Zwr 154)

poczochrać

***ktoś*₁ poczochrał *kogoś*₂.** [dk] 'o partnerze aktywnym: ktoś₁ spędził trochę czasu na współżyciu seksualnym z kimś₂' *wulg. obycz., żart.* NP Łaził za nią codziennie, sądząc, że uda mu się w końcu trochę ją poczochrać. ‖ Czekała na swego księcia z bajki, nie pozwoliła, by byle kto ją poczochrał.

podcipnik

podcipnik 'podpaska higieniczna' *posp./wulg.*, *żart.* NP Zabrakło mi podcipników, muszę biec do apteki. ‖ Ale głupia ta reklama podcipników ze skrzydełkami!

podesrać *posp./wulg.*

1. ktoś₁ podesrał / podsrywa komuś₂. [dk/ndk] 'ktoś₁ przygadał komuś₂' 'ktoś₁ powiedział komuś₂ coś nieprzyjemnego' NP Nie sądziła, że potrafi jej tak podesrać w czasie wizyty dostojnych gości. ‖ Premier podsrywa dziennikarzom przy każdej okazji. ☐ Kiel

2. ktoś₁ podesrał / podsrywa coś komuś₂. [dk/rzadziej ndk] 'ktoś₁ ukradł coś komuś₂' NP Ktoś podesrał kapitanowi buty w kuszetce. Na bosaka wracał do koszar. ‖ Codziennie podsrywała ojcu po kilka papierosów.

podjebać

ktoś₁ podjebał / podjebuje coś komuś₂. [dk/ndk] 'ktoś₁ ukradł coś komuś₂' *wulg.!* NP Podjebali mu w autobusie portfel z całą pensją. ‖ Podjebała staremu tysiąc dolców, kiedy tylko wrócił z Ameryki. ‖ Co jakiś czas podjebuje kolegom różne drobiazgi.

podłubać

ktoś₁ podłubał kogoś₂. [dk] 'o partnerze aktywnym: ktoś₁ spędził jakiś czas na współżyciu seksualnym z kimś₂' *wulg. obycz.*, *żart.* NP Kiedy tylko wyszli rodzice, ułożył się obok niej, żeby ją podłubać. ‖ Najpierw myślałem, żeby się upić i ją podłubać — ale nie wiem, czy to by się podobało tej młodej. (HM Zwr 136) ☐ Kiel

podpieprzać *posp./wulg.*, *eufem.*

1. ktoś₁ podpieprza / podpieprzył coś komuś₂. [ndk/dk] 'ktoś₁ kradnie coś komuś₂' NP Czy ty wiesz, że ten łakomczuch podpieprza dziecku cukierki? ‖ Sąsiad podpieprzył chłopcu rower z piwnicy. ☐ Kiel

2. ktoś₁ podpieprza / podpieprzył kogoś₂ do kogoś₃ [ndk/dk] 'ktoś₁ donosi komuś₃ na kogoś₂' NP Anka została pobita. Paweł natychmiast podpieprzył zięcia do prokuratora. ‖ Kto ich ciągle podpieprza do szefa?

3. ktoś₁ podpieprza się do kogoś₂. [tylko ndk] 'ktoś₁ robi coś, starając się o to, żeby ktoś₂ zwrócił na kogoś₁ uwagę ze względu na jego płeć' NP

Ten stary chłop podpieprza się do sąsiadki spod piątki. || Wychowawca na koloniach zaczął się do mojej córki podpieprzać.

podpierdalać *wulg.!*

1. *ktoś*₁ podpierdala / podpierdolił *coś komuś*₂. [ndk/dk] 'ktoś₁ kradnie coś komuś₂' NP Ten gówniarz stale podpierdalał matce niewielkie sumy pieniędzy. || Podpierdolili jej futro, kiedy tańczyła z Adamem. □ Kiel.

2. *ktoś*₁ podpierdala się do *kogoś*₂. [tylko ndk] 'ktoś₁ robi coś, starając się o to, żeby ktoś₂ zwrócił na kogoś₁ uwagę ze względu na jego płeć' NP Anka podpierdalała się do wszystkich chłopców w klasie. || Popatrz! Ten młody ksiądz podpierdala się do Beaty. □ Kiel

podpierdzielać *posp./wulg., eufem.*

1. *ktoś*₁ podpierdziela / podpierdzielił *coś komuś*₂. [ndk/dk] 'ktoś₁ kradnie coś komuś₂' NP Podpierdzielała klientom narkotyki i sprzedawała je za bezcen. || Podpierdzieliła przyjaciółce kolczyki i poszła w nich na randkę.

2. *ktoś*₁ podpierdziela się do *kogoś*₂. [tylko ndk] 'ktoś₁ robi coś, starając się o to, żeby ktoś₂ zwrócił na kogoś₁ uwagę ze względu na jego płeć' NP Paweł się podpierdziela do tej nowej sekretarki. || Trudno w to uwierzyć, ale ta młoda zakonnica podpierdziela się do księdza proboszcza.

podpiździć

***ktoś*₁ podpiździł / podpiżdża *coś komuś*₂.** [dk/ndk] 'ktoś₁ ukradł coś komuś₂' *wulg.!* NP Ktoś mi podpiździł w łazience złoty łańcuszek. ||... jakie to piękne, że ręcznik podpiździł Stewart, a nie żaden z was. (FB Sauna 25) || Podpiżdżali kobietom torebki, kiedy wsiadały do pociągu.

podupczyć *wulg.*

1. *ktoś*₁ podupczył *kogoś*₂. [tylko dk] 'o partnerze aktywnym: ktoś₁ spędził trochę czasu na współżyciu seksualnym z kimś₂' NP Nie miał czasu na romanse, chciał ją podupczyć. || Chodź, znajdziemy jakiś pokój, w którym mógłbyś mnie podupczyć — powiedziała Olga.

2. *ktoś* podupczył sobie. [tylko dk] 'o partnerze aktywnym: ktoś spędził trochę czasu na uprawianiu seksu' NP Chciałbym, żebyśmy wszyscy razem wrócili do świata i trochę sobie podupczyli. (SPS ACh 215) || Chodź, stary. Znajdziemy jakieś kurwy i podupczymy sobie całą noc. (SPS ACh 448)

podziobać

ktoś₁ podziobał kogoś₂. [tylko dk] 'o partnerze aktywnym: ktoś₁ odbył z kimś₂ stosunek seksualny' *wulg. obycz.* NP Podziobał ją od razu na pierwszej randce. ‖ Podziobałeś ją? Czy ty musisz to robić ze wszystkimi dziewczynami, które poznasz, do kurwy nędzy!

pojeb

pojeb [l.mn.: M -y, B -ów] 'ktoś niespełna rozumu' *wulg.! pogard.* NP To jakiś pojeb, nie można się z nim dogadać. ‖ Skretyniał do reszty, ciągle jest przecież w towarzystwie jakichś pojebów.

pojebać *wulg.!*

1. *ktoś* pojebał *coś*. [dk] 'ktoś pomieszał coś' 'ktoś pokręcił coś' NP Pojebał wszystkie podstawowe wzory i nie rozwiązał tych zadań. ‖ Pojebał kilka faktów i wyszedł z lufą.

2. *ktoś₁* pojebał *kogoś₂*. [dk] 'ktoś₁ spędził trochę czasu na współżyciu seksualnym z kimś₂' NP Pojebał ją i zaraz wyszedł. ‖ Bardzo chciała, żeby ją pojebał, a on miał kłopoty ze swoją męskością. □ Kiel

3. *kogoś* pojebało. [dk] 'ktoś zgłupiał' 'ktoś zwariował' NP Co ty robisz? Chyba cię pojebało! ‖ Pojebało ją! Zabrała wszystkim mapy i atlasy.

4. bodajby / żeby *kogoś* a. *coś* pies / prąd pojebał! niech *kogoś* a. *coś* pies / prąd pojebie! [ndm] *przekl.* NP Bodajby pies pojebał tego bandytę! ‖ Niech prąd pojebie te wszystkie lekarstwa! ‖ Żeby pies pojebał tego zasranego fachowca!

5. *coś* pojebało się *komuś*. [dk] 'coś się komuś pomieszało' 'coś się komuś pokręciło' NP Pojebały jej się notatki ze wszystkich przedmiotów. ‖ Kutas, który to wymyślił, miał czkawkę lub pojebało mu się z kon- tenerami. (WŁ Dobry 54)

6. pojebany 'taki, o którym mówiąc, myśli się jako o kimś a. o czymś bardzo złym' 'taki, do którego mówiący ma wrogi stosunek' *z pogardą i/lub ze złością* NP Nie mogę niczego załatwić u tej urzędniczki pojebanej. ‖ Wymagają ode mnie tych wszystkich pojebanych dokumentów sprzed ćwierć wieku.

pokręcić

bodajby / żeby *kogoś* a. *coś* pokręciło! niech *kogoś* a. *coś* pokręci! [ndm] *przekl.* NP Bachor jeden, żeby go pokręciło, chyba musiał połknąć jakąś śrubę. ‖ Ten dentysta wstrętny, niech go pokręci, zerżnął ze mnie całą pensję.

pokurwiać

***ktoś* a. *coś* pokurwia.** [tylko ndk] 'ktoś a. coś posuwa się szybko' *wulg.!*
NP Karaluchy pokurwiały po ścianie. ‖ Ale ten pociąg pokurwia! Chyba
będzie przed czasem.

pokurwić

***ktoś* pokurwił się.** [tylko dk] 'o kobiecie: ktoś spędził trochę czasu na
współżyciu seksualnym z przypadkowo poznawanymi mężczyznami' *wulg.!*
NP Pokurwiła się przez rok w nadmorskich burdelach i wróciła do
rodzinnego miasta. ‖ Póki nie mam męża ani dzieci, trzeba się trochę
pokurwić.

popieprzyć *posp./wulg., eufem.*

1. *ktoś* popieprzył *coś*. [tylko dk] 'ktoś pomieszał coś' 'ktoś pokręcił coś'
NP Prezentując gości popieprzył ich życiorysy i było mu potwornie
głupio. ‖ Nauczyciel popieprzył dane o różnych wojnach i dzieci nauczyły
się bzdur.
2. *ktoś*₁ popieprzył *kogoś*₂. [tylko dk] 'ktoś₁ spędził trochę czasu na
współżyciu seksualnym z kimś₂' NP Popieprzył Zośkę w samochodzie, bo
nigdzie nie mieli wolnego łóżka. ‖ Ja cię też kocham, ale popieprzyć się
możemy praktycznie zawsze. (JI Świat 256) □ Kiel
3. *coś* popieprzyło się *komuś*. [tylko dk] 'coś się komuś pomieszało'
'coś się komuś pokręciło' NP Popieprzyły mu się kalendarze i nie poszedł
na to spotkanie. ‖ Czy tobie się musi zawsze wszystko popieprzyć?

popierdolić *wulg.!*

1. *ktoś* popierdolił *coś*. [tylko dk] 'ktoś pomieszał coś' 'ktoś pokręcił
coś' NP Oblał ten egzamin. Popierdolił wszystkie daty. ‖... jak w tej
piosence, „czerwony tramwaj... na lewo most, na prawo most!". — Popier-
doliłeś! — zwrócił mu uwagę Legur. To nie był tramwaj! (WŁ Dobry 242)
□ Kiel
2. *ktoś* popierdolił *coś*. [tylko dk] 'ktoś mówił głupstwa przez jakiś czas'
z dezaprobatą i lekceważeniem NP Piotr zawsze musi popierdolić jakieś
niestworzone rzeczy, choć dobrze wie, że nikt go nie słucha. ‖ Wbiegła,
popierdoliła trochę bzdur i zaraz wyszła. □ Kiel
3. *ktoś*₁ popierdolił *kogoś*₂. [tylko dk] 'ktoś₁ spędził trochę czasu na
współżyciu seksualnym z kimś₂' NP Beata popierdoliła się z nim i usnęła.
‖ Ja też ją może kiedyś popierdolę..., jak będę miał wolne. (HM Zwr 148)

‖... nie ma żadnych, ale to żadnych ambicji jak tylko tę, żeby sobie co wieczór popierdolić. (HM Zwr 112) ☐ Kiel.

4. coś popierdoliło się komuś. [tylko dk] 'coś się komuś pomieszało' 'coś się komuś pokręciło' NP Mam tyle ciotek i kuzynek. Całe drzewo genealogiczne już mi się w końcu popierdoliło. ‖ Miał już zaawansowaną sklerozę. Popierdoliły mu się podstawowe fakty z własnego życiorysu. ☐ Kiel

popierdółka

popierdółka 'stosunek seksualny' *posp./wulg.*, *żart.* NP Chodźmy na górę na małą popierdółkę! ‖ Czasem się zdarza dłuższa popierdółka, ale to wówczas, gdy w jakimś mieszkaniu na Walę lub Tanię czeka kilku panów. (NIE)

popierdzieć

ktoś popierdział / popierduje. [dk/ndk] 'ktoś spędził jakiś czas na puszczaniu bąków' 'ktoś spędził jakiś czas na wydzielaniu przez odbyt brzydkiego zapachu' *posp./wulg.* NP Znikam stąd, bo muszę sobie popierdzieć po tym bigosie. ‖... marzymy wokół fotografii panny z bukietem białych goździków, a tu kompania spoconych rekrutów wpada na tę fotografię, popierdując na golasa... (MP Rud 43) ‖ Idzie żołnierz borem, lasem, popierduje sobie czasem.

popierdzielić *posp./wulg., eufem.*

1. ktoś popierdzielił coś. [tylko dk] 'ktoś pomieszał coś' 'ktoś pokręcił coś' NP Sekretarka popierdzieliła wszystkie informacje i szef nie wiedział, dokąd ma pójść. ‖ On chyba popierdzielił godziny, bo samolot już odleciał.

2. coś popierdzieliło się komuś. [tylko dk] 'coś się komuś pomieszało' 'coś się komuś pokręciło' NP Sale mu się popierdzieliły i w końcu nie poszedł na religię. ‖ Za dużo miał mocnych wrażeń i w końcu wszystko mu się popierdzieliło.

poruchać

ktoś₁ poruchał kogoś₂. [dk] 'o partnerze aktywnym: ktoś₁ spędził trochę czasu na współżyciu seksualnym z kimś₂' *wulg.* NP Ubrała się, nim ją zdążył poruchać. ‖ Leżał na Ani, sukienkę zadartą miała pod szyję... — No, poruchaj sobie jak rycerz — doszedł go głos Edzia. (RB Nagi 40)

porypać

ktoś₁ **porypał** **kogoś**₂. [dk] 'o partnerze aktywnym: ktoś₁ spędził trochę czasu na współżyciu seksualnym z kimś₂' *wulg. obycz.* NP Ułożył się do snu, nie miał najmniejszego zamiaru jej porypać. ‖ Chcę, żebyś mnie zaraz porypał. Wyjmuj małego! — krzyknęła Tatiana. □ Tuf

poskręcać

bodajby / żeby **kogoś** a. **coś poskręcało! niech** **kogoś** a. **coś poskręca!** [ndm] *przekl.* NP Ukradłaś mi najładniejszą lalkę. Żeby cię poskręcało! ‖ Faja jedna, niech go poskręca, nie przyniósł mi notatek.

posrać *wulg.*

1. ktoś posrał (__). [dk] 'ktoś wypróżniał się przez pewien czas' 'ktoś spędził pewien czas na wypróżnianiu się' NP Chłopak posrał godzinę i poczuł się lepiej. ‖ Mam biegunkę. Czuję, że posram przez połowę nocy.

2. ktoś posrał coś. [dk] 'ktoś wypróżniając się, zanieczyścił coś kałem' NP Nie zdążył do kibla i posrał spodnie. ‖ Gołąb posrał cały parapet.

3. ktoś posrał się. [dk] 'ktoś wypróżnił się gdzieś mimo woli' NP Posrała się na badaniach z przerażenia. ‖ Nażarł się owoców i posrał się w tramwaju.

posuwać

ktoś₁ **posuwa / posunął** **kogoś**₂. [ndk/dk] 'o partnerze aktywnym: ktoś₁ odbywa z kimś₂ stosunek seksualny' *wulg. obycz.* NP Posuwał ją coraz szybciej, a tapczan trzeszczał coraz głośniej. ‖ Kiedy kuzyn posuwał ją, czuła, że jest na granicy raju. □ Tuf

poszczać *wulg.*

1. ktoś poszczał (__). [dk] 'ktoś oddawał mocz przez pewien czas' 'ktoś spędził pewien czas na oddawaniu moczu' NP Anka poszczała chwilę i poczuła ogromną ulgę. ‖ Połknął pastylkę na odwodnienie. Pewnie poszczy całą noc.

2. ktoś poszczał coś. [dk] 'ktoś oddając mocz, zanieczyścił coś nim' NP Wypił kilka piw, a potem poszczał całe buty. ‖ Kot poszczał przedpokój.

3. ktoś poszczał się. [dk] 'ktoś oddał gdzieś mocz mimo woli' NP Poszczał się, kiedy usłyszał po raz drugi ten dowcip. ‖ Po wypiciu masy trunków poszczał się na zabawie, na samym środku parkietu. **127**

4. poszczany (__) 'szczęśliwy' 'bardzo zadowolony z czegoś' NP Powiedziałem jej, że zdałem wszystkie egzaminy. Stara cała poszczana, że synkowi tak dobrze idzie. ‖ Właśnie została babcią. Chodzi poszczana, bo wnuczka taka do niej podobna.

potaśtać

bodajby / żeby *kogoś* a. *coś* potaśtało! niech *kogoś* a. *coś* potaśta! [ndm] *przekl.*, *żart.* NP Znów zlał się w majtki. Bodajby go potaśtało! ‖ Pokiełbasiły mi się numery wszystkich telefonów. Żeby to potaśtało!

poudupiać

***ktoś*₁ poudupiał *kogoś*₂.** [tylko dk] 'ktoś₁ zrobił coś złego kolejno wielu osobom' 'ktoś₁ wiele razy zrobił komuś₂ coś złego' 'ktoś₁ wiele razy unieszkodliwił kogoś₂' *posp./wulg.* NP Ten facet poudupiał wszystkich na egzaminie. ‖ Policja już go kiedyś parę razy poudupiała. Teraz jednak od nowa rozrabia.

powypierdalać

ktoś*₁ powypierdalał *coś* a. *kogoś*₂** [nazwa zbioru elementów] ***skądś. [dk] 'ktoś₁ wyrzucił z jakiegoś miejsca kolejno wiele osób lub rzeczy' *wulg.!* NP Nowy szef powypierdalał stamtąd całą dawną ekipę. ‖ Powypierdalał z biurka wszystkie stare notatki.

półdupek

półdupek 'pośladek' *posp./wulg.* NP... widzę z profilu jej świetną w tym układzie pierś..., zachęcający łuk półdupków, maleńką fałdkę na sprężystym brzuchu... (RB Rok 57) ‖ Potem unosi się na jednym półdupku i wyciąga zwitek. (WW Pt 144) ‖ Tym razem Weiss obrywa w prawy półdupek. (WW Pt 368) ☐ SJPD, SJPSz

prąd

bodajby / żeby *kogoś* a. *coś* prąd kopnął / popieścił! niech *kogoś* a. *coś* prąd kopnie/ popieści! [ndm] *przekl.* NP Żeby te wszystkie twoje pomysły prąd kopnął! ‖ Przeklęty kundel, niech go prąd popieści!

◯ Zob. ponadto: pojebać 4

pruć

***ktoś*, pruje *kogoś*₂.** [ndk] 'o partnerze aktywnym: ktoś₁ odbywa z kimś₂ stosunek seksualny' *wulg. obycz.* NP Prul ją co noc, aż łóżko trzeszczało. ‖ Nie miał zamiaru jej pruć, choć ona zachęcała go do tego.

przedmuchać

***ktoś*, przedmuchał / przedmuchuje *kogoś*₂.** [dk/rzad. ndk] 'o partnerze aktywnym: ktoś₁ odbył z kimś₂ stosunek seksualny' *wulg. obycz.* NP Przedmuchał ją w krzakach tuż za Laskiem Bielańskim. ‖ Czatował na nią koło bramy tylko po to, żeby ją przedmuchać.

przedupczyć

***ktoś*, przedupczył *kogoś*₂.** [dk] 'o partnerze aktywnym: ktoś₁ odbył z kimś₂ stosunek seksualny' *wulg.* NP Położył się obok niej, żeby ją natychmiast przedupczyć. ‖ On już przedupczył chyba wszystkie pokojówki w tym hotelu.

przedymać

***ktoś*, przedymał *kogoś*₂.** [dk] 'o partnerze aktywnym: ktoś₁ odbył z kimś₂ stosunek seksualny' *wulg. obycz.* NP Przedymał ją. Nim zdążył się ubrać, bąk urżnął go w dupę. ‖ Próbował mnie przedymać, ale nie pozwoliłam mu nawet zdjąć majtek — opowiadała z zadowoleniem bratu.

przejebać *wulg.!*

1. *ktoś*, przejebał *kogoś*₂. [dk] 'o partnerze aktywnym: ktoś₁ odbył z kimś₂ stosunek seksualny' NP Co to za chłop, nie potrafił mnie nawet przejebać! ‖ Chciałam, żeby od razu mnie przejebał, a on tracił czas na gadaniu. ‖ Wszystkich kurew nie przejebiesz. □ Tuf

2. *ktoś* przejebał *coś*. [dk] 'ktoś zmarnował pewien odcinek czasu' 'ktoś roztrwonił coś' NP Przejebał cały semestr i teraz nie wie, co dalej robić. ‖ Przejebała cały spadek po mężu i teraz zdycha z głodu.

3. *ktoś*, ma przejebane u *kogoś*₂. 'z jakiegoś powodu ktoś₂ ocenia kogoś₁ negatywnie' 'ktoś₁ ma u kogoś₂ straconą pozycję z jakiegoś powodu' NP Mam u Barana przejebane, muszę się przenieść do Gdańska. ‖ Starą wypierdolili z roboty, miała u dyra przejebane.

przekotłować

ktoś₁ przekotłował kogoś₂. [dk] 'o partnerze aktywnym: ktoś₁ odbył z kimś₂ stosunek seksualny' *wulg. obycz.* NP Strasznie była na niego napalona. Chciała, żeby przekotłował ją od razu w przedpokoju. ‖ Nie było żadnej szamotaniny, przekotłował ją już na skraju lasu.

przelecieć

ktoś₁ przeleciał kogoś₂. [dk] 'o partnerze aktywnym: ktoś₁ odbył z kimś₂ stosunek seksualny' *wulg. obycz.* NP ...zaczyna rozcierać sobie ręce, myśląc o miłych, soczystych dziewicach, które wprost konają, żeby je przeleciał. (HM Zwr 134) ‖ Czasem miałem ochotę ją zapytać, czy kiedykolwiek pozwoliła szetlandzkiemu kucykowi, żeby ją przeleciał. (HM Sex 30)

przepieprzyć *posp./wulg., eufem.*

1. *ktoś₁ przepieprzył kogoś₂*. [dk] 'ktoś₁ odbył z kimś₂ stosunek seksualny' NP Przepieprzył ją na kajaku i wskoczył do wody. ‖ Przepieprzył ją bezpośrednio przed snem.

2. *ktoś przepieprzył coś*. [dk] 'ktoś zmarnował pewien odcinek czasu' 'ktoś roztrwonił coś' NP Piotr przepieprzył całe studia. ‖ Ewa przepieprzyła majątek po zmarłym mężu.

przepierdolić *wulg.!*

1. *ktoś₁ przepierdolił kogoś₂*. [dk] 'ktoś₁ odbył z kimś₂ stosunek seksualny' NP Przepierdolił ją i uciekł. ‖ Nie zdążył jej przepierdolić, bo musiał wysiąść.

2. *ktoś przepierdolił coś*. [dk] 'ktoś zmarnował pewien odcinek czasu' 'ktoś roztrwonił coś' NP Niczego nie udało mu się dziś załatwić, a więc przepierdolił cały dzień. ‖ Przepierdolił oszczędności kilku lat.

przepierdzieć

ktoś przepierdział coś [nazwa odcinka czasu]. [dk] 'ktoś spędził pewien czas na wydawaniu przez odbyt brzydkiego zapachu' 'ktoś spędził pewien czas na puszczaniu bąków' *posp./wulg.* NP Zjadł garnek kapusty i przepierdział całą noc. ‖ Trzymając się za brzuch przepierdział w hotelu ze trzy godziny.

przepierdzielić *posp./wulg., eufem.*

1. ktoś, przepierdzielił kogoś₂. [dk] 'ktoś₁ odbył z kimś₂ stosunek seksualny' NP Tak go wszystko bolało, że nie zdołał jej przepierdzielić. ‖ W poczekalni dworcowej przepierdzielił ją jakiś włóczęga.

2. ktoś przepierdzielił coś. [dk] 'ktoś zmarnował pewien odcinek czasu' 'ktoś roztrwonił coś' NP Przepierdzielił cały wieczór, słuchając radia. ‖ Ostatnią pensję przepierdzieliłem w ciągu paru godzin.

przeruchać

ktoś, przeruchał kogoś₂. [dk] 'o partnerze aktywnym: ktoś₁ odbył z kimś₂ stosunek seksualny' *wulg.* NP Przeruchał ją i obojgu było dobrze. ‖ Przeruchał Zośkę tak szybko, że ledwo zdążyła to zauważyć.

przerypać

ktoś, przerypał kogoś₂. [dk] 'o partnerze aktywnym: ktoś₁ odbył z kimś₂ stosunek seksualny' *wulg. obycz.* NP Chłopak nie mógł wytrzymać bez żadnej dupy, poszedł kogoś przerypać. ‖ Przecież obiecałeś, że nas przerypie! — woła Mandel. (PR Komp 164) □ Tuf

przerżnąć

ktoś, przerżnął kogoś₂. [dk] 'o partnerze aktywnym: ktoś₁ odbył z kimś₂ stosunek seksualny' *wulg. obycz.* NP Jezus Maria, teraz cię przerżnę jak należy. (HM Sex 42) ‖ Szybko ją przerżnąłem i odwróciłem się plecami. (HM Zwr 178) □ Tuf

przesrać *wulg.*

1. ktoś przesrał coś. [dk] 'ktoś zmarnował pewien odcinek czasu' 'ktoś roztrwonił coś' NP Przesrała całe studia i teraz nie wie, co ma ze sobą zrobić. ‖ Przesrał wszystkie pieniądze wygrane w kasynie.

2. ktoś, ma przesrane u kogoś₂. 'z jakiegoś powodu ktoś₂ ocenia kogoś₁ negatywnie' 'ktoś₁ ma u kogoś₂ straconą pozycję z jakiegoś powodu' NP Mam już u niej przesrane, szukam innego egzaminatora. ‖ U prezesa ludowców ma już przesrane, pewnie zostanie posłem niezależnym.

3. ktoś przesrał się. [dk] 'ktoś wypróżnił się' NP Coś mnie rżnie w kiszkach, muszę się przesrać w czasie przerwy. ‖ Przesrał się po zjedzeniu kilograma śliwek i poczuł się lepiej.

przydupas

przydupas *czyjś* 'osoba całkowicie zależna od kogoś' *posp./wulg., pogard.* NP Zaczął być przydupasem Miecia, kiedy tylko Miecio doszedł do władzy. ‖ Nie cierpiał Sowy, tego przydupasa szefa kompanii. □ Bog--Waw: 298

przydupić

ktoś₁ **przydupił kogoś**₂. [dk] 'ktoś₁ unieszkodliwił kogoś₂' 'ktoś₁ spowodował, że ktoś₂ nie może robić tego, co chce' *wulg.* NP Przydupiła go wczoraj policja. ‖ Próbowała przemycić narkotyki, ale celnicy przydupili ją na lotnisku.

przydupnik

przydupnik *czyjś* 'osoba komuś podporządkowana i działająca na jego rzecz' 'przytupywacz' *posp./wulg., pogard.* NP Jako jej przydupnik pewnie masz więcej informacji w tej sprawie. ‖ Stawał się stopniowo coraz większym przydupnikiem swego najbliższego opiekuna. ◇ *n.ż.* przydupnica □ Bog-Waw: 298

przyjebać *wulg.!*

1. ja komuś [tylko zaimki osobowe] **przyjebię!** [ndm] 'pogróżka: ja komuś pokażę' NP Ja ci jeszcze przyjebię, ty skurwielu jeden! ‖ Jak tylko tu przyjdzie, to ja jej zaraz przyjebię.

2. ktoś₁ **przyjebał się do kogoś**₂ a. **czegoś**. [dk] 'ktoś₁ przyczepił się do kogoś₂ a. do czegoś' NP Przyjebała się do mojego syna i nie ma sposobu, by go od niej uwolnić. ‖ Przyjebali się do jej dokumentów i będzie miała sprawę o fałszerstwo.

3. ktoś₁ **przyjebał komuś**₂ **w coś**₁ **czymś**₂. [dk] 'ktoś₁ uderzył kogoś₂ w coś₁ czymś₂' NP Przyjebał jej w łeb, pierdolnął koszyk i zapierdalał gdzieś przez podwórze — powiedział świadek napadu. ‖ W nocy pod samym domem przyjebali mu w oko jakąś rurą.

przykutasić

ktoś₁ **przykutasił kogoś**₂. [dk] 'o mężczyźnie: ktoś₁ odbył z kimś₂ stosunek seksualny' *wulg. obycz.* NP Przykutasił ją na wysypisku śmieci i uciekł. ‖... czeka cierpliwie na przerwę, aby się rzucić na żonę i przykutasić ją. (HM Zwr 210)

przypieprzyć *posp./wulg., eufem.*

1. *ktoś*₁ przypieprzył / przypieprza *komuś*₂. [dk/rzadziej ndk] 'ktoś₁ dokuczył komuś₂' NP Tak mu przypieprzyła podczas tej dyskusji, że wyszedł zupełnie upokorzony. ‖ Ostatnio posłowie nieźle mu przypieprzyli, musiał zrezygnować z funkcji sekretarza stanu. □ Supl

2. *ktoś*₁ przypieprzył / przypieprza się do *kogoś*₂ a. *czegoś* (—). [dk/ndk] 'ktoś₁ przyczepił się do kogoś₂ a. czegoś z jakiegoś powodu' NP Przypieprzył się do niego i żyć mu nie daje w spokoju. ‖ Dziekan ostatnio przypieprza się do każdego wniosku z naszej katedry. □ Bog-Waw: 301, Supl

3. *ktoś*₁ przypieprzył / przypieprza *komuś*₂ w *coś*₁ *czymś*₂. [dk/ndk] 'ktoś₁ uderzył kogoś₂ w coś₁ czymś₂' NP Niechcący tak przypieprzył mu łokciem w nos, że aż krew trysnęła. ‖ Przy wysiadaniu z autobusu ktoś mi przypieprzył kolanem w plecy. □ Supl

przypierdolić *wulg.!*

1. *ktoś*₁ przypierdolił / przypierdala *komuś*₂. [dk/ndk] 'ktoś₁ dokuczył komuś₂' NP Ale jej przypierdoliłeś. Na pewno obraziła się na ciebie. ‖ Przypierdolili mu tą ostrą wymianą zdań.

2. *ktoś*₁ przypierdolił / przypierdala się do *kogoś*₂ a. *czegoś* (—). [dk/ndk] 'ktoś₁ przyczepił się do kogoś₂ a. czegoś z jakiegoś powodu' NP Przypierdolił się do mnie w tramwaju jakiś facet i nie mogłem wysiąść. ‖ Przypierdalają się o byle co, jęczą, głędzą, męczą, nudzą... (PP Raul 48) ‖ Jakby się do ciebie przypierdalali, przychodź tutaj. Jest miejsce na dwóch. (SPS ACh 172) □ Supl

3. *ktoś*₁ przypierdolił / przypierdala *komuś*₂ w *coś*₁ *czymś*₂. [dk/ndk] 'ktoś₁ uderzył kogoś₂ w coś₁ czymś₂' NP Jak mu przypierdolił sygnetem w mordę, to sztuczna szczęka mu wyskoczyła. ‖ Co jakiś czas przypierdala synowi pasem w tyłek. □ Supl

przypierdzielić *posp./wulg., eufem.*

1. *ktoś*₁ przypierdzielił / przypierdziela *komuś*₂. [dk/ndk] 'ktoś₁ dokuczył komuś₂' NP Młody dziennikarz przypierdzielił pani premier podczas konferencji prasowej. ‖ Przypierdzielił w telewizji samemu prezydentowi i teraz staje przed sądem.

2. *ktoś*₁ przypierdzielił / przypierdziela się do *kogoś*₂ a. *czegoś* (—). [dk/ndk] 'ktoś₁ przyczepił się do kogoś₂ a. czegoś z jakiegoś powodu' NP Nie przypierdzielaj się do niej, ona ci niczego złego nie zrobiła. ‖ Ten facet przypierdziela się do wszystkich spraw omawianych na zebraniu.

3. *ktoś*₁ przypierdzielił / przypierdziela *komuś*₂ w *coś*₁ *czymś*₂. [dk/ndk] 'ktoś₁ uderzył kogoś₂ w coś₁ czymś₂,' NP Przypierdzielił mu w kostkę, aż mu noga spuchła. ‖ Przypierdzielić ci w ryja? — wymamrotał jakiś pijany przechodzień.

przypiździć *wulg.!*

1. *ktoś*₁ przypiździł / przypiżdża *komuś*₂. [dk/ndk] 'ktoś₁ zrobił komuś₂ coś złego' NP Ale mi przypiździł na ostatnim egzaminie. Muszę powtarzać semestr. ‖ Przypiździli mu na weselu tortem w oko.

2. *ktoś*₁ przypiździł / przypiżdża się do *kogoś*₂ a. *czegoś*. [dk/ndk] 'ktoś₁ przyczepił się do kogoś₂ a. czegoś' NP Przypiździł się do mnie gliniarz na środku skrzyżowania. ‖ Przypiździła mu się do dowodu osobistego. Miał chyba lewe zdjęcie.

przysrać

***ktoś*₁ przysrał / przysrywa *komuś*₂.** [dk/ndk] 'ktoś₁ przygadał komuś₂,' 'ktoś₁ powiedział komuś₂ coś nieprzyjemnego' *wulg.* NP Ale mu przysrałeś! On tu już nigdy więcej nie przyjdzie. ‖ Zdekomuszyć się szybko, w chórze parafialnym śpiewać, świadectwo moralności małżeńskiej od wikarego przedstawić, a nie przysrywać naszym. (NIE) □ Bog-Waw: 301

psi

psia *kogoś* a. *czyjaś* [tylko zaimki] mać! [ndm] *przekl.* NP Gdzie on polazł, psia jego mać! ‖ Czy wyście oszaleli, psia wasza mać! □ SJPD, SJPSz, Skor

psiadusza

Psiadusza! [ndm, często w funkcji parentezy] *przekl., przestarz.* NP Ja cię jeszcze, psiadusza, nauczę rozumu! ‖ Nie mogę, psiadusza, ręki wyprostować. □ SJPD, Skor

psiajucha

Psiajucha! [ndm, często w funkcji parentezy] *przekl., przestarz.* NP Co on sobie, psiajucha, wyobraża? ‖ Czy ja jestem, psiajucha, twoim gońcem? □ SJPD, Kiel

psiakość

Psiakość! [ndm; akcent na ostatniej sylabie; często w funkcji parentezy] *przekl.* NP Psiakość! Żadnej sprawy nie udało nam się dzisiaj załatwić. ‖ Czy ty nie możesz, psiakość, usiąść i przez chwilę z nami porozmawiać? ☐ SJPD, SJPSz, Skor

psiakrew

Psiakrew! [ndm; akcent na ostatniej sylabie; często w funkcji parentezy] *przekl.* NP Już mam dosyć, psiakrew, tego chorowania na urlopie. ‖ Z nim w ogóle nie można, psiakrew, poważnie porozmawiać. ‖ Psiakrew, stamtąd dochodził głos! Jakby nie było szyby! (WŁ Dobry 287) ☐ SJPD, SJPSz, Kiel

psiamać

Psiamać! [ndm; akcent na ostatniej sylabie; często w funkcji parentezy] *przekl.* NP Żeby, psiamać, dało się to jakoś naprawić! ‖ Wynoś się, psiamać, z tego łóżka! ☐ SJPD, SJPSz, Kiel

psianoga

Psianoga! [ndm, często w funkcji parentezy] *przekl.*, *przestarz.* NP Poplamiłaś, psianoga, całe spodnie! ‖ Bawisz się, psianoga, czy zaczniesz się w końcu uczyć? ☐ SJPD, Skor

pysk

Stul pysk! [tylko w 2. i 3. osobie rozkaźnika] 'przestań mówić' *posp./wulg.* NP Stul pysk! Nie zamierzam cię dłużej słuchać. ‖ Co za kretynizmy wygadujesz! Stul pysk! ‖ Niech ten awanturnik wreszcie stuli pysk! ☐ SJPD, SJPSz, Kiel, Skor

rana *przekl.*

1. (O) rany! [ndm] NP O rany, to już chyba przesada — pomyślałem wtedy. (DB Mała 18) ‖... o rany, jak ona ciągnie druta! (PR Komp 100) ‖ O rany, nie powiem, żebyś był ubrany zbyt dokładnie. (JI Świat 219)

‖ O rany, nawet nie wiedział, czy to on zabił tamtego drugiego. (SPS ACh 16) □ SJPD, SJPSz, Skor

2. (O / Jak) rany Boga / boskie / Chrystusa / Jezusa! [ndm] NP Rany Boga, skąd się tu wziął? (WŁ Dobry 289) ‖ Kurwa, przecież pisarz tego nie mógł machnąć, jak rany Boga! (WŁ Lep 172) ‖ Rany boskie, myśmy nie chcieli... (WŁ Naj 336) ‖ Rany boskie, może w gruncie rzeczy i on też jest taki, aczkolwiek do tej chwili nigdy nie przyszłoby mu to do głowy. (SPS ACh 275) ‖ A jak to zrobił, to ona, jak rany Jezusa, owinęła mu szyję nogami i zacisnęła. (HM Zwr 154) ‖ Jak rany Chrystusa, proszę pana, to jest pomyłka! □ SJPD, SJPSz, Skor

3. (O / Jak) rany Julek / koguta / kota! [ndm] *eufem.* NP O rany Julek, co te komuchy narobiły! ‖ Nie możesz, jak rany kota, przyzwoicie się ubrać? ‖ Jak rany koguta, co za wściekły upał! ‖ Rany koguta, Frank — powiedziałem. — Nie jestem pewien, czy Franny się ucieszy. (JI Hotel 152) □ SJPD, SJPSz

rąbać

***ktoś*₁ rąbie *kogoś*₂** . [ndk] 'o partnerze aktywnym: ktoś₁ współżyje z kimś₂ seksualnie' *wulg. obycz.* NP Przychodzę do domu i oczom własnym nie wierzę: w moim łóżku mąż rąbie jakąś dziewuchę. ‖ Rąbał ją na starym materacu. Materac pękł, nim zdążyli skończyć. □ Stęp, Tuf

○ Zob. ponadto: koń 2

rety

(O) rety! [ndm] *przekl.* NP O rety! Ale mnie głowa boli! ‖ O rety! Ale ona ma kaca! ‖ O rety, mój badylarz od mercedesa! — zawołała klasnąwszy w dłonie. (RB Rok 61) □ SJPD, Supl

rozdupczyć *wulg.*

1. *ktoś*₁ rozdupczył *kogoś*₂. [dk] 'o partnerze aktywnym: ktoś₁ doprowadził do odbycia z kimś₂ stosunku seksualnego' NP Kiedy zatrzymali się na parkingu, miał ochotę ją rozdupczyć. ‖ Zabrał się do Justyny błyskawicznie. Rozdupczył ją od razu na pierwszej randce.

2. *ktoś* rozdupczył się. [dk] 'o kobiecie: ktoś zaczął odbywać stosunki seksualne, dochodząc do intensywnego współżycia' NP Kiedy zaczęła pracować w agencji towarzyskiej, rozdupczyła się na dobre. ‖ Straciła cnotę mając czternaście lat, a potem rozdupczyła się już błyskawicznie.

rozesrać *wulg.*

1. *ktoś* rozesrał *coś*. [dk] 'ktoś roztrwonił coś' NP Rozesrała cały majątek po rodzicach. ‖ Forsę rozesrał i dzieci chodziły głodne.

2. *ktoś* rozesrał się. [dk] 'ktoś zaczął wypróżniać się, robiąc to z coraz większą intensywnością' NP Rozesrał się po owocach z bitą śmietaną i stale zajmuje kibel. ‖ Tak się rozesrała po lewatywie, że trzeba było szukać czegoś na zatrzymanie.

rozeszczać

***ktoś* rozeszczał się.** [dk] 'ktoś zaczął oddawać mocz, robiąc to z coraz większą intensywnością' *wulg.* NP Wypił mnóstwo piw i tak się rozeszczał, że musiał zmienić gacie. ‖ Dali mu coś na odwodnienie. Rozeszczał się i stale siedzi w klozecie.

rozjebać *wulg.!*

1. *ktoś*₁ rozjebał *coś* a. *kogoś*₂. [dk] 'ktoś₁ rozwalił coś' 'ktoś₁ zniszczył coś' 'ktoś₁ zlikwidował kogoś₂' NP Łobuzy rozjebali całą budkę telefoniczną. ‖ Piotr rozjebał mi mój nowy samochód. ‖ Policja rozjebała miejscową mafię taksówkarzy. □ Kiel

2. *ktoś*₁ rozjebał *komuś*₂ *coś*₁ *czymś*₂ / o *coś*₂. [dk] 'ktoś₁ rozbił komuś₂ coś₁ czymś₂ a. o coś₂' NP Niechcący wsadziłem tam łapę i rozjebał mi palec młotkiem. ‖ Rozjebałem sobie całą piętę o wystający głaz. □ Kiel

3. *ktoś* rozjebał się. [dk] 'o kobiecie: ktoś zaczął odbywać stosunki seksualne, dochodząc do intensywnego współżycia' NP W czasie wakacji moja siostra strasznie się rozjebała. ‖ Ewa rozjebała się, będąc jeszcze uczennicą szkoły podstawowej.

4. *coś* rozjebało się. [dk] 'coś uległo uszkodzeniu' 'coś zepsuło się' NP Rozjebały się wszystkie komputery i bank postanowiono zamknąć. ‖ Rozjebała się kuchenka elektryczna i nie miał na czym ugotować obiadu.

rozkulbaczyć

***ktoś*₁ rozkulbaczył *kogoś*₂.** [dk] 'o mężczyźnie w stosunku do kobiety: ktoś₁ pozbawił kogoś₂ dziewictwa' *wulg. obycz.* NP Rozkulbaczył ją i od razu zrobił jej dziecko. ‖ Kiedy była w siódmej klasie, rozkulbaczył ją jakiś łobuz w pociągu.

rozkurwić *wulg.!*

1. *ktoś* rozkurwił się. [dk] 'o kobiecie: ktoś zaczął współżyć seksualnie z przypadkowo poznawanymi mężczyznami, dochodząc do intensywnego współżycia' NP Po śmierci matki rozkurwiła się. Możesz ją znaleźć w hotelu albo w restauracji dworcowej. ‖ Rozkurwiła się już po szkole podstawowej. Teraz daje dupy głównie cudzoziemcom.

2. *ktoś* rozkurwił się. [dk] 'ktoś zaczął postępować w sposób etycznie niewłaściwy dla osiągnięcia korzyści' NP Jak tylko zdobył pozycję dobrego lekarza, od razu się rozkurwił. Bez baterii butelek nie chodź do niego nawet z bólem brzucha. ‖ Była kiedyś dobrym adwokatem. Rozkurwiła się dopiero jako prokurator rejonowy.

rozpieprzyć *posp./wulg., eufem.*

1. *ktoś*₁ rozpieprzył / rozpieprza *coś* a. *kogoś*₂. [dk/ndk] 'ktoś₁ zniszczył coś' 'ktoś₁ zlikwidował coś a. kogoś₂' 'ktoś₁ rozwalił coś' NP Służba Bezpieczeństwa rozpieprzyła centralę telefoniczną. ‖ Policja rozpieprza grupę demonstrantów. ‖ Chcą rozpieprzyć wolny związek zawodowy, ten z Gdańska, który klinczuje polskich komunistów... (WŁ Naj 15) ☐ Kiel

2. *ktoś*₁ rozpieprzył / rozpieprza *komuś*₂ *coś*₁ *czymś*₂ / o *coś*₂. [dk/ndk] 'ktoś₁ rozbił komuś₂ coś₁ czymś₂ a. o coś₂' NP Ślepy jesteś?! Rozpieprzyłeś mi łokieć drzwiami. ‖ Rozpieprzyła sobie głowę o drut kolczasty. ☐ Kiel

3. *coś* rozpieprzyło / rozpieprza się. [dk/ndk] 'coś uległo uszkodzeniu' 'coś zepsuło się' NP Autobus się rozpieprzył i trzeba było wracać na piechotę. ‖ Wszystko się ostatnio rozpieprza w naszym domu.

rozpierdolić *wulg.!*

1. *ktoś*₁ rozpierdolił / rozpierdala *coś* a. *kogoś*₂. [dk/ndk] 'ktoś₁ rozwalił coś' 'ktoś₁ zniszczył coś' 'ktoś₁ zlikwidował coś a. kogoś₂' NP Bachor rozpierdolił nowy magnetofon. ‖ Wracaj szybko, bo właśnie rozpierdalają naszą drukarnię. ‖ Rozpierdolili dziś grupę przemytników. ‖ Wiadomość z ostatniej chwili! Zarząd nam rozpierdolili! (NIE) ☐ Kiel

2. *ktoś*₁ rozpierdolił / rozpierdala *komuś*₂ *coś*₁ *czymś*₂ / o *coś*₂. [dk/ndk] 'ktoś₁ rozbił komuś₂ coś₁ czymś₂ a. o coś₂' NP Jola rozpierdoliła sobie kolano o mur. ‖ Chłopak rozpierdolił mu stopę siekierą. ‖ Codziennie rozpierdalam sobie kapeć o próg. ☐ Kiel

3. *coś* rozpierdoliło / rozpierdala się. [dk/ndk] 'coś uległo uszkodzeniu' 'coś zepsuło się' NP Po tej straszliwej wichurze rozpierdoliły się namioty. ‖ W tej starej chałupie instalacja rozpierdala się coraz szybciej. ☐ Kiel

rozpierducha

rozpierducha 'krańcowy bałagan często towarzyszący przemianom instytucjonalnym' *posp./wulg., żart.* NP ZSMP obronną ręką wyszła z ciężkiej rozpierduchy lat 1989–92. (NIE) ‖... nasza informacja obiegła całą prasę i wkurwiła Belweder do białości. To jednak małe piwo w porównaniu z rozpierduchą, jaka zapanowała w UOP-ie. (NIE) ☐ Bog-Waw: 315

rozpierdzieć

***ktoś* rozpierdział się.** [dk] 'ktoś zaczął wydzielać przez odbyt brzydki zapach, któremu mogą towarzyszyć dźwięki, i robił to z coraz większą intensywnością' 'ktoś zaczął puszczać bąki, robiąc to z coraz większą intensywnością' *posp./wulg.* NP Tak się rozpierdział, że słychać go było przez dłuższy czas na sąsiedniej ulicy. ‖ Zjadła garnek bigosu i rozpierdziała się gwałtownie, zagłuszając dziennik radiowy.

rozpierdzielić *posp./wulg., eufem.*

1. *ktoś₁* rozpierdzielił / rozpierdziela *coś* a. *kogoś₂*. [dk/ndk] 'ktoś₁ rozwalił coś' 'ktoś₁ zniszczył coś' 'ktoś₁ zlikwidował coś a. kogoś₂' NP Chłopcy rozpierdzielili w czasie wakacji motorower. ‖ Policji udało się w końcu rozpierdzielić tę grupę groźnych przestępców. ‖ Nie rozpierdzielaj tej kraty! Nikt tam nie powinien wchodzić.

2. *ktoś₁* rozpierdzielił / rozpierdziela *komuś₂ coś₁ czymś₂ /* o *coś₂*. [dk/ndk] 'ktoś₁ rozbił komuś₂ coś₁ czymś₂ a. o coś₂' NP Ewa rozpierdzieliła sobie palec pilnikiem. ‖ Rozpierdzielił sobie wargę o kant stołu.

3. *coś* rozpierdzieliło / rozpierdziela się. [dk/ndk] 'coś uległo uszkodzeniu' 'coś zepsuło się' NP W czasie pościgu za przestępcą rozpierdzielił się radiowóz. ‖ Nie wiem, czy uda się odbić jeszcze te parę stron. Kserograf się rozpierdziela.

rozpiździć *wulg.!*

1. *ktoś₁* rozpiździł *coś* a. *kogoś₂*. [dk] 'ktoś₁ rozwalił coś' 'ktoś₁ zniszczył coś' 'ktoś₁ zlikwidował coś a. kogoś₂' NP Wnuki rozpiździły mi cały samochód podczas tego rajdu. ‖ Policja rozpiździła całą tę szajkę.

2. *ktoś₁* rozpiździł *komuś₂ coś₁ czymś₂ /* o *coś₂*. 'ktoś₁ rozbił komuś₂ coś₁ czymś₂ a. o coś₂' NP Rozpiździłam sobie ucho o ten przeklęty gzyms. ‖ Rozpiździł mu piłą całe kolano.

3. *coś* rozpiździło się. [dk] 'coś uległo uszkodzeniu' 'coś zepsuło się' NP Torba się rozpiździła od tych zakupów. ‖ Ząb mi się rozpiździł w czasie obiadu.

rozpiździel

rozpiździel 'okropny bałagan' *wulg.!* NP Rozpiździel na kompanii, aż ochujeć można. ‖ Ale w tym urzędzie rozpiździel! ‖ Co za straszliwy u was rozpiździel, niczego znaleźć nie można.

rozprawiczyć

ktoś₁ **rozprawiczył kogoś**₂. [dk] 'o mężczyźnie w stosunku do kobiety: 'ktoś₁ pozbawił kogoś₂ dziewictwa' *wulg. obycz.* NP Rozprawiczył wszystkie dziewczyny w swojej klasie. ‖ Muszę ci coś wyznać: to ten facet mnie rozprawiczył. □ Tuf

rozpruć

ktoś₁ **rozpruł kogoś**₂. [dk] 'o partnerze aktywnym: ktoś₁ odbył z kimś₂ stosunek seksualny' *wulg. obycz.* NP Rzuciła mu się na szyję i chciała, żeby ją rozpruł. ‖ Kiedy miała już dobrze w czubie, zaniósł ją w krzaki i tam ją rozpruł. □ Stęp

rozrypać

ktoś₁ **rozrypał kogoś**₂. [dk] 'o partnerze aktywnym: ktoś₁ odbył z kimś₂ stosunek seksualny' *wulg. obycz.* NP Stary dziad rozrypał taką młodziutką dziewczynę. Mogłaby być jego wnuczką. ‖ Rozrypał ją niespodziewanie. Była tak zaskoczona, że nawet nie stawiała oporu.

ruchać

ktoś₁ **rucha kogoś**₂. [tylko ndk] 'o partnerze aktywnym: ktoś₁ współżyje z kimś₂ seksualnie' *wulg.* NP Pierwszy raz ruchał ją w poczekalni dworcowej. ‖ Można dosiąść dupy i ruchać jak cap w nieskończoność... (HM Zwr 184) □ Bog-Waw: 319, Kiel, Tuf

ruchadło

ruchadło 'o kobiecie, która chętnie współżyje seksualnie z przypadkowo poznawanymi mężczyznami' *wulg., żart.* NP Po wyjściu z wojska tak był napalony na baby, że od razu znalazł sobie jakieś ruchadło. ‖ Rzuć to ruchadło! Poszukaj sobie porządnej dziewczyny. □ Kiel, Tuf

ruchalnia

ruchalnia 'miejsce, które ludzie wykorzystują na uprawianie seksu' 'dom publiczny' *wulg., żart.* NP Nie nocuj tam. To jest ruchalnia. Znajdź sobie przyzwoity hotel. || Pragnę cię, Zbyszku! Musimy szybko znaleźć jakąś ruchalnię.

ruchawica

ruchawica 'o kobiecie, która chętnie współżyje seksualnie z przypadkowo poznawanymi mężczyznami', *wulg.* NP Pieprzył się z jakąś ruchawicą i od razu złapał syfa. || Na miłość boską, nie żeń się z tą ruchawicą, chłopcze! □ Kiel, Stęp, Tuf

rura

rura 'o kobiecie' *wulg. obycz., pogard.* NP Uciekł od niej. Nie chciał żyć z tą starą, głupią rurą. || Popatrz na tę rurę z krzywymi nogami. Zajebała się w cztery dupy.

rypać

ktoś₁ rypie / rypnął kogoś₂. [ndk/rzad. dk] 'o partnerze aktywnym: ktoś₁ współżyje z kimś₂ seksualnie' *wulg. obycz.* NP Rypał ją zawsze, kiedy tylko miała na to ochotę. || Nowicki miał na dalekim Grochowie buduar.... Rypał tam jakąś damę. (WŁ Dobry 214) || Jak długo jeszcze będę rypał dziury, które się nawiną — najpierw tę, a kiedy mi się znudzi, tamtą... i tak dalej. (PR Komp 99) □ Kiel, Stęp, Supl, Tuf

rżnąć *wulg. obycz.*

1. ktoś₁ rżnie kogoś₂. [ndk] 'o partnerze aktywnym: ktoś₁ współżyje z kimś₂ seksualnie' NP Rżnął ją, aż wióry leciały. || Byłem w stanie rżnąć cię z miejsca na chodniku, rżnąć tak głęboko, że zakopałbym cię nad tym jeziorem... (HM Sex 58) ||...nie czują wielkiej miłości do Wietnamczyków... ich kurwy śmierdziały i nie umiały się rżnąć ni cholery... (SPS ACh 138) || Siostra Slagela to nielicha dziwka. Uwielbiała się bawić, a Morgan mówił, iż rżnęła się tak, że nie można było nastarczyć pigułek. (SPS ACh 228) □ Bog-Waw: 323, Kiel, SJPD, SJPSz, Stęp, Tuf

2. ktoś₁ rżnie kogoś₂ na pieska. [ndk] 'o mężczyźnie: ktoś₁ odbywa z kimś₂ stosunek seksualny od tyłu' NP Bardzo lubiła, kiedy ją rżnął na pieska. || Rżnął Magdę na pieska. Dziewczyna wyła z rozkoszy.

3. ktoś₁ rżnie kogoś₂ na sucho. [ndk] 'o mężczyźnie: ktoś₁ współżyje z kimś₂ seksualnie w sposób beznamiętny' NP Rżnął ją na sucho, a ona chciała, żeby to było na pełny gaz. ‖ Każdego kurwiszona rżnie zawsze na sucho. Nie potrafi inaczej.

4. ktoś₁ rżnie kogoś₂ na żywca. [ndk] 'o mężczyźnie: ktoś₁ odbywa z kimś₂ stosunek seksualny bez prezerwatywy' NP Tylko własną żonę rżnął na żywca. ‖ Zdejmuj tę gumę! Ja chcę, żebyś mnie rżnął na żywca — powiedziała Jolka.

skonać

S

Niech (ja) skonam! [ndm] *przekl.* NP Ale numer, niech ja skonam! ‖ Słyszałem, jak go ochrzaniała. Niech ja skonam! Musiał się czuć całkiem zgnojony. ‖ Niech skonam! Cała klasa podskakiwała do góry z radości.

skurczybyk

skurczybyk 'o kimś, czyjego postępowania mówiący nie aprobuje' *posp./wulg., eufem.* NP Nie wiem, co się z nim dzieje. Skurczybyk coraz częściej ucieka z domu. ‖ Muszę wyrzucić skurczybyka z naszej firmy. To obibok i flejtuch. ☐ SJPD, SJPSz

skurczygnat

skurczygnat 'o kimś, czyjego postępowania mówiący nie aprobuje' *posp./wulg., eufem.* NP Nie dziwię się starej, że wyrzuciła z chałupy tego skurczygnata. ‖ Ten skurczygnat bez przerwy oszukuje. ☐ Dąbr: 182

skurczysyn

skurczysyn 'o kimś, czyjego postępowania mówiący nie aprobuje' *posp./wulg., eufem.* NP Skurczysyn wziął kredyt i przepadł bez wieści. ‖ Trzeba znaleźć dla tego skurczysyna jaką robotę, bo zamęczy nas wszystkich. ☐ Bog-Waw: 334, Dąbr: 182

skurkowaniec

skurkowaniec 'o kimś, czyjego postępowania mówiący nie aprobuje' *posp./wulg., eufem.* NP O chorym ojcu skurkowaniec nawet nie pomyśli. ‖ Skurkowaniec nakradł cementu i przeniósł się na inną budowę.

142 ☐ Bog-Waw: 334, Dąbr: 182

skurkowany

skurkowany 'o kimś, czyjego postępowania mówiący nie aprobuje' *posp./wulg., eufem.* NP Nie wie nawet ten skurkowany fachowiec, o której to godzinie przychodzi się do pracy. ‖ Skurkowany szachruje od początku gry. □ Bog-Waw: 334, Dąbr: 182

skurwić *wulg.!*

1. ktoś₁ skurwił kogoś₂. [tylko dk] 'ktoś₁ doprowadził do tego, że kobieta rozpoczęła współżycie seksualne z przypadkowo poznawanymi mężczyznami' NP Ten stary dziad skurwił naszą córkę tuż przed samą maturą. ‖ Jej życie ułożyłoby się zupełnie inaczej, gdyby ten łajdak jej nie skurwił.

2. ktoś skurwił się. [tylko dk] 'o kobiecie: ktoś rozpoczął współżycie seksualne z przypadkowo poznawanymi mężczyznami' NP Zośka skurwiła się, będąc jeszcze w szkole podstawowej. ‖ Skurwiła się zaraz po śmierci ojca. Brakowało jej forsy na ciuchy. ‖ Zanim zdecydowała się na małżeństwo, postanowiła się skurwić. Sądziła, że to jej ułatwi wybór na resztę życia. □ SJPDSupl, Kiel, Supl, Tuf

3. ktoś skurwił się. [tylko dk] 'ktoś postąpił w sposób nieetyczny dla osiągnięcia korzyści' 'ktoś stał się człowiekiem podłym' NP Na początku stanu wojennego strasznie się skurwił... ‖... raz w życiu się skurwiłam, kiedy wyszłam za niego. (RB Rok 57) ‖...Kuroń mu dopieprzył, że się skurwił na przesłuchaniu... (AP Pam 58) □ Supl

skurwiel

skurwiel 'o kimś, czyje postępowanie mówiący ocenia jako bardzo złe' 'łajdak' 'człowiek podły' 'drań' *wulg.!* NP Ten skurwiel znowu wrócił do domu nad ranem. ‖... uznał poddanych królowej za większych skurwieli od bolszewików... (WŁ Dobry 21) ‖ Nie mogę się doczekać, kiedy zobaczę gęby tych skurwieli... (JH Par 122) ‖ Ten skurwiel nie zdobył się nawet na to, żeby potwierdzić odbiór przesyłki. (PR Komp 180) □ Bog-Waw: 334, Kiel, Tuf

Jednostka używana też jako wyzwisko.

skurwysyn *wulg.!*

1. skurwysyn [W -e/-u] 'o kimś, czyje postępowanie mówiący ocenia jako bardzo złe' 'łajdak' 'człowiek podły' 'drań' NP ... jak zabraknie nas dwóch, to tu będzie pustynia Gobi, zostaną same skurwysyny i gliny. (WŁ Lep 71) ‖... wszyscy ci skurwysyni faszyści to moi wrogowie. (PR Komp

124) ‖ Cholerny, skarłowaciały, czerwony na pysku, pucułowaty, kędzie-rzawy świński skurwysyn z wystającymi zębami! (JH Par 165) ‖ Najgor-szym nauczycielem jest ksiądz... To kawał skurwysyna. Ciągle wydziera ryja i pokazuje nam wała. (GW) □ SJPD, SJPSz, Kiel, Supl, Tuf

2. ___ jak skurwysyn. 'jednostka wyrażająca wysoką ocenę czegoś a. kogoś' 'dana cecha przysługuje czemuś a. komuś w wysokim stopniu' NP Śpiewał i tańczył jak skurwysyn. ‖ Był głupi jak skurwysyn. ‖ Nakradli śliwek jak skurwysyn. □ Bog-Waw: 334

3. od skurwysyna *czegoś* a. *kogoś* 'czegoś a. kogoś bardzo dużo' NP Pieniędzy mieli od skurwysyna. ‖ Ludzi przylazło na tę wystawę od skurwysyna. ‖ Szczurów wytruto tego roku od skurwysyna.

Jednostka 1 używana też jako wyzwisko.

skurwysynować

ktoś **skurwysynuje.** 'ktoś mówi w sposób wulgarny' 'ktoś używa słowa *skurwysyn' wulg.!, rzad.* NP Skurwysynował codziennie, od samego rana. Dostawało się zawsze całej rodzinie. ‖ Był niezrównoważony: skur-wysynował w każdym miejscu publicznym, narzekając przy tym na cały świat. □ SJPDSupl

skurwysyński

skurwysyński 'taki, o którym mówiąc, myśli się jako o kimś a. o czymś bardzo złym' 'taki, do którego mówiący ma wrogi stosunek' *wulg.!* NP Nie wiem, czy my tym skurwysyńskim autobusem dojedziemy do miasta. ‖ To skurwysyńska robota. Chyba nigdy jej nie skończę. ‖ Ale jeszcze bardziej nienawidzę tych skurwysyńskich dup, bo z żadnej nie ma pożytku. (HM Zwr 167)

skurwysyństwo *wulg.!*

1. skurwysyństwo 'łajdactwo' 'draństwo' 'postępowanie nieetyczne' NP To było zwykłe skurwysyństwo. Piotr nie miał prawa jej tak potraktować. ‖ To skurwysyństwo, żeby kobieta w ciąży musiała tyle czasu stać w kolejce. ‖... postawię kilkudziesięciu świadków tego skurwysyństwa! (WŁ Lep 19) □ Kiel, Supl

2. skurwysyństwo 'o zbiorowości, o której mówiący myśli jako o czymś bardzo złym' NP W naszej dzielnicy plącze się tyle skurwysyństwa, że aż strach wychodzić z domu po zmroku. ‖ Na tym dworcu pełno zawsze skurwysyń-stwa: bandyci, złodzieje, żebracy, kurwy różnych narodowości. □ Supl

spieprzać *posp./wulg. eufem.*

1. *ktoś* **spieprza / spieprzył** *coś.* [rzadziej ndk/dk] 'ktoś robi coś źle' NP Spieprzyli ten kran tak, że woda się lała pełnym strumieniem. ‖ ...przynajmniej jeden z was ma być trzeźwy, kiedy oddaje się ten raport do G-1. Jeżeli go spieprzycie, powieszą mnie za dupę. (SPS ACh 212) ‖ Czy ona zawsze spieprza każdy wykres? ☐ Kiel, Supl

2. *ktoś* **spieprza / spieprzył się z** *czegoś.* [ndk/dk] 'ktoś spada z czegoś' NP Spieprzył się z drabiny i skręcił nogę. ‖ Wymachując rękami spieprzał się z ambony.

3. *ktoś* **spieprza / spieprzył** *skądś.* [ndk/rzadziej dk] 'ktoś ucieka z jakiegoś miejsca' NP Spieprzaj stąd zaraz, bo możesz dostać w mordę. ‖ Byliśmy oddziałem lub resztką oddziału, bo spieprzaliśmy... Dawaliśmy kurewskiego dyla... (WŁ Dobry 41) ‖ Zobaczyliśmy go z daleka i spieprzyliśmy. ☐ Bog-Gar: 78, Supl

spierdalać *wulg.!*

1. *ktoś* **spierdala / spierdolił** *coś.* [rzadziej ndk/dk] 'ktoś robi coś źle' NP Spierdoliłem wszystkie zadania na wczorajszej klasówce. ‖ Całe rozliczenie spierdolił i musiał dopłacać z własnej kieszeni. ‖ Spierdalał wszystko, co dawałem mu do zrobienia. ☐ Kiel, Supl

2. *ktoś* **spierdala / spierdolił się z** *czegoś.* [ndk/dk] 'ktoś spada z czegoś' NP Nowak spierdolił się z rusztowania i połamał żebra. ‖ Zobacz, dziecko spierdala się ze schodów. Łap je!

3. *ktoś* **spierdala / spierdolił** *skądś.* [ndk/rzadziej dk] 'ktoś ucieka z jakiegoś miejsca' NP Panie kapitanie, jak już pan nas odstrzeli, to niech pan od razu spierdala stąd do Pekinu... (VB Konk 215) ‖ Przed tamtą wojną powiadano u nas: Żydzi na Madagaskar. A to nam trzeba było spierdalać! (GW) ‖ Rzuciliśmy wszystko i spierdoliliśmy stamtąd. ☐ Bog-Waw: 340, Supl

spierdzielać *posp./wulg., eufem.*

1. *ktoś* **spierdziela / spierdzielił** *coś.* [rzadziej ndk/dk] 'ktoś robi coś źle' NP Spierdzielił wszystko i substancje były do wyrzucenia. ‖ Spierdzielili przewody i trzeba było siedzieć po ciemku. ‖ Zawsze spierdzielał doświadczenia podczas kolokwium.

2. *ktoś* **spierdziela / spierdzielił się z** *czegoś.* [ndk/dk] 'ktoś spada z czegoś' NP Jak go psami poszczuli, to spierdzielił się ze schodów. ‖ Spierdzielił się ze stopni metra, kiedy otoczył go tłum. ‖Wszyscy widzieli, jak maluch spierdziela się z drabiny i nikt go nie złapał.

145

3. *ktoś* spierdziela / spierdzielił *skądś* . [ndk / rzadziej dk] 'ktoś ucieka z jakiegoś miejsca' NP Spierdzielaj stąd, póki jest dobra dla ciebie. ‖ Nie powinieneś stamtąd spierdzielać, tchórzu jeden! ‖ Usłyszeli wybuch i spierdzielili z wartowni. ☐ Bog-Waw: 340

spuścić

***ktoś* spuścił / spuszcza się**. [dk/ndk] 'o mężczyźnie: ktoś miał wytrysk' *wulg. obycz.* NP... wzięła go do ust i zaczęła ssać delikatnie, aż się spuścił. (JI Świat 258) ‖ Pomyślała z goryczą, że mężczyzna, jak już się spuści, dość skwapliwie odstępuje od swoich żądań. (JI Świat 284) ‖ Zamknął oczy i kiedy się spuszczał, potoki złotej i zielonej farby rozlały mu się w mózgu... (SPS ACh 50) ☐ Kiel, Tuf

sracz

sracz 'ubikacja' *posp./wulg.* NP Przez dwie i pół doby trzymał mnie zamkniętego w sraczu... (WŁ Dobry 22) ‖ Wlał wodę do kubła i ruszył na parter, polerować sracz. (VB Konk 91) ◇ *zdr.* sraczyk ☐ SJPD, SJPSz, Kiel, Tuf

sraczka *posp./wulg.*

1. sraczka 'rozwolnienie' NP Przed każdym egzaminem miała sraczkę. ‖ Wzrok, od którego tamten dostałby sraczki, gdyby umiał czytać po oczach. (WŁ Dobry 84) ◇ *zgr.* sraka ☐ SJPD, SJPSz, Tuf

2. Jak nie urok, to sraczka. [ndm] 'o sytuacji niekorzystnej i zaskakującej jako przykładzie tego rodzaju powtarzających się sytuacji' *żart.* NP Przed chwilą miała przerwę śniadaniową, a teraz plotkuje. Jak nie urok, to sraczka. ‖ Ciągle tu zamknięte: albo urlop, albo choroba personelu. Jak nie urok, to sraczka. ☐ Bog-Gar: 85, Bog-Waw: 397

sraczkowaty

sraczkowaty 'podobny do koloru płynnego kału' *posp./wulg.* NP Kowalski to ten facet w sraczkowatej marynarce. ‖ Przywiózł mi kwiaty.... W plastikowej doniczce koloru sraczkowatego wyglądały jak skóra ściągnięta z aligatora. (AP Pam 20)

sraczowy *posp./wulg.*

1. sraczowy 'o czymś, co dotyczy ubikacji' NP Złamała się deska sraczowa. ‖ Pękła muszla sraczowa pod jego ciężarem.

2. papier sraczowy 'papier toaletowy' NP W żadnej kabinie nie było papieru sraczowego. ‖ Taki papier sraczowy to chyba do książęcej dupy.

srać

1. *ktoś* sra. [ndk] 'ktoś wypróżnia się' *wulg.* NP Piotr nie może podejść do telefonu, bo właśnie sra. ‖ Prawdziwy ptak nawet nie wie, kiedy sra... (WW Pt 115) □ SJPD, SJPSz, Tuf

2. Skończyło się babci sranie. [ndm] 'skończyło się coś przyjemnego dla danej osoby' *posp./wulg., żart.* NP To już ostatni dzień urlopu. Skończyło się babci sranie. ‖ Obudź się, wstawaj do roboty! Skończyło się babci sranie. □ Bog-Waw: 174

3. Srali muchy, będzie wiosna. [ndm] 'to, co ktoś powiedział, nie jest prawdą' 'dezaprobata tego, co ktoś powiedział' *posp./wulg., żart.* NP Z matmy nie było nic do zrobienia. — Srali muchy, będzie wiosna. ‖Paweł nie przyjdzie, bo go przymknęli. Podobno zgwałcił jakąś nastolatkę. — Srali muchy, będzie wiosna. □ Tuf

4. Sralis-mazgalis. [ndm] 'to, co ktoś powiedział, nie jest prawdą' 'dezaprobata tego, co ktoś powiedział' *posp./wulg., żart.* NP Jej ojciec właśnie sprzedał dom. Wyjeżdżają na stałe do Izraela. — Sralis-mazgalis. ‖ Ten facet w zielonej marynarce będzie teraz wykładał filozofię. — Sralis-mazgalis. To jest przecież nowy portier. □ Tuf

5. *ktoś*₁ sra na *kogoś*₂ a. *coś*. [ndk] 'ktoś₁ pogardza czymś a. kimś₂' 'ktoś₂ a. coś nic kogoś₁ nie obchodzi' *wulg.* NP Sram na to jej towarzystwo. ‖...pewien żołnierz już wówczas powiedział: sram na wojnę... (BH Lekcje 23) ‖ Pierdolę ten system, sram na tę partię... (WŁ Dobry 243) ‖ Niech boją się chamy, na chamów my sramy. (JSz Zeb 66) □ SJPD

6. sranie w bambus 'mówienie bez sensu' 'mówienie głupstw' *posp./wulg.* NP Przymknij się! Mam dość tego twojego srania w bambus. ‖ To nie był żaden referat, to zwykłe sranie w bambus.

7. *ktoś*₁ sra się z *czymś* a. *kimś*₂. [ndk] 'ktoś₁ zajmuje się czymś zbyt długo' 'ktoś₁ obchodzi się z czymś a. kimś₂ zbyt delikatnie' *wulg.* NP Przestań się srać z tym obiadem, bo muszę zaraz wyjść. ‖ Nie sraj się tak z tą teściową, wal jej prosto z mostu.

8. Sratytaty dupa w kraty. / Sratytaty pierdaty. [ndm] 'mówiący uważa wypowiedź adresata za bezsensowną' *posp./wulg., żart., rytmizowane* NP Ten noworodek to chyba ma syfa. — Sratytaty dupa w kraty. ‖ Piotr jest bardzo przystojnym mężczyzną, powinien być dobrym dyrektorem. — Sratytaty pierdaty.

9. *ktoś* sra w majtki / portki. [ndk] 'ktoś boi się czegoś' *posp./wulg.* NP Przed każdą wizytą u dentysty srał w portki. || Na myśl o spotkaniu z rektorem srała w majtki.

10. *ktoś*₁ sra za *kimś*₂. [ndk] 'ktoś₁ w czasie czyjejś₂ nieobecności pożąda kogoś₂' 'ktoś₁ tęskni za kimś₂, czując potrzebę zbliżenia do kogoś₂' *wulg.* NP Zawsze srała za nim, kiedy wyjeżdżał na długo. || Ledwie wyszedł, już srała za nim.

11. *ktoś* wyżej sra niż dupę ma. [ndk] 'ktoś ma zbyt wygórowane aspiracje' 'o kimś zarozumiałym' *wulg.*, *pogard.*, *rytmizowane* NP Piotr wyżej sra niż dupę ma. Tym razem postanowił napisać książkę. || To całe towarzystwo to przygłupy wzajemnej adoracji. Wyżej srają niż dupy mają.

☐ Bog-Waw: 434

◯ Zob. ponadto: dupa 9

srajdek

srajdek 'dziecko' *posp./wulg.*, z lekceważeniem i/lub pieszczotliwie NP Daj srajdkowi po łapach! || Mamy takiego małego srajdka, dopiero zaczyna chodzić.

sraluch

sraluch 'dziecko' 'smarkacz' 'małolat' *posp./wulg.*, z lekceważeniem NP To wstrętny sraluch. Zaczyna rodzicom podkradać pieniądze. || Nie mogła sobie poradzić sama z tym sraluchem, oddała go do domu dziecka. ☐ SJPD

stać

komuś stoi / staje / stanął. [ndk/ndk/dk] 'o mężczyźnie: ktoś ma wzwód członka' *wulg. obycz.* NP Zobacz, ale mu stoi! || Codziennie mu staje, kiedy się budzi. || Jak mu stanął, to spodni nie mógł założyć. ☐ Kiel

stojak *wulg. obycz.*

1. stojak 'członek męski' *rzad.* NP Nie mógł się wysiusiać po wyjęciu stojaka. || Chyba ci stojak w portkach przeszkadza.

2. *ktoś* bije / trzepie / wali stojaka. [ndk] 'o mężczyźnie: ktoś się onanizuje' NP Już jako piętnastoletni chłopak zaczął walić stojaka. || Bij stojaka, pókiś młody! ☐ Kiel, Stęp

3. na stojaka 'o stosunku seksualnym: na stojąco' NP Rypał ją na stojaka. || Na stojaka było im zawsze najlepiej. ☐ Tuf

suka

suka 'o kobiecie' *posp./wulg.*, *pogard.* NP Ta suka już na niego poluje, żeby go znowu zabrać do siebie. ‖ W porównaniu z artystkami w Japonii te nierozgarnięte amerykańskie suki musiały się wydawać żałosne. (HM Sex 34) □ Kiel, SJPD, SJPSz

sukinkot

sukinkot 'o kimś, czyjego postępowania mówiący nie aprobuje' *posp./wulg.*, *eufem.*, *pogard.* NP Orżnął nas na parę milionów ten sukinkot. ‖ Uciekła od sukinkota, bo walił ją niemal codziennie. □ Bog-Waw: 353

sukinsyn

sukinsyn 'o kimś, czyje postępowanie mówiący ocenia jako bardzo złe' 'łajdak' 'człowiek podły' 'drań' *posp./wulg.*, *eufem.*, *pogard.* NP Rzuć wreszcie tego sukinsyna! Będziesz miała święty spokój. ‖ Sukinsyn musiał się podlizywać wszystkim szefom. □ Kiel, Supl

sunąć

ktoś₁ sunie kogoś₂. [ndk] 'o partnerze aktywnym: ktoś$_1$ odbywa z kimś$_2$ stosunek seksualny' *wulg. obycz.* NP Sunął ją powoli, a ona wyła coraz głośniej z rozkoszy. ‖ A ściana zapisuje ten chaos wymyślony przez Anielę, tę dzikość i tę noc, kiedy ją sunie doktor... (MP Pąt 28)

syf *wulg.obycz.*

1. syf [B = D] 'syfilis' NP Umarł młodo na syfa. ‖ Czuję lodowaty strach. Przed dziewczyną i syfem! (PR Komp 159) ‖ Uważaj, żeby ci nie przyniosła syfa — powiedziałem uprzejmie, popijając kawę. (HM Sex 33) □ Kiel, Supl, Tuf

2. syf [B = D] 'wyprysk na skórze' NP Muszę szybko zlikwidować tego syfa pod nosem. ‖ Ale mi syf wyskoczył na czole, nie mogę iść na tę imprezę! ◇ *zdr.* syfek

3. syf [B = M] 'brud' 'brud, smród i bałagan' NP Ale ma syf w tym gabinecie, nie da się tam wytrzymać! ‖ O Boże, co za syf w tej pracowni! □ Kiel, Supl

4. syf (i) malaria / z malarią [ndm] 'bardzo brudno' 'brud, smród i bałagan' NP We wszystkich kiblach syf malaria. ‖ Syf z malarią tańczy na żyrandolach — powiedział kapitan Karolewski po wejściu do stołówki. □ Tuf

5. *ktoś* złapał syfa. [dk] 'ktoś zachorował na syfilis' NP Było to w dniu świętego Cuthberta, dwudziestego marca roku 1413 od Narodzin Pana, w którym to roku złapałem też syfa. (RN Fal 359) ‖ Złapałem syfa od osiemnastoletniej Włoszki w Hillside i teraz, teraz, nie mam już penisa! (PR Komp 156)

syfiasty

syfiasty 'do niczego' 'taki, który mówiącemu się nie podoba' *wulg. obycz.* NP Syfiasty ten lokal, nie mogę tu wytrzymać. ‖ Syfiaste żarcie w tym barze, chodźmy stąd! ◇ *przysł. odprzym.* syfiasto, syfiaście □ Kiel

syfieć

ktoś a. ***coś* syfi**. [ndk] 'ktoś a. coś śmierdzi' *wulg. obycz.* NP Ten twój kumpel strasznie syfi. Daj mu ręcznik i mydło. ‖ Ale z tego zlewu syfi, musisz z tym coś zrobić.

syn

Taki synu! [ndm; używane tylko jako wyzwisko] *posp./wulg., eufem.* NP Ja cię jeszcze rozumu nauczę, taki synu! ‖ Odchrzań się w końcu od niej, taki synu! □ Bog-Gar: 80

szajs

szajs [*niem.* Scheiße 'gówno'] 'coś złego' 'o czymś, co nie ma wartości' 'o kimś, kim mówiący pogardza' *wulg.* NP Ten komputer to szajs. Musisz kupić sobie coś porządnego. ‖ Ci twoi kumplowie to kupa szajsu. ‖ Chciałbym, żeby to była ciekawa scena erotyczna, a nie szajs. Szajsu nie znoszę. (PP Raul 39) □ Stęp

szczać *wulg.*

1. *ktoś* szcza. [ndk] 'ktoś oddaje mocz' 'ktoś siusia' NP Zabierz tego kota. Właśnie szcza na dywan. ‖ Jakiś pijak szczał w samo południe na środku jezdni. □ SJPD, Kiel, Supl, Tuf

**2. *ktoś*₁ szcza na *kogoś*₂ a. *coś*. [ndk] 'ktoś₁ pogardza kimś₂ a. czymś'

'ktoś₂ a. coś nic kogoś₁ nie obchodzi' NP Szczam na te egzaminy. Załatwię sobie zwolnienie. ‖ Szczam na tę kretynkę, poszukam sobie innej sekretarki.

3. *ktoś* szcza pod wiatr. [ndk] 'ktoś ma pecha' NP Współczuję jej. Przez całą młodość szczała pod wiatr. ‖ Boję się matury. Na wszystkich egzaminach szczam pod wiatr.

4. *ktoś* szcza w majtki. [ndk] 'ktoś boi się czegoś' NP Na myśl o operacji szczała w majtki. ‖ Zawsze szczam w majtki, kiedy zbliżają się zaliczenia.

5. *ktoś* szcza w majtki (__). [ndk] 'o kobiecie: ktoś jest silnie podniecony seksualnie' NP Na widok tego faceta zawsze szczała w majtki. ‖ Szcza w majtki już na samą myśl o spotkaniu z Piotrem.

6. *ktoś*₁ szcza za *kimś*₂. [ndk] 'ktoś₁ w czasie czyjejś₂ nieobecności pożąda kogoś₂' 'ktoś₁ tęskni za kimś₂, czując potrzebę zbliżenia do kogoś₂' NP Kiedy poszedł do wojska, szczała za nim, potem znalazł się ktoś nowy. ‖ Szczał za nią przez cały pobyt na delegacji.

szczyl

szczyl 'smarkacz' 'małolat' 'dziecko' *posp./wulg., z lekceważeniem* NP Nie mogę szczyla uśpić. ‖ Narozrabiał szczyl w szkole. Wezwano ojca. □ SJPD, Kiel, Tuf

szczyny

szczyny [tylko w l. mn., D: szczyn] 'mocz' *posp./wulg.* NP Sprzątała jego szczyny aż do samej śmierci. ‖ Nie będę wąchać dłużej tych twoich szczyn. □ SJPD, Tuf

szlag *przekl.*

1. bodajby / niech / żeby *kogoś* a. *coś* szlag / jasny szlag! [ndm] NP Gdzie masz tę forsę? Bodajby cię szlag! ‖ Co za jełop! Niech go jasny szlag! ‖ Gdzieś to musiałem zgubić. Żeby to jasny szlag!

2. bodajby / żeby *kogoś* a. *coś* szlag / jasny szlag trafi! niech *kogoś* a. *coś* szlag / jasny szlag trafi! [ndm] NP Bodajby szlag trafił tę chorobę! ‖ Żeby ich jasny szlag trafił! Znowu nie przywieźli towaru. ‖ Niech szlag trafi witaminy i tran! (PR Komp 116) □ SJPD, SJPSz, Skor

3. szlag by *kogoś* a. *coś* trafi! [ndm] NP Szlag by cię trafił, ty miłośniku żółtków! (SPS ACh 332) ‖ Szlag by trafił to wszystko, psiakrew! Stolica imperium, a nie można kupić jednego kwiatka! (WŁ Naj 365)

szpara *wulg. obycz.*

1. szpara 'żeński narząd płciowy' NP Ale ma zarośniętą szparę! Jak się do niej dobrać? ‖ Dobierał się do jej szpary, kiedy tylko miał na to ochotę. ◇ *zdr.* szparka, szpareczka □ Tuf

2. *ktoś*₁ piłuje *komuś*₂ szparę. [ndk] 'o mężczyźnie w stosunku do kobiety: 'ktoś₁ odbywa z kimś₂ stosunek seksualny' NP Całą noc piłował Baśce szparę. W końcu zasnął. ‖ Sufit się trzęsie. Chyba Marek piłuje szparę jakiejś babie.

sztafeta

sztafeta 'o zespołowym współżyciu seksualnym polegającym na tym, że wielu mężczyzn odbywa po kolei stosunek z tą samą partnerką' *wulg. obycz.* NP Złapałem syfa w czasie sztafety. Tylu ich było, że diabli wiedzą, który Jolkę zaraził. ‖ Jak weźmiesz udział w tej sztafecie, to z nami koniec. Nie dam ci nigdy dupy. □ Tuf

ś świętojebliwy

świętojebliwy 'mający skłonności do dewocji' *wulg.!*, *pogard.* NP Przez całą młodość była świętojebliwą dziewicą, w końcu wstąpiła do klasztoru. ‖ Jak widzę zachowanie się tych wszystkich świętojebliwych katolików, tą nienawiść, pazerność, brak poszanowania innej osoby, to się cieszę, że nie należę do ich grona... (NIE)

t taki

Takiego! [ndm; używane w nawiązaniu do wcześniejszej wypowiedzi] 'nie' 'nic z tego' 'mówiący wyraża odmowę działania zgodnego z czyjąś wolą' *wulg. obycz.*, *eufem.*, *pogard.* NP Zjesz obiad, odrobisz lekcje, a potem będziesz mógł pograć w piłkę. — Takiego! ‖ Pójdź do sklepu, kup kartofle i włoszczyznę. — Takiego! □ Bog-Waw: 367 (według autorów wyrażenie używane często w połączeniu z tzw. gestem Kozakiewicza — zob. Bog-Waw: 129: gest ten polega „na poruszaniu w górę i w dół wyciągniętym lewym przedramieniem z zaciśniętą pięścią przy jednoczesnym umieszczeniu dłoni prawej ręki w przegubie łokcia lewej ręki”; „gest nawiązuje do kształtu członka męskiego w erekcji”)

152 ZOB. PONADTO: chuj 45, mać, syn, wał 4

torba

torba 'jądra męskie' *wulg. obycz.* NP Kiedy zdejmował majtki, wielka torba mu z nich wyskoczyła. || Co tam za torba ci zwisa? ◇ *zdr.* torebka □ Dąbr: 202, Stęp

trzęsidupa

trzęsidupa 'ktoś bardzo bojaźliwy' 'tchórz' *posp./wulg.* NP Nie przyjdę do ciebie. Nie mogę przecież zostawić tego trzęsidupy samego w domu. || Nie chce podpisać nawet tak łagodnego protestu, trzęsidupa jeden.
Jednostka używana też jako wyzwisko.

trzonek

trzonek 'członek męski' *wulg. obycz.* NP Ledwie zdjął spodnie, gwałtownie chwyciła go za trzonek. || Co za wisielec! Myślałam, że masz porządnego trzonka. □ Stęp

udupić *wulg.*

1. *ktoś₁* **udupił** *kogoś₂* a. *coś*. [dk] 'ktoś₁ zrobił komuś₂ a. z czymś coś złego' 'ktoś₁ pozbawił kogoś₂ możliwości działania' 'ktoś₁ unieszkodliwił kogoś₂' NP Udupił mnie na ostatnim egzaminie i muszę powtarzać semestr. || Zarząd udupił wszystkie jej pomysły. || Udupili go w kryminale na rok. || Nawijał mi znajomy aparatczyk, że komuchy chcą nas udupić. (GW) □ Kiel, Supl

2. *coś₁* **udupiło / udupia** *kogoś* a. *coś₂*. [dk/ndk] 'coś₁ spowodowało, że komuś a. z czymś₂ stało się coś złego' 'coś₁ obezwładniło kogoś a. coś₂' NP Takie upały zawsze mnie udupiają. || Zawsze czyjeś przyzwyczajenie musi udupić inicjatywę młodego człowieka.

3. *ja kogoś* [zaimek osobowy] **udupię!** [ndm] 'pogróżka: ja się z kimś rozprawię' NP Ja cię jeszcze udupię, kutasie jeden! || Niech on tu tylko przyjdzie! Ja go udupię!

ujebać *wulg.!*

1. *ktoś₁* **ujebał** *kogoś₂* a. *coś*. [dk] 'ktoś₁ zrobił komuś₂ a. z czymś coś złego' 'ktoś₁ unieszkodliwił kogoś₂' NP Trudno się dziwić, że ujebała dzieciaka. Naszczał jej do herbaty. || Ujebałem ten kran przy zakręcaniu wody.

153

2. *coś*₁ ujebało *kogoś* a. *coś*₂. [dk] 'coś₁ spowodowało, że komuś a. z czymś₂ stało się coś złego' NP Ta straszliwa wichura ujebała jej nową parasolkę. ‖ Żmija go ujebała. Dostał serię bolesnych zastrzyków.

3. ja *kogoś* [zaimek osobowy] **ujebię!** [ndm] 'pogróżka: ja się z kimś rozprawię' NP Ty zobaczysz, ja ją jeszcze ujebię! ‖ Nie daruję im tego świństwa. Ja ich ujebię!

4. *ktoś* ujebał się. [dk] 'ktoś upił się' NP Ujebał się na własnym weselu i zasnął w kiblu. ‖ Po pogrzebie ojca ujebał się w pobliskiej knajpie.

5. *ktoś* ujebał się *czymś*. [dk] 'ktoś bardzo się zmęczył robieniem czegoś' NP Ujebał się wnoszeniem tych kartonów na strych. ‖ Ujebała się swoim pierwszym tłumaczeniem na żywo. ☐ Kiel

ujeżdżać

***ktoś*₁ ujeżdża *kogoś*₂ / na *kimś*₂ / ujeździł *kogoś*₂.** [ndk/dk] 'o partnerze aktywnym: ktoś₁ odbywa z kimś₂ stosunek seksualny' *wulg. obycz.* NP Sławek już od godziny ujeżdża świeżo poznaną dziewuchę. ‖ Ciągle ujeżdża na nim i nie da się zwalić z konia. ‖ Czyhała na niego pod drzwiami. Chciała, żeby ją w końcu ujeździł.

upieprzyć *posp./wulg., eufem.*

1. *ktoś*₁ upieprzył / upieprza *kogoś*₂ a. *coś*. [dk/ndk] 'ktoś₁ zrobił komuś₂ a. z czymś coś złego' 'ktoś₁ unieszkodliwił kogoś₂' NP Dowódca plutonu upieprzył go za jego ustawiczne gadulstwo na apelu. ‖ Codziennie upieprzał mnóstwo karaluchów pod prysznicem. ☐ Kiel

2. *coś*₁ upieprzyło / upieprza *kogoś* a. *coś*₂. [dk/ndk] 'coś₁ spowodowało, że komuś a. z czymś₂ stało się coś złego' NP Wczoraj osa upieprzyła go w oko. ‖ Nagła awaria światła upieprzyła całe przedstawienie.

3. ja *kogoś* [zaimek osobowy] **upieprzę!** [ndm] 'pogróżka: ja się z kimś rozprawię' NP Ja cię upieprzę, łobuzie, jak nie zostawisz mojej córki w spokoju! ‖ Zjeżdżajcie stąd natychmiast! Ja was zaraz upieprzę!

4. *ktoś* upieprzył / upieprza się. [dk/ndk] 'ktoś upił się' NP Tak się upieprzył, że obrzygał własną teściową. ‖ Na tej imprezie co chwila ktoś się upieprzał. Nie było już miejsca pod stołem.

5. *ktoś* upieprzył / upieprza się *czymś*. [dk/rzad. ndk] ' ktoś zmęczył się robieniem czegoś' NP Ojciec upieprzył się rąbaniem drewna. ‖ Codziennie upieprza się bezskutecznym uciszaniem tych awanturników. ☐ Kiel

upierdliwiec

upierdliwiec 'o kimś dokuczliwym' 'o kimś, kogo trudno jest ludziom znosić' *posp./wulg.* NP Kilka godzin dziennie muszę siedzieć na wprost tego upierdliwca. ‖ Dla domowników stawał się coraz większym upierdliwcem.

upierdliwy

upierdliwy 'dokuczliwy' 'taki, że ludziom trudno jest go znosić' *posp./wulg.* NP Ta baba jest cholernie upierdliwa. Codziennie skarży się na kogoś kierownikowi. ‖ Źle się czuła w tym upierdliwym klimacie. ‖ Dzieciak był wyjątkowo upierdliwy. Nikt nie chciał się nim zajmować. ◊ *przysł. odprzym.* upierdliwie

upierdolić *wulg.!*

1. ***ktoś*₁ upierdolił / upierdala *kogoś*₂ a. *coś*.** [dk/rzad. ndk] 'ktoś₁ zrobił komuś₂ a. z czymś coś złego' 'ktoś₁ unieszkodliwił kogoś₂' NP Upierdoliła mnie na drugi rok w tej samej klasie. ‖ Szef upierdolił Jolę za jej głupie pomysły. Musiała złożyć wymówienie. ‖ Co chwila upierdalał dziesiątki komarów na własnym ciele. ☐ Kiel

2. ***coś*₁ upierdoliło / upierdala *kogoś* a. *coś*₂.** [dk/ndk] 'coś₁ spowodowało, że komuś a. z czymś₂ stało się coś złego' NP Pszczoła upierdoliła dzieciaka w oko, musiałem z nim jechać na pogotowie. ‖ Tej nocy szpaki upierdoliły wszystkie wiśnie na drzewie.

3. ja *kogoś* [zaimek osobowy] **upierdolę!** [ndm] 'pogróżka: ja się z kimś rozprawię' NP Zdemolowały mi łobuzy całe mieszkanie. Ja ich upierdolę! ‖ Jak się nie odczepisz od dzieciaka, ja cię upierdolę!

4. ***ktoś* upierdolił / upierdala się.** [dk/ndk] 'ktoś upił się' NP Porządnie się upierdolił na tej imprezie. Leczył kaca przez trzy dni. ‖ On jest nałogowym alkoholikiem. Upierdala się parę razy w tygodniu.

5. ***ktoś* upierdolił / upierdala się *czymś*.** [dk/rzad. ndk] 'ktoś bardzo się zmęczył robieniem czegoś' NP Upierdoliła się do reszty noszeniem waliz na czwarte piętro. ‖ Upierdalał się przewijaniem ciężko chorych.

upierdzielić *posp./wulg., eufem.*

1. ***ktoś*₁ upierdzielił / upierdziela *kogoś*₂ a. *coś*.** [dk/rzad. ndk] 'ktoś₁ zrobił komuś₂ a. z czymś coś złego' 'ktoś₁ unieszkodliwił kogoś₂' NP Trzeba wreszcie upierdzielić tego łajdaka. ‖ W głosowaniu upierdzielono wszystkie poprawki zgłoszone przez opozycję.

2. coś₁ upierdzieliło / upierdziela kogoś a. **coś₂**. [dk/ndk] 'coś₁ spowodowało, że komuś a. z czymś₂ stało się coś złego' NP Lawina upierdzieliła grupę taterników. ‖ Bąk upierdzielił dzieciaka w głowę.

3. ja kogoś [zaimek osobowy] **upierdzielę!** [ndm] 'pogróżka: ja się z kimś rozprawię' NP Zniszczył całą moją robotę. Ja go jeszcze dorwę i upierdzielę! ‖ Zasrałeś cały pokój, świntuchu. Ja cię jeszcze upierdzielę!

4. ktoś upierdzielił / upierdziela się. [dk/ndk] 'ktoś upił się' NP Upierdzielił się na oficjalnym bankiecie w ambasadzie. ‖ Wpadła w taką chandrę, że postanowiła się upierdzielić.

5. ktoś upierdzielił / upierdziela się czymś. [dk/rzad. ndk] 'ktoś zmęczył się robieniem czegoś' NP Upierdzielił się całonocną musztrą. Padł na wyro ledwie żywy. ‖Upierdzielała się ustawicznymi wyjazdami w połowie nocy.

upiździć wulg.!

1. ktoś₁ upiździł kogoś₂ a. **coś**. [dk] 'ktoś₁ zrobił komuś₂ a. z czymś coś złego' 'ktoś₁ unieszkodliwił kogoś₂' NP Przywódców tego gangu nikt nie potrafił upiździć. ‖ Radni upiździli wniosek błyskawicznie, bez żadnej dyskusji.

2. coś₁ upiździło kogoś a. **coś₂**. [dk] 'coś₁ spowodowało, że komuś a. z czymś₂ stało się coś złego' NP Powódź upiździła piwnice w kilkunastu domach. ‖ Krety upiździły warzywa w ogrodzie. ‖ Bąk upiździł ją w język.

3. ja kogoś [zaimek osobowy] **upiżdżę!** [ndm] 'pogróżka: ja się z kimś rozprawię' NP Nie dotykaj mnie, pedale jeden! Ja cię jeszcze upiżdżę! ‖ Wywalił syna z roboty, łobuz. Ja go upiżdżę!

4. ktoś upiździł się. [dk] 'ktoś upił się' NP Adam upiździł się na weselu siostry. ‖ Upiździła się spirytusem w Sylwestra.

5. ktoś upiździł się czymś. [dk] 'ktoś bardzo się zmęczył robieniem czegoś' NP Hydraulik upiździł się przepychaniem rury. ‖ Upiździła się do reszty redagowaniem tej petycji do władz.

usrać wulg.

1. ktoś usrał się __ . [dk] 'ktoś bardzo się zmęczył __' NP Usrać się można od szukania jakiegoś kiosku z napojami. ‖ Prędzej się usramy, zanim znajdziemy tu jakąś ławkę.

2. __ [fraza czasownikowa charakteryzująca zdarzenie] **do usranej śmierci.** '__ bez końca i bez rezultatu' NP On może tak pieprzyć głupoty do usranej śmierci. ‖ Ona będzie poszukiwać sponsora do usranej śmierci.

uszczać

ktoś **uszczał się** __. [dk] 'ktoś bardzo się zmęczył __' *wulg.* NP Uszczał się od przewijania sparaliżowanej ciotki. ‖Uszczasz się, a nie wyniesiesz tego grata.

wał *wulg. obycz.*

1. wał 'członek męski' NP Nie mogła sobie poradzić z jego potężnym wałem, którym zawsze zadawał jej ból. ‖... wała miał twardego jak mrożona parówka. (SPS ACh 48) ◇ *zdr.* wałek □ Kiel, Tuf

2. jurny wał 'mężczyzna żądny przygód seksualnych' 'ktoś ogarnięty obsesją seksu' NP Mam nowego chłopaka. To jurny wał. Nie umiem go zaspokoić. ‖ Nie zawracaj sobie głowy tym jurnym wałem. Znajdź sobie spokojnego faceta.

3. po jakiego / kiego wała __ ? [zwrot retoryczno-pytajny] 'nie ma sensu __' NP Po jakiego wała z nim dyskutujesz? ‖ Po jakiego wała się do tego wtrącasz? ‖ Po kiego wała tam leziesz? □ Bog-Waw: 403

4. Takiego wała! [ndm, używane w nawiązaniu do wcześniejszej wypowiedzi] 'nie' 'nic z tego' 'mówiący wyraża odmowę działania zgodnego z czyjąś wolą' *pogard.* NP ...powiem mu, do czego mnie zmusiłeś. — Takiego wała. (PR Komp 134) ‖ Takiego wała! — pomyślałem — niedoczekanie twoje, płyń! (WŁ Dobry 43) □ Bog-Waw: 403 (według autorów zwrot używany często w połączeniu z tzw. gestem Kozakiewicza — zob. Bog-Waw: 129), Kiel

○ ZOB. PONADTO: taki

wiek

wiek rębny 'o okresie życia kobiety, w którym budzi ona pożądanie seksualne' *wulg. obycz.*, *żart.* NP Córka dojrzewa. Wchodzi właśnie w wiek rębny. ‖ To fajna dupa, w wieku rębnym. ‖ Faceci już się mną nie interesują. Przekroczyłam wiek rębny.

wisieć *wulg. obycz.*

1. *komuś* wisi. [ndk] 'o mężczyźnie: ktoś ma zwiotczałego członka' NP Dziadkowi już stale wisi. ‖ Czasem mu stoi, a czasem wisi. □ Kiel

2. *coś komuś* wisi. [ndk] 'coś kogoś nic nie obchodzi' 'coś jest komuś obojętne' NP Piotr się chyba zakochał, bo ta cała robota mu wisi. ‖Puściła się z jakimś cudzoziemcem, jest w ciąży i egzaminy jej wiszą. □ SJPSz

157

3. Tu mi wisi! [ndm; używane w nawiązaniu do wcześniejszej wypowiedzi] 'nic mnie to nie obchodzi' 'nie przejmuję się tym, co mówisz' NP Wszyscy będą na ciebie czekać. — Tu mi wisi! || Nowy szef będzie wymagał także od ciebie punktualności. — Tu mi wisi! □ Bog-Gar: 90

wisielec

wisielec 'o zwiotczałym członku męskim' *wulg. obycz.* NP Co to za wisielec! Chyba nie będziemy się dziś kochać — powiedziała Anka, spojrzawszy na Andrzeja. || Popatrz, jakiego ma strasznego wisielca! □ Kiel

wjebać *wulg.!*

1. ktoś₁ wjebał komuś₂. [dk] 'ktoś₁ pobił kogoś₂' NP Tak mu wtedy wjebał, że do dziś leży w szpitalu. || Porządnie wjebali jej na tej imprezie. Trzeba było dziewczynę zanieść do domu.

2. ktoś₁ wjebał coś a. kogoś₂ — [fraza przyimkowa lub przysłówkowa określająca miejsce]. [dk] 'ktoś₁ spowodował, że coś a. ktoś₂ jest w jakimś miejscu' NP Wjebała wszystkie zgniłe jabłka do śmietnika. || Wjebała bachora do łazienki i zamknęła drzwi na klucz.

3. ktoś wjebał się — [fraza przyimkowa lub przysłówkowa określająca miejsce]. [dk] 'ktoś wszedł —' 'ktoś wtargnął —' NP Wracając z pracy wjebał się rowerem do rowu. || Wjebał się w największą dziurę w jezdni i złamał nogę.

4. ktoś wjebał się w szambo. [dk] 'ktoś znalazł się w niebezpiecznej sytuacji' NP Ale wjebałem się w szambo! Mój wspólnik już siedzi. || Daj sobie spokój z takim kumplem, bo wjebiesz się w szambo.

5. ktoś₁ wjebał kogoś₂ w coś. [dk] 'ktoś₁ wplątał kogoś₂ w coś' NP To on mnie wjebał w tę całą aferę. || W środowisko tych narkomanów to Piotr Ankę wjebał.

wkurwić *wulg.!*

1. ktoś₁ a. coś wkurwił/o / wkurwia kogoś₂. [dk/ndk] 'ktoś₁ a. coś bardzo zdenerwował/o kogoś₂' 'ktoś₁ a. coś spowodował/o czyjąś₂ irytację' 'coś silnie rozdrażniło kogoś₂' NP Wynoś się stąd, bo mnie wkurwiłeś. || Wkurwiają go te odgłosy z dyskoteki do piątej rano. || Jak leżysz na głodzie po kompocie, to najbardziej cię wkurwiają zapachy. (NIE) || ... nasza informacja obiegła prasę i wkurwiła Belweder do białości. (NIE) || Ale ludziska za cholerę nie chcieli jej pokochać i opowiadali o niej głupie kawały. To ją wkurwiało i nabawiało pierdolca we łbie, bo każdy lubi jak go lubią... (WŁ Dobry 16) □ Bog-Waw: 416

2. *ktoś*₁ wkurwił / wkurwia się na *kogoś*₂ a. *coś*. [dk/ndk] 'ktoś₁ zdenerwował się na kogoś₂ a. z powodu czegoś' 'ktoś₁ zezłościł się na kogoś₂ a. na coś' 'ktoś₂ a. coś spowodował/o czyjąś₁ irytację' NP Dlaczego tak się na niego wkurwiasz, przecież nic ci nie zrobił? ‖ Po tym wszystkim, żeby wziąć odwet, poszedłem do salonu i kupiłem mercedesa. Niech się patrzą i wkurwiają. (GW) ‖ Społeczeństwo... ma prawo wkurwiać się na opozycję, zwłaszcza lewicową... (NIE) ‖ Anka wkurwiła się na pralkę automatyczną.

3. wkurwiony na *kogoś* a. *coś* 'bardzo zły na kogoś a. coś' NP Coś mi się zdaje, że jest na mnie mocno wkurwiony i na dodatek wkurwiony na siebie za to, że wkurwił się na mnie. (WW Pt 73) ‖ Policjanci są wkurwieni, bo długie miesiące mordowali się dniem i nocą, żeby przyskrzynić bandę „Buhaja". (NIE)

włazidup

włazidup 'lizus' 'o kimś, kto podlizuje się wszystkim' *posp./wulg., pogard.* NP Po pierwszej z nim rozmowie wiadomo było, że jest włazidupem. ‖ W prezydium tej partii była cała masa włazidupów.

Jednostka używana też jako wyzwisko.

włazidupstwo

włazidupstwo 'lizusostwo' 'wazeliniarstwo' *posp./wulg.* NP W tej katedrze panowało włazidupstwo. Wszyscy podlizywali się szefowi i jego zastępcy. ‖ Jest przykrą prawdą, że tolerowanie czy wręcz nagradzanie włazidupstwa w armii... istotnie przyczyniło się do największej kompromitacji wojska w ciągu ostatnich 20 lat. (NIE)

wór

wór 'jądra męskie' *wulg. obycz.* NP Z takim worem trzeba się chyba delikatnie obchodzić — pomyślała Zosia, zobaczywszy Marka po raz pierwszy w stroju adamowym. ‖ Ale facet ma wór! Gdzie on go chowa? ◇ *zdr.* worek □ Stęp

wpieprzyć *posp./wulg., eufem.*

1. *ktoś* wpieprzył / wpieprza *coś*. [dk/ndk] 'ktoś zjadł coś' NP Joanna sama wpieprzyła całe ciasto. ‖ Wpieprzał tę zupę, aż mu się uszy trzęsły. ‖ Jeżeli wpieprzysz te wszystkie naleśniki, to ci brzuch pęknie.

2. ktoś₁ wpieprzył komuś₂ (__). [dk] 'ktoś₁ zrobił komuś₂ coś, co mówiący uznał za rzecz złą' NP Wpieprzyli jej, bo ich zaczepiła. ‖ Wpieprzyli jej dziesięć lat za usiłowanie zabójstwa męża.

3. ktoś₁ wpieprzył coś a. kogoś₂ __ [fraza przyimkowa lub przysłówkowa określająca miejsce]. [dk] 'ktoś₁ spowodował, że coś a. ktoś₂ jest w jakimś miejscu' NP Wpieprzyła starą torbę na najwyższą półkę. ‖ Wpieprzył śledzie do słoika. ‖ Postanowili wpieprzyć dziadka do domu starców.

4. ktoś wpieprzył / wpieprza się __ [fraza przyimkowa lub przysłówkowa określająca miejsce]. [dk/ndk] 'ktoś wszedł __' 'ktoś wtargnął __' 'ktoś władował się __' NP Mów ciszej! Ten smarkacz znowu tu się wpieprzył. ‖ Wpieprzyła się na szkło i ma pokaleczoną nogę. ‖ Z trudem udało mu się wpieprzyć na wóz drabiniasty. □ Bog-Gar: 90

5. ktoś wpieprzył / wpieprza się w coś / do czegoś. [dk/ndk] 'ktoś wmieszał się w coś a. do czegoś' 'ktoś wtrącił się do czegoś' NP Dlaczego on się wpieprzył do sprawy ich spadku? ‖ Nie wpieprzaj się do cudzych interesów! ‖ Po co pan się wpieprza w politykę? (WŁ Lep 171)

wpierdol wulg.!

1. ktoś₁ __ komuś₂ wpierdol. 'ktoś₁ unieszkodliwił kogoś₂' 'ktoś₁ zrobił komuś₂ coś złego' 'ktoś₁ pobił kogoś₂' NP Wszystkim po kolei spuścił wpierdol. Nie mieli siły uciekać. ‖ Damy mu wpierdol, żeby nie próbował podskakiwać. ‖ Słyszałem, że jesteś niezły. Dałeś wpierdol tym gudłajom i robolom, to mi się podoba! (WŁ Naj 134) ‖ Wy niedomyte młode chamy, czekajcie, już wam wpierdol damy! (JSz Zeb 195) □ Stęp

2. ktoś₁ __ wpierdol od kogoś₂. 'ktoś₁ został przez kogoś₂ unieszkodliwiony' 'ktoś₁ został przez kogoś₂ pobity' 'ktoś₂ zrobił komuś₁ coś złego' NP Zarobili od nas wpierdol, już tu więcej nie przyjdą. ‖ Jak ty wyglądasz? Nieźle musiałeś dostać wpierdol. ‖... skończyło się na tym, że cała banda dostała wpierdol od swego przywódcy... (VB Konk 61) □ Kiel

wpierdolić wulg.!

1. ktoś wpierdolił / wpierdala coś. [dk/ndk] 'ktoś zjadł coś' NP Wpierdolił miskę kartofli. ‖ Wpierdoliła całą tabliczkę czekolady. □ Stęp

2. ktoś₁ wpierdolił komuś₂ (__). [dk] 'ktoś₁ zrobił komuś₂ coś, co mówiący uznał za rzecz złą' NP Ewa powykręcała wszystkie żarówki. Ojciec wpierdolił jej za to. ‖ Wpierdolili mu w tym parku, aż go zamroczyło.

3. ktoś₁ wpierdolił coś a. kogoś₂ __ [fraza przyimkowa lub przysłówkowa określająca miejsce]. [dk] 'ktoś₁ spowodował, że coś a. ktoś₂ jest w jakimś miejscu' NP Wpierdoliła wszystkie śmierdzące ryby do śmietnika. ‖ Wpierdolili go do kryminału. □ Stęp

4. *ktoś* wpierdolił / wpierdala się — [fraza przyimkowa lub przysłówkowa określająca miejsce]. [dk/ndk] 'ktoś wszedł —' 'ktoś wtargnął —' 'ktoś władował się —' NP Wojtek wpierdolił się w największą kałużę. ‖ Podczas szkolenia wpierdolił się na minę. ‖ Wpierdolił się samochodem na drzewo. ☐ Bog-Waw: 419

5. *ktoś* wpierdolił / wpierdala się w *coś* / do *czegoś*. [dk/ndk] 'ktoś wmieszał się w coś a. do czegoś' 'ktoś wtrącił się do czegoś' NP Nie może sobie tego darować, że dał się wpierdolić w tę aferę. ‖ Nie wpierdalaj się w cudze sprawy! ‖ Ciotka lubi wpierdalać się do rodzinnych interesów. ☐ Bog-Waw: 419, Kiel

6. *ktoś* wpierdolił się w szambo. [dk] 'ktoś znalazł się w niebezpiecznej sytuacji' NP Bądź ostrożny w kontaktach z Anką, bo możesz wpierdolić się w szambo. ‖ Szuka teraz forsy, żeby go nie przymknęli. Wpierdolił się w straszne szambo.

wpiździć *wulg.!*

1. *ktoś*₁ wpiździł / wpiżdża *komuś*₂. [dk/rzadziej ndk] 'ktoś₁ pobił kogoś₂' NP Rodzony ojciec tak mu wpiździł, że chłopak ma złamaną rękę. ‖ Zawlekli go do bramy i tam mu wpiździli. ‖ Co jakiś czas wpiżdża swojej babie, żeby ją uspokoić.

2. *ktoś*₁ wpiździł *coś* a. *kogoś*₂ — [fraza przyimkowa lub przysłówkowa określająca miejsce]. [dk] 'ktoś₁ spowodował, że coś a. ktoś₂ jest w jakimś miejscu' NP Wpiździła butelki po piwie do zsypu. ‖ Postanowili ją ukarać: wpiździli ją do beczki po śledziach.

3. *ktoś* wpiździł / wpiżdża się — [fraza przyimkowa lub przysłówkowa określająca miejsce]. [dk/rzadziej ndk] 'ktoś wszedł —' 'ktoś wtargnął —' 'ktoś władował się —' NP Po pijanemu wpiździł się na druty kolczaste. ‖ Zjeżdżając z góry wpiździła się nartami w zaspę. ‖ Kiedy wraca do domu, zawsze wpiżdża się do jakiegoś rowu.

4. *ktoś* wpiździł się w szambo. [dk] 'ktoś znalazł się w niebezpiecznej sytuacji' NP Uważaj na nich, bo jak się wpiździsz w szambo, to ja cię z tego nie wyciągnę. ‖ Wpiździł się w szambo. Postanowił uciekać za granicę.

5. *ktoś*₁ wpiździł / wpiżdża *kogoś*₂ w *coś*. [dk/ndk] 'ktoś₁ wplątał kogoś₂ w coś' NP Wpiździł narzeczoną w środowisko prostytutek. ‖To brat wpiździł mnie w tę głupią historię rodzinną. ‖ Dlaczego ty ją wpiżdżasz w to kurewskie towarzystwo?

wsadzić

wsadź sobie *coś*! [tylko w formie rozkaźnika] 'mówiący wzywa adresata, by przestał go czymś absorbować' 'odmowna reakcja na czyjąś propozycję'   **161**

wulg. obycz., *eufem.*, *z lekceważeniem* NP Wsadź sobie te sto marek i spłyń stąd! ‖ Wsadź sobie ten telewizor! — powiedziała ze złością Anka. ☐ Bog-Waw: 421

◯ ZOB. PONADTO: cipa 5, dupa 54

wybrandzlować

ktoś **wybrandzlował się**. [dk] 'ktoś onanizując się doznał orgazmu' *posp./wulg.* NP Wybrandzlował się w teatrze podczas spektaklu. ‖... kiedy miałem piętnaście lat, rozpiąłem rozporek i wybrandzlowałem się w autobusie linii 107 z Nowego Jorku. (PR Komp 78) ☐ Kiel

wyciupciać

*ktoś*₁ **wyciupciał** *kogoś*₂. [dk] 'o partnerze aktywnym: ktoś₁ odbył z kimś₂ stosunek seksualny' *wulg. obycz.*, *żart.* NP Wyciupciał Justynę w stodole, kiedy wszyscy poszli spać. ‖ Jak ją wyciupciał pierwszy raz, to chciała się z nim ciupciać bez końca. ☐ Kiel

wyczochrać

*ktoś*₁ **wyczochrał** *kogoś*₂. [dk] 'o partnerze aktywnym: ktoś₁ odbył z kimś₂ stosunek seksualny' *wulg. obycz.*, *żart.* NP Zabrał ją do siebie po lekcjach i od razu wyczochrał. ‖ Wyczochraj mnie jak najszybciej, bo nie wytrzymam — powiedziała cicho do Pawła.

wydmuchać

*ktoś*₁ **wydmuchał** *kogoś*₂. [dk] 'o partnerze aktywnym: ktoś₁ odbył z kimś₂ stosunek seksualny' *wulg. obycz.* NP Może ma pan ochotę mnie wydmuchać? — zapytała nieśmiało sekretarka swojego szefa. ‖ Proszę powiedzieć temu pedałowi, iż nie jest moją winą, że nikt go dziś nie wydmuchał od tylca, więc dlaczego ja mam za to cierpieć? (VB Konk 67)

wydupczyć

*ktoś*₁ **wydupczył** *kogoś*₂. [dk] 'o partnerze aktywnym: ktoś₁ odbył z kimś₂ stosunek seksualny' *wulg.* NP Marek był zbyt pijany, żeby ją wydupczyć. ‖ Najpierw spił Beatę jakąś nalewką, a potem dziewczynę wydupczył.

wydymać

ktoś₁ wydymał kogoś₂. [dk] 'o partnerze aktywnym: ktoś₁ odbył z kimś₂ stosunek seksualny' *wulg. obycz.* NP Próbował ją wydymać, nic mu jednak z tego nie wyszło. ‖ Czekał na dogodny moment, żeby móc położyć się na niej i ją wydymać. □ Supl

wyjebać *wulg.!*

1. *ktoś₁ wyjebał kogoś₂*. [dk] 'o partnerze aktywnym: ktoś₁ odbył z kimś₂ stosunek seksualny' NP Wyjebał jakąś nastolatkę — podobno wbrew jej woli — i poszedł do pierdla. ‖ Gadał i gadał bez końca, i nie zdążył mnie wyjebać. □ Kiel

2. *ktoś₁ wyjebał kogoś₂* a. *coś* — [fraza przyimkowa lub przysłówkowa określająca miejsce]. [dk] 'ktoś₁ wyrzucił kogoś₂ a. coś z jakiegoś miejsca' NP Wyjebali go z firmy na zbity pysk. ‖ Był tak zapruty, że wyjebał żyrandol z piątego piętra przez okno. □ Kiel

3. *ktoś* a. *coś wyjebał/o się*. [dk] 'ktoś a. coś przewrócił/o się' NP Dziadek wyjebał się na schodach i złamał rękę. ‖ Wyjebał się nowy wazon i kwiaty spadły na podłogę.

4. *ktoś wyjebał czymś₁ w coś₂*. [dk] 'ktoś uderzył czymś₁ w coś₂' NP Pożyczył ode mnie rower i zaraz wyjebał nim prosto w drzewo. ‖ Wchodząc do mieszkania wyjebał parasolem w lustro.

5. *ktoś₁ wyjebał kogoś₂ czymś₁ w coś₂*. [dk] 'ktoś₁ uderzył kogoś₂ czymś₁ w coś₂' NP Jak wyjebał go pałą w plecy, to upadł na ziemię. ‖ Prawą ręką wyjebał go prosto w szczękę, lewą wyjął portfel i uciekł.

wyłomotać

ktoś₁ wyłomotał kogoś₂. [dk] 'o partnerze aktywnym: ktoś₁ odbył z kimś₂ stosunek seksualny' *wulg. obycz.* NP Zawlókł ją w krzaki, żeby ją tam wyłomotać. ‖ Wyłomotałem kiedyś jedną dziwkę na tym siedzeniu, gdzie teraz siedzicie. (SPS ACh 23) □ Stęp

wypieprzać

ktoś wypieprza skądś. [ndk; często w rozkaźniku] 'ktoś ucieka skądś' 'ktoś wynosi się z danego miejsca' *posp./wulg., eufem.* NP Wypieprzaj stamtąd zaraz! ‖ Jak nie chce nic robić, to niech wypieprza. ‖ Wypieprzał z szałasu jak zając. □ Bog-Waw: 431

wypieprzyć *posp./wulg., eufem.*

1. *ktoś*₁ wypieprzył *kogoś*₂. [tylko dk] 'o partnerze aktywnym: ktoś₁ odbył z kimś₂ stosunek seksualny' NP Przytulił dziewczynę mocno i od razu ją wypieprzył. ‖ Ja myślę, że on chce mnie wypieprzyć — powiedziała Roberta poważnie. (JI Świat 237) □ Tuf

2. *ktoś*₁ wypieprzył / wypieprza *kogoś*₂ a. *coś* __ [fraza przyimkowa lub przysłówkowa określająca miejsce]. [dk/ndk] 'ktoś₁ wyrzucił kogoś₂ a. coś z jakiegoś miejsca' NP Ojciec wypieprzył stare kalosze na śmietnik. ‖ Nie zrobił doktoratu i wypieprzyli go z uczelni. □ Supl

3. *ktoś* a. *coś* **wypieprzył/o się.** [dk] 'ktoś a. coś przewrócił/o się' NP Wypieprzyła się na lodzie i złamała nogę. ‖ Wózek wypieprzył się i dziecko upadło na chodnik.

wypierdalać

***ktoś* wypierdala *skądś*.** [ndk; często w rozkaźniku] 'ktoś ucieka skądś' 'ktoś wynosi się z danego miejsca' *wulg.!* NP Wypierdalaj stąd natychmiast! ‖ Jak mu się tu nie podoba, to niech wypierdala. ‖ Skoro mnie wyrzucacie, to zaraz wypierdalam. □ Kiel

wypierdek *wulg.*

1. wypierdek 'o kimś nie zasługującym z jakiegoś powodu na aprobatę' *z lekceważeniem, obraźliwie* NP... nigdy nie miały mężów, co mogliby je dobrze wyruchać, więc one zasypiają z tym cacusiowatym wypierdkiem... (VB Konk 185) ‖ Byle wypierdek, gnojek, który każdemu boi się spojrzeć w oczy..., potrafi siedzieć sobie spokojnie pod ogniem w okopie, gdzie z obu ścian sypie mu się na łeb, i zajadać batony albo opowiadać dowcipy. (WW Pt 330) □ SJPD, Stęp, Supl, Tuf

2. wypierdek mamuta 'o kimś nie zasługującym z jakiegoś powodu na aprobatę' 'o osobie bezwartościowej' *z lekceważeniem, obraźliwie* NP Żaden z niego fachowiec. To taki wypierdek mamuta. ‖ Taki głos, taka figura? To nie artystka, to zwykły wypierdek mamuta. □ Bog-Waw: 431, Tuf

3. wypierdek mamuta 'o kimś bardzo małym' 'o kimś bardzo niskim' *z lekceważeniem, obraźliwie* NP Urodził mu się taki osesek, taki wypierdek mamuta. ‖ On jeszcze ma czas na wojsko. To taki wypierdek mamuta.

wypierdolić *wulg.!*

1. *ktoś*₁ wypierdolił *kogoś*₂. [tylko dk] 'o partnerze aktywnym: ktoś₁ odbył z kimś₂ stosunek seksualny' NP Ten Arab wypierdolił większość dziewcząt w akademiku. ‖ Nie myśli o niczym innym, tylko o dziewczynach. Ile on dziewczyn wypierdolił, zupełnie jak Kryszna! (HM Zwr 115) ‖ Przypuszczam, że chce, żebym ją wypierdolił we wtorek. (HM Zwr 145) ☐ Kiel

2. *ktoś*, wypierdolił / wypierdala *kogoś*₂ a. *coś* — [fraza przyimkowa lub przysłówkowa określająca miejsce]. [dk/ndk] 'ktoś₁ wyrzucił kogoś₂ a. coś z jakiegoś miejsca' NP Dziekan wypierdolił ich dyscyplinarnie ze studiów. ‖ Wypierdolili wszystkie połamane krzesła z sal wykładowych. ☐ Kiel

3. *ktoś* a. *coś* wypierdolił/o / wypierdala się. [dk/rzadziej ndk] 'ktoś a. coś przewrócił/o się' NP Wypierdolił się na równej drodze i skręcił sobie nogę. ‖ Dzieciak jeszcze dobrze nie umie chodzić. Co parę kroków wypierdala się na podłogę.

wypierdzielać

***ktoś* wypierdziela *skądś*.** [ndk; często w rozkaźniku] 'ktoś ucieka skądś' 'ktoś wynosi się z danego miejsca' *posp./wulg., eufem.* NP Wypierdzielaj zaraz z tej piwnicy! ‖ Niech ona wypierdziela natychmiast z tego hotelu! ‖ Jak nie chcecie z nami gadać, to wypierdzielamy.

wypierdzielić *posp./wulg., eufem.*

1. *ktoś*, wypierdzielił / wypierdziela *kogoś*₂ a. *coś* — [fraza przyimkowa lub przysłówkowa określająca miejsce]. [dk/ndk] 'ktoś₁ wyrzucił kogoś₂ a. coś z jakiegoś miejsca' NP Co parę dni wypierdziela trochę śmieci z chałupy. ‖ Wypierdzielili go z pracy za pijaństwo. ‖ ... chcą nas wszystkich wypierdzielić za granicę! (WŁ Naj 178)

2. *ktoś* a. *coś* wypierdzielił/o / wypierdziela się. [dk/rzadziej ndk] 'ktoś a. coś przewrócił/o się' NP Ten stojak ciągle wypierdziela się na podłogę. ‖ Wypierdzielił się na betonie i skręcił sobie nogę.

wypiździć *wulg.!*

1. *ktoś*, wypiździł *kogoś*₂ a. *coś* — [fraza przyimkowa lub przysłówkowa określająca miejsce]. [dk] 'ktoś₁ wyrzucił kogoś₂ a. coś z jakiegoś miejsca' NP Jakiś pijany żołnierz wypiździł wszystkie maski do śmietnika. ‖ Czy tego bandziora już wypiździli z policji?

2. *ktoś* a. *coś* wypiździł/o się. [dk] 'ktoś a. coś przewrócił/o się' NP Jak rąbnął pięścią w stół, to wypiździły się wszystkie filiżanki. ‖ Jakiś rowerzysta nagle zahamował i wypiździł się na środku skrzyżowania.

165

wyruchać

***ktoś*₁ wyruchał *kogoś*₂.** [tylko dk] 'o partnerze aktywnym: ktoś₁ odbył z kimś₂ stosunek seksualny' *wulg.* NP ...co najmniej tuzin dup kona z pragnienia, żeby je wyruchać. (HM Zwr 132) ‖... każdy poszedł ze swoją lalką do osobnego pokoju, żeby ją wyruchać. (WŁ Dobry 241) ‖ Zawsze w ciągu dnia miewałem takie chwile, że mógłbym wyruchać choćby parchatą kozę. (JI Małż 107) ‖ Jak to zreperujesz, dam ci się wyruchać. — Nigdy dotąd nie używała takiego języka. (JI Małż 112) □ Bog-Waw: 319, Tuf

wyrypać

***ktoś*₁ wyrypał *kogoś*₂.** [tylko dk] 'o partnerze aktywnym: ktoś₁ odbył z kimś₂ stosunek seksualny' *wulg. obycz.* NP Ogromnie chciał ją wyrypać, ale nie było na to czasu. ‖ Pierwsza dziewczyna w ciąży, jaką wyrypałem. (SPS ACh 35) □ Stęp, Tuf

wysrać *wulg.*

1. *ktoś* wysrał się. [tylko dk] 'ktoś wypróżnił się' NP Coś mnie kręci w brzuchu, ale nie mogę się wysrać. ‖ Wysrał się w końcu i było mu lżej. □ Kiel

2. niech *ktoś*₁ idzie się wysrać z *kimś*₂ a. *czymś*. 'niech ktoś₁ przestanie o kimś₂ a. o czymś mówić' 'niech ktoś₁ zostawi kogoś₂ a. coś w spokoju' NP Idź się wysrać z tą twoją narzeczoną! Nie mogę na nią dłużej patrzeć. ‖ A idźże się wysrać z tą twoją poezją! — zakrzyknął jakiś krytyk. (RN Fal 151)

wyszczać

***ktoś* wyszczał się.** [tylko dk] 'ktoś oddał mocz' *wulg.* NP Po tylu piwach muszę się w końcu wyszczać. ‖ Zaczekajcie na niego. Niech się spokojnie wyszcza. □ Kiel

Z

zadupczyć

***ktoś* zadupczył się.** [dk] 'ktoś upił się do nieprzytomności' *wulg.* NP Piotr zadupczył się wczoraj u kumpla i zgubił buty. ‖ Tak się zadupczyła w remizie strażackiej, że trzeba było ją zanieść do domu.

zadupie

zadupie [l.mn. D -i] 'mała miejscowość znacznie oddalona od centrum' 'mieścina na dalekiej prowincji' *posp./wulg.* NP To jest kompletne zadupie, tam nie ma gazu, ani nawet światła. ‖ Chciałbym w końcu wyjechać do jakiegoś zadupia i odpocząć. □ SJPDSupl, SJPSz, Kiel

zagajnik

zagajnik 'żeński narząd płciowy' *wulg. obycz.* NP Wlazł mi w zagajnik i rozciągał go swoim penetratorkiem na wszystkie strony. ‖ Dziś mam chory zagajnik, śpij spokojnie. ◇ *zdr.* zagajniczek □ Stęp

zajeb

zajeb [D -u, l.mn.: M -y] 'uciążliwe czynności wykonywane w szybkim tempie' 'o wyjątkowo absorbującej pracy' *wulg.!* NP Ale miałem zajeb przez cały ten tydzień! ‖ Dziś w robocie czeka cię potworny zajeb. □ Kiel

zajebać *wulg.!*

1. *ktoś₁ zajebał kogoś₂ czymś*. [dk] 'ktoś₁ pobił kogoś₂ czymś, powodując, że komuś₂ stało się coś złego' NP Zajebała swego konkubina siekierą i poszła na policję. ‖ Zajebała starego młotkiem. Ma wstrząs mózgu. ‖ Zajebał moją siostrę na śmierć! — zawodziła Puchatek. (JI Świat 384) □ Kiel

2. *ktoś₁ zajebał komuś₂ coś*. [dk] 'ktoś₁ ukradł komuś₂ coś' NP Już po raz trzeci w życiu ktoś mu zajebał zegarek. ‖ Zajebali mu portfel w autobusie. □ Stęp

3. nie do zajebania [ndm] 'niezniszczalny' 'taki, którego nie da się zlikwidować' NP Moim zdaniem ta banda jest nie do zajebania. ‖ Komuna nie pęka, komuna jest nie do zajebania. (NIE)

4. od zajebania [ndm] 'bardzo dużo' NP Świeżych lasek było na tym obozie od zajebania. ‖ Szczurów, myszy i robactwa w tej ruderze od zajebania.

5. *ktoś zajebał się*. [dk] 'ktoś upił się do nieprzytomności' NP Tak się zajebał na tej imprezie, że spał pod stołem przez cały następny dzień. ‖ Był jedynym gościem, który się nie zajebał. Dlatego musiał po wszystkich sprzątać. □ Kiel

6. *ktoś₁ zajebał się w kimś₂*. [dk] 'ktoś₁ zakochał się w kimś₂' NP Zajebała się do nieprzytomności w swoim nauczycielu, od pierwszego wejrzenia. ‖ Zajebał się w niej po uszy i od razu chciał się żenić.

○ ZOB. PONADTO: chuj 7, kurwa 17   **167**

zajebiasty *wulg.!*

1. zajebiasty 'taki, któremu przysługuje dana cecha w wysokim stopniu' NP Kupiła gumkę koloru zajebiastego różu. || Ulewa była zajebiasta, nie dało się wyjść nawet na podwórze. ◊ *przysł. odprzym.* zajebiaście

2. zajebiasty 'taki, który się komuś bardzo podoba' 'wspaniały' 'ładny' NP Wychowawczynię mamy zajebiastą, gadamy z nią o wszystkim. || Oczka miał zajebiaste. Wiadomo było od razu, że będzie z nim fajnie. ◊ *przysł. odprzym.* zajebiaście

zajebisty *wulg.!*

1. zajebisty 'taki, któremu przysługuje dana cecha w wysokim stopniu' NP Była ubrana w sukienkę koloru zajebistej zieleni. || To był letni dzień, koło południa, zajebisty gorąc. (WŁ Dobry 32) ◊ *przysł. odprzym.* zajebiście □ Kiel

2. zajebisty 'taki, który się komuś bardzo podoba' 'wspaniały' 'ładny' NP Popatrz na tę laskę z zajebistymi nogami. || Kumpel był z niego zajebisty. ◊ *przysł. odprzym.* zajebiście

zapieprz

zapieprz [D -u, l.mn.: M -e] 'uciążliwe czynności wykonywane w szybkim tempie' 'o wyjątkowo absorbującej pracy' *posp./wulg.*, *eufem.* NP Ojciec się położył. Miał calutki dzień straszny zapieprz. || Co za zapieprz w tym biurze! Kolejka nie ma końca.

zapieprzać

***ktoś* zapieprza.** [ndk] 'ktoś robi coś bardzo szybko' 'ktoś ciężko pracuje' *posp./wulg.*, *eufem.* NP Zapieprzaliśmy w polu całe lato jak lokomotywy. || Maluch już zapieprza po ulicy jak dorosły człowiek. □ Kiel

zapieprzyć *posp./wulg.*, *eufem.*

1. *ktoś₁* zapieprzył *komuś₂* coś. [dk] 'ktoś₁ ukradł komuś₂ coś' NP Zapieprzyli mu wycieraczkę spod drzwi. || Zapieprzył ojcu karton papierosów. □ Kiel

2. *ktoś* zapieprzył się. [dk] 'ktoś upił się do nieprzytomności' NP Zapieprzył się na własnym weselu i pomylił żonę z teściową. || Głupio byłoby się zapieprzyć. (SPS ACh 216)

zapierdalać

ktoś zapierdala. [ndk] 'ktoś robi coś bardzo szybko' 'ktoś ciężko pracuje' *wulg.!* NP Zapierdalał po autostradzie, aż opony piszczały. ‖ Nie zapierdalaj jak mały parowozik. Nie mogę za tobą nadążyć. ‖ Pod koniec miesiąca zawsze zapierdalali, żeby wykonać plan. ☐ Supl, Kiel

zapierdalanki

zapierdalanki [tylko w l.mn.] 'buty' 'wygodne, miękkie buty' *wulg.*, *żart.* NP W tych zapierdalankach będzie ci się dobrze chodzić po górach. ‖ Nie mam żadnych zapierdalanek na urlop. ☐ Stęp

zapierdol

zapierdol [D -u, l.mn.: M -e, D -i] 'uciążliwe czynności wykonywane w szybkim tempie' 'o wyjątkowo absorbującej pracy' *wulg.!* NP Ale dziś był w robocie zapierdol! Skonany jestem. ‖ Pozbył się wreszcie swojej funkcji. Miał zapierdol przez całą kadencję. ☐ Kiel

zapierdolić *wulg.!*

1. ktoś₁ zapierdolił kogoś₂ czymś. [dk] 'ktoś₁ pobił kogoś₂ czymś, powodując, że komuś₂ stało się coś złego' NP Zapierdolił ją nożem kuchennym. ‖ Ubecy zapierdolili go pałami. ☐ Kiel

2. ktoś₁ zapierdolił komuś₂ coś. [dk] 'ktoś₁ ukradł komuś₂ coś' NP Nawet mu teczkę z dokumentami zapierdolili. Szukali pewnie forsy. ‖ W czasie pogrzebu siostry zapierdolili mu kożuch z mieszkania. ☐ Kiel

3. ktoś zapierdolił się. [dk] 'ktoś upił się do nieprzytomności' NP Tak się zapierdolił na weselu, że nie mógł trafić do domu. ‖ Uważaj na niego na tym przyjęciu. Żeby się czasem nie zapierdolił!

zapierdzielać

ktoś zapierdziela. [ndk] 'ktoś robi coś bardzo szybko' 'ktoś ciężko pracuje' *posp./wulg.*, *eufem.* NP Żeby utrzymać rodzinę, trzeba mocno zapierdzielać. ‖ Zapierdzielał na dwóch etatach przez cały rok. ‖ Zapierdzielała w kuchni, żeby zdążyć przed przyjściem gości.

zapierdzielić *posp./wulg., eufem.*

1. ktoś₁ zapierdzielił kogoś₂ czymś. [dk] 'ktoś₁ pobił kogoś₂ czymś, powodując, że komuś₂ stało się coś złego' NP Czym cię tak, biedaku, zapierdzielili? ‖ Stary zapierdzielił kijem pasierbicę. Trzeba było wzywać pogotowie.

2. ktoś₁ zapierdzielił komuś₂ coś. [dk] 'ktoś₁ ukradł komuś₂ coś' NP Konkubina zapierdzieliła mu z konta dwadzieścia patyków. ‖ Okradli pijanego. Nawet mu obrączkę i sygnet zapierdzielili.

3. ktoś zapierdzielił się. [dk] 'ktoś upił się do nieprzytomności' NP Po otrzymaniu dyplomów zapierdzielili się w nocnym klubie. ‖ Ostatniej nocy znów się gdzieś zapierdzielił.

zapiździć *wulg.!*

1. ktoś₁ zapiździł kogoś₂ czymś. [dk] 'ktoś₁ pobił kogoś₂ czymś, powodując, że komuś₂ stało się coś złego' NP Stary zapiździł chłopaka pasem wojskowym. ‖ Rzucił się na nią z ukrycia i zapiździł ją łomem.

2. ktoś₁ zapiździł komuś₂ coś. [dk] 'ktoś₁ ukradł komuś₂ coś' NP Zapiździli im wózek z piwnicy. ‖ Podczas wesela zapiździli mu samochód sprzed bloku.

3. ktoś zapiździł się. [dk] 'ktoś upił się do nieprzytomności' NP Tak się zapiździł w knajpie, że obrzygał kelnera. ‖ Zapiździł się już z samego rana i chciał pójść nago do pracy.

zasrać *wulg.*

1. ktoś zasrał / zasrywa coś. [dk/rzadziej ndk] 'ktoś wypróżniając się zanieczyścił coś kałem' NP Dziecko zasrało cały przedpokój. ‖ Babcia codziennie zasrywała miskę i deskę.

2. ktoś₁ zasrał coś komuś₂. [dk] 'ktoś₁ zrobił komuś₂ coś bardzo złego' 'ktoś₁ zmarnował komuś₂ pewien odcinek czasu' NP Jolka zasrała mężowi cały urlop. ‖ Pierwszy mąż zasrał mi pierwszą połowę życia, a drugi — drugą.

3. zasrany 'taki, do którego mówiący ma wrogi stosunek' 'taki, o którym mówiąc, myśli się jako o kimś a. o czymś bardzo złym' *z pogardą i/lub ze złością* NP To właśnie wtedy Ptasiek wymyśla te zasrane ćwiczenia na wstrzymywanie oddechu. (WW Pt 40) ‖ Który dobry psychiatra pójdzie pracować do zasranego wojska? (WW Pt 160) ‖ Nie będzie mnie gnój zasrany obmacywał... (WW Pt 220) ‖ Mijam bazar... najlepszy kawałek mojego zasranego życia. (WŁ Dobry 25)

zasraniec

zasraniec 'o kimś, do kogo mówiący ma wrogi stosunek' 'smarkacz' *posp./wulg.*, *z pogardą i/lub ze złością* NP Ten zasraniec nie chce się ode mnie odczepić. ‖ A co ty możesz pisać, zasrańcu... — co ty wiesz o życiu, żeby pisać cokolwiek. (DB Mała 23)

Jednostka używana też jako wyzwisko.

zasyfić

***ktoś* zasyfił *coś₁ czymś₂*.** [dk] 'ktoś zanieczyścił coś₁ czymś₂' 'ktoś spowodował, że coś₁ jest bardzo brudne' 'ktoś spowodował, że gdzieś jest brud, smród i bałagan' *wulg. obycz.* NP Ktoś mu zasyfił całą marynarkę jakimś świństwem. ‖ Łobuzy zasyfiły całą klatkę schodową petami i ogryzkami.

zaszczać

***ktoś* zaszczał *coś*.** [dk] 'ktoś zanieczyścił coś moczem' *wulg.* NP Ktoś zaszczał całą wycieraczkę przed naszymi drzwiami. ‖ Kto zaszczał kafelki w łazience?

zbrandzlować

***ktoś* zbrandzlował się.** [dk] 'ktoś onanizując się doznał orgazmu' *posp./wulg.* NP Chłopiec zobaczył w pociągu ogromne cyce i od razu się zbrandzlował. ‖ Czy ty się zbrandzlowałeś? — zapytała matka, patrząc na mokre spodnie syna. ☐ Kiel

zbuki

zbuki [tylko l.mn.; zbuk 'jajo ptasie w stanie rozkładu'] 'jądra męskie' *wulg. obycz.* NP Boże! Cóż za maleńkie zbuki u takiego chłopa! ‖ Prawą ręką pieściła mu zbuki, a lewą wkładała sobie kutasa. ☐ Dąbr: 207, Kiel, Stęp, Tuf

zdechnąć

Bodajby / Żeby zdechł! *przekl.* NP Co za wstrętna baba! Bodajby zdechła! ‖ Nie mogę patrzeć na tego łajdaka. Żeby zdechł! ☐ SJPD **171**

zdupczyć

ktoś₁ **zdupczył kogoś**₂. [dk] 'o partnerze aktywnym: ktoś₁ odbył z kimś₂ stosunek seksualny' *wulg.* NP Jakiś Arab zdupczył ją w wagonie sypialnym. ‖ Nie pozwolę, żeby mnie byle kto zdupczył — powiedziała odważnie Anka.

zdzira

zdzira 'o kobiecie, do której mówiący ma wrogi stosunek' *posp./wulg., pogard.* NP Nawymyślał jej od zdzir. ‖ Wsiadaj, zdziro! — Zdzira wsiada, taksówka odjeżdża. (NIE) ‖ ... goniła za nami jak pies, który się grzeje... nie mogliśmy się pozbyć tej zdziry! (HM Zwr 158) □ Kiel, Supl

zebździć

ktoś zebździł się. [dk] 'ktoś puścił bąka' 'ktoś wydzielił przez odbyt brzydki zapach' 'ktoś zesmrodził się' *posp./wulg.* NP Piotrek zebździł się wczoraj podczas lekcji geografii. ‖ Pewien dygnitarz tak się zebździł na konferencji prasowej, że trzeba było otworzyć wszystkie okna. □ Dąbr: 229, Kiel

zerżnąć

ktoś₁ **zerżnął kogoś**₂. [dk] 'o partnerze aktywnym: ktoś₁ odbył z kimś₂ stosunek seksualny' *wulg. obycz.* NP Założę się, że pan uważa, że ktoś mnie powinien porządnie zerżnąć. (JI Świat 201) ‖ Nigdy nie zerżnę tej dziwki — mówił. — Nie ma dla mnie szacunku. (HM Zwr 171) ‖ Weź mnie tam na górę i zerżnij, w jaki chcesz sposób, ile razy chcesz... (WŁ Naj 384) ‖... wyszukał sobie najczarniejszą dziwkę, jaką mógł znaleźć, i zerżnął ją tak, że dupa ją rozbolała. (SPS ACh 48) □ SJPD, SJPSz, Skor, Bog-Waw: 323, Tuf

zesrać

1. ktoś zesrał się / zesrywa się. [dk/rzad. ndk] 'ktoś wypróżnił się gdzieś mimo woli, zanieczyszczając się kałem' *wulg.* NP Piotr zesrał się na fotelu dentystycznym. ‖ Staruszek był już w takim stanie, że zesrywał się parę razy dziennie. □ Supl, Inf

2. ktoś zesrał się. [tylko dk] 'ktoś nie sprostał zadaniu, jakie przed nim stanęło' *posp./wulg.* NP Prędzej się zesra, niż napisze to wypracowanie. ‖ Udało mu się naprawić tę pralkę? — Tak, tak, zesrał się. □ Bog-Waw: 453

172

3. Nie strasz, nie strasz, bo się zesrasz. [ndm] 'mówiący daje adresatowi do zrozumienia, że lekceważy sobie jego groźbę' *posp./wulg.*, *rytmizowane*, *obrazowe* NP Nie gadaj w kółko o tym samym, bo cię stąd wyrzucę! — Nie strasz, nie strasz, bo się zesrasz. ‖ Oddaj tę piłkę, bo zawołam ojca i dostaniesz lanie. — Nie strasz, nie strasz, bo się zesrasz. □ Bog-Waw: 351

zeszczać

ktoś zeszczał się. [dk] 'ktoś oddał gdzieś mocz mimo woli, zanieczyszczając się nim' *wulg.* NP Pijany kapral zeszczał się na warcie. ‖ Maszerują w kółko, każdy ze śniadaniówką, żrą i robią, co mogą, żeby się nie zeszczać. (WW Pt 76)

zjebać *wulg.!*

1. ktoś a. **coś₁ zjebał/o coś₂.** [dk] 'ktoś zrobił coś₂ źle' 'ktoś popsuł coś₂' 'ktoś a. coś₁ zniszczył/o coś₂' NP Chyba zjebałem te palniki gazowe, niczego nie można ugotować. ‖ Dziki zjebały mi cały zagon ziemniaków.

2. ktoś zjebał się czymś. [dk] 'ktoś bardzo się zmęczył robieniem czegoś' NP Tak się zjebała usypianiem dziecka, że nie wiedziała, kiedy sama zasnęła. ‖ Zjebał się potwornie przepychaniem kibla. ‖ Zjebał się całonocną sraczką.

złamaniec

złamaniec 'o kimś, czyje postępowanie mówiący ocenia jako bardzo złe' *wulg. obycz.* NP Ten złamaniec ośmielił się pójść na niego na skargę. ‖ Mam wstręt do tego złamańca. □ Bog-Waw: 455 (nawiązuje do jednostki 'chuj złamany')

Jednostka używana też jako wyzwisko.

znać

niech kogoś [tylko zaimki osobowe] **nie znam!** [ndm] *przekl.* NP Ostatnio opowiadasz jakieś głupstwa o mnie. Niech cię nie znam! ‖ Podwala się do mojego chłopaka, suka. Niech jej nie znam! □ SJPD, SJPSz

zrąbać *wulg. obycz.*

1. ktoś₁ zrąbał kogoś₂. [dk] 'o partnerze aktywnym: ktoś₁ odbył z kimś₂ stosunek seksualny' NP Zwabił ją podstępnie do hotelu i tam ją zrąbał. ‖ Na wycieczce szkolnej zrąbał Jolkę w lesie. □ Skor, Bog-Waw: 462

173

2. *ktoś* zrąbał się. [dk] 'ktoś wypróżnił się gdzieś mimo woli, zanieczyszczając się kałem' NP Zrąbała się wczoraj na badaniach ginekologicznych.
‖ Zrąbał się podczas lekcji geografii. Wszyscy koledzy uciekli.

zrypać

ktoś₁ zrypał ***kogoś₂***. [tylko dk] 'o partnerze aktywnym: ktoś₁ odbył
z kimś₂ stosunek seksualny' *wulg. obycz.* NP Spotkał dawną koleżankę
szkolną i od razu ją zrypał. ‖ Pierwszy raz w życiu zrypał jakąś dziwkę
i od razu coś złapał.

zwiędlak

zwiędlak 'o zwiotczałym członku męskim' *wulg. obycz.* NP Nie możemy
nic robić ze sobą, skoro masz takiego zwiędlaka. ‖ Przyszedł do niej
z ogromną fujarą, wyszedł ze zwiędlakiem.

zwisać *wulg. obycz.*

1. *komuś* zwisa. [tylko ndk] 'o mężczyźnie: ktoś ma zwiotczałego
członka' NP On chyba jej nie zrobi krzywdy: stale mu zwisa. ‖ Idź sobie
stąd do diabła, przecież ci zwisa! □ Kiel

2. *coś komuś* zwisa. [tylko ndk] 'coś kogoś nic nie obchodzi' 'coś jest
komuś obojętne' NP Zawsze mu zwisały wszystkie prośby matki. ‖ Zwisa
mi ta twoja opinia.

Ż

żeby

żeby *kogoś* a. **coś** [tylko zaimki]! *przekl.* NP Gdzieś podziałem długopis.
Żeby go! ‖ Dlaczego ona ciągle nie wraca? Żeby ją! ‖ Co za wstrętna
pogoda! Żeby to! □ SJPD, SJPSz

○ ZOB. PONADTO: Bóg 2, cholera 2–4, chuj 6–9, czort 1, diabeł 2–4, drzwi,
dunder, jebać 5, kark, krew 1, 2, licho 1, 2, piekło 1, pies 1, piorun 1, 2,
pojebać 4, pokręcić, poskręcać, potaśtać, prąd, szlag 1, 2, zdechnąć

żyleta

żyleta 'kobieta o wysokiej sprawności i aktywności seksualnej' *wulg.*
obycz. NP Namęczyć się musiał chłopak, żeby tę żyletę zaspokoić.
‖ Wygląda na spokojną dziewczynę, a w łóżku to dopiero żyleta! □ Kiel,
Stęp, Tuf

174

ANEKS
Wulgaryzmy synonimiczne (w układzie tematycznym)

Charakterystyka semantyczna wulgaryzmów pozwala na obserwację, że duża ich liczba tworzy grupy wyrażeń o identycznych lub pokrewnych znaczeniach. Niektóre znaczenia mogą być reprezentowane nawet przez dziesiątki jednostek. Bez większych kłopotów dałoby się więc odpowiedzieć na pytanie, jakiego rodzaju treści przekazywane są najczęściej za pomocą wulgaryzmów. Z głównej części Słownika, zawierającej artykuły hasłowe, wybrane zostały największe pod względem ilościowym serie wulgaryzmów synonimicznych, a ściślej mówiąc takich, które są względem siebie równoznaczne. Serie te zestawiono w układzie tematycznym. Pod każdym z wymienionych niżej znaczeń podana jest alfabetyczna lista reprezentujących to znaczenie jednostek synonimicznych. Spośród par jednostek czasownikowych tworzących sufiksalne opozycje aspektowe wybierano — dla przejrzystości obrazu — tylko jedną jednostkę, typową dla danej serii wulgaryzmów.

1. Wulgaryzmy nazywające części ciała

A. 'członek męski'

armata	flet	kutas
banan	fujara	laska
chuj	grucha	maczuga
człon	interes	ogon
dłuto	kapucyn	pała
dziobak	koń	stojak
fajfus	korzeń	trzonek
fiut	kuśka	wał

B. 'żeński narząd płciowy'

cipa	kuciapka	pizda
dupa	picza	szpara
dziura	pipa	zagajnik

C. 'jądra męskie'

dzwon	torba
jaja/jajca/jajka	wór
nabiał	zbuki

D. 'piersi kobiece' 'biust'

bar mleczny	mleczarnia
bufory	nabiał
cyce	

2. Wulgaryzmy charakteryzujące czynności i postawy mówiącego względem obiektów i sytuacji

2.1. Wulgaryzmy charakteryzujące czynności

2.1.1. akty seksualne i inne czynności związane z seksem

A. 'ktoś$_1$ współżyje z kimś$_2$ seksualnie'
(w wykazie nie uwzględnia się ograniczeń nałożonych na zmienną *ktoś$_1$*)

ktoś$_1$ bzyka kogoś$_2$	ktoś$_1$ jebie kogoś$_2$ w dupę
ktoś$_1$ chędoży kogoś$_2$	ktoś$_1$ łomoce kogoś$_2$
ktoś$_1$ ciupcia kogoś$_2$	ktoś$_1$ obrabia komuś$_2$ dupę
ktoś$_1$ czochra kogoś$_2$	ktoś$_1$ pieprzy kogoś$_2$
ktoś$_1$ dłubie kogoś$_2$	ktoś$_1$ pierdoli kogoś$_2$
ktoś$_1$ dmucha kogoś$_2$	ktoś$_1$ piłuje komuś$_2$ szparę
ktoś$_1$ dosiada czyjejś$_2$ dupy	ktoś$_1$ posuwa kogoś$_2$
ktoś$_1$ dupczy kogoś$_2$	ktoś$_1$ pruje kogoś$_2$
ktoś$_1$ dyma kogoś$_2$	ktoś$_1$ rąbie kogoś$_2$
ktoś$_1$ dziobie kogoś$_2$	ktoś$_1$ rucha kogoś$_2$
ktoś$_1$ dziubie kogoś$_2$	ktoś$_1$ rypie kogoś$_2$
ktoś$_1$ grzmoci kogoś$_2$	ktoś$_1$ rżnie kogoś$_2$
ktoś$_1$ hebluje kogoś$_2$	ktoś$_1$ sunie kogoś$_2$
ktoś$_1$ jebie kogoś$_2$	ktoś$_1$ ujeżdża kogoś$_2$/na kimś$_2$

B. 'ktoś₁ odbył z kimś₂ stosunek seksualny'
   (w wykazie nie uwzględnia się ograniczeń nałożonych na zmienną *ktoś₁*)

ktoś₁ przedmuchał kogoś₂
ktoś₁ przedupczył kogoś₂
ktoś₁ przedymał kogoś₂
ktoś₁ przejebał kogoś₂
ktoś₁ przekotłował kogoś₂
ktoś₁ przeleciał kogoś₂
ktoś₁ przepieprzył kogoś₂
ktoś₁ przepierdolił kogoś₂
ktoś₁ przeruchał kogoś₂
ktoś₁ przerypał kogoś₂
ktoś₁ przerżnął kogoś₂
ktoś₁ przykutasił kogoś₂
ktoś₁ rozpruł kogoś₂
ktoś₁ rozrypał kogoś₂
ktoś₁ wbił kogoś₂ na pal
ktoś₁ wyciupciał kogoś₂

ktoś₁ wyczochrał kogoś₂
ktoś₁ wydmuchał kogoś₂
ktoś₁ wydupczył kogoś₂
ktoś₁ wydymał kogoś₂
ktoś₁ wyjebał kogoś₂
ktoś₁ wyłomotał kogoś₂
ktoś₁ wypieprzył kogoś₂
ktoś₁ wypierdolił kogoś₂
ktoś₁ wyruchał kogoś₂
ktoś₁ wyrypał kogoś₂
ktoś₁ zakisił/zamoczył ogóra₂
ktoś₁ zdupczył kogoś₂
ktoś₁ zerżnął kogoś₂
ktoś₁ zrąbał kogoś₂
ktoś₁ zrypał kogoś₂

C. 'ktoś₁ drażni komuś₂ ustami członka, chcąc spowodować wytrysk'

ktoś₁ ciągnie komuś₂ fleta
ktoś₁ ciągnie /obciąga/ robi komuś₂ laskę
ktoś₁ ciągnie /obciąga/ szarpie komuś₂ druta
ktoś₁ gra komuś₂ na flecie
ktoś₁ obciąga komuś₂ pałę

D. 'ktoś onanizuje się'

ktoś bije gruchę /leci/strzela/śmiga w gruchę
ktoś bije /rąbie/trzepie/ wali konia
ktoś bije /trzepie/ wali stojaka
ktoś brandzluje się
ktoś trzepie/wali kapucyna

2.1.2. czynności nie związane z seksem

A. 'ktoś₁ przyczepił się do kogoś₂ a. do czegoś'

ktoś₁ dojebał się do kogoś₂ a. czegoś
ktoś₁ dopieprzył się do kogoś₂ a. czegoś
ktoś₁ dopierdolił się do kogoś₂ a. czegoś
ktoś₁ dopierdzielił się do kogoś₂ a. czegoś

177

ktoś₁ dopiździł się do kogoś₂ a. czegoś
ktoś₁ przyjebał się do kogoś₂ a. czegoś
ktoś₁ przypieprzył się do kogoś₂ a. czegoś
ktoś₁ przypierdolił się do kogoś₂ a. czegoś
ktoś₁ przypierdzielił się do kogoś₂ a. czegoś
ktoś₁ przypiździł się do kogoś₂ a. czegoś

B. 'ktoś₁ przygadał komuś₂' 'ktoś₁ powiedział komuś₂ coś nieprzyjemnego'

ktoś₁ dopieprzył komuś₂   ktoś₁ dosrał komuś₂
ktoś₁ dopierdolił komuś₂   ktoś₁ podesrał komuś₂
ktoś₁ dopierdzielił komuś₂   ktoś₁ przysrał komuś₂

C. 'coś się rozbiło' 'coś uległo uszkodzeniu'

coś dupnęło   coś rozjebało się
coś jebnęło   coś rozpieprzyło się
coś pieprznęło   coś rozpierdoliło się
coś pierdolnęło   coś rozpierdzieliło się
coś pierdzielnęło   coś rozpiździło się

D. 'ktoś₁ uderzył kogoś₂ czymś₁ w coś₂'

ktoś₁ jebnął kogoś₂ czymś₁ w coś₂
ktoś₁ pieprznął kogoś₂ czymś₁ w coś₂
ktoś₁ pierdolnął kogoś₂ czymś₁ w coś₂
ktoś₁ pierdzielnął kogoś₂ czymś₁ w coś₂
ktoś₁ pizdnął kogoś₂ czymś₁ w coś₂
ktoś₁ przyjebał komuś₂ czymś₁ w coś₂
ktoś₁ przypieprzył komuś₂ czymś₁ w coś₂
ktoś₁ przypierdolił komuś₂ czymś₁ w coś₂
ktoś₁ przypierdzielił komuś₂ czymś₁ w coś₂
ktoś₁ wyjebał kogoś₂ czymś₁ w coś₂

E. 'ktoś₂ ukradł coś komuś₁'

ktoś₁ jebnął komuś₂ coś   ktoś₁ podpierdzielił komuś₂ coś
ktoś₁ pieprznął komuś₂ coś   ktoś₁ podpiździł komuś₂ coś
ktoś₁ pierdolnął komuś₂ coś   ktoś₁ zajebał komuś₂ coś
ktoś₁ pierdzielnął komuś₂ coś   ktoś₁ zapieprzył komuś₂ coś
ktoś₁ podesrał komuś₂ coś   ktoś₁ zapierdolił komuś₂ coś
ktoś₁ podjebał komuś₂ coś   ktoś₁ zapierdzielił komuś₂ coś
ktoś₁ podpieprzył komuś₂ coś   ktoś₁ zapiździł komuś₂ coś

ktoś₁ podpierdolił komuś₂ coś

F. 'ktoś upił się do nieprzytomności'

ktoś zadupczył się
ktoś zajebał się
ktoś zapieprzył się

ktoś zapierdolił się
ktoś zapierdzielił się
ktoś zapiździł się

2.2. Wulgaryzmy, za pomocą których mówiący ocenia kogoś lub coś

A. 'oferma' 'o kimś niezaradnym'

chujoza
cipa
dupa
dupa wołowa
dupek
dupek żołędny

dupuś
kutas
pipa
pizda
pizda w korach

B. 'o kimś, czyje postępowanie ocenia się jako bardzo złe' 'łajdak' 'człowiek podły'

chuj
chuj pierdolony/rybi/złamany
chuj w dupę jebany
gówno śmierdzące
kurewskie nasienie
kurwa

menda
pizda
piździelec
skurwiel
skurwysyn
sukinsyn

C. 'o kimś, kto jest niespełna rozumu' 'o kimś, kto zwariował'

jebnięty
ktoś ma/dostaje pierdolca
ktoś ma najebane we łbie
ktoś ma nasrane do głowy/w głowie
ktoś ochujał

komuś odjebało
pieprznięty
pierdolnięty
pojeb
kogoś pojebało

D. 'taki, o którym mówiąc myśli się jako o kimś a. o czymś bardzo złym' 'taki, do którego mówiący ma wrogi stosunek'

jebany
kurewski
pieprzony
pierdolony
pojebany

skurwysyński
w dupę jebany/kopany/pierdolony
w mordę jebany
w pizdę jebany
zasrany

BIBLIOGRAFIA

Przekleństwa, wulgaryzmy i zagadnienia pokrewne w literaturze językoznawczej

Aman R., 1986, Bayrisch-Österreichisches Schimpfwörterbuch. A Dictionary of 2500 Bavarian and Austrian terms of abuse. In Bavarian and German. Munich: Maledicta Press.

Andersson L.-G., 1983, Dirty words you remember. Papers from the 7th Scandinavian Conference of Linguistics 7, 276–292.

Andersson L.-G., Hirsch R., 1985, A Project on Swearing: A Comparison between American English and Swedish. Göteborg: University of Göteborg.

Andersson L.-G., Hirsch R., 1985, Perspectives on Swearing. Göteborg: University of Göteborg.

Andersson L.-G., Trudgill P., 1990, Bad Language, Oxford: Basil Blackwell Ltd.

Bailey L.A., Timm L.A., 1976, More on women's — and men's — expletives. Anthropological Linguistics, Bloomington 18, 438–449.

Balcerzan E., 1966, Brzydkie słowa w literaturze pięknej. Nurt 4, 34–35.

Bąk P., 1974, Przerywniki jako charakterystyczna cecha języka potocznego. Poradnik Językowy 1, 24–30.

Bera M., w druku, Jednostki leksykalne z wyrażeniami *cholera* i *diabeł*. Próba analizy semantycznej. Polonica.

Bogusławski A., Wawrzyńczyk J., 1993, Polszczyzna, jaką znamy. Nowa sonda słownikowa. Warszawa.

Bula D., Nawacka J., 1985, O pewnym typie aktów mowy (akty obrażania i pochlebiania). W: Z problemów współczesnej polszczyzny, red. H. Wróbel, Katowice: Prace Naukowe Uniwersytetu Śląskiego 690, Prace Językoznawcze 10, 65–73.

Caradec F., 1977, Dictionnaire du français argotique et populaire. Paris: Librairie Larousse.

Chastaing M., Hervé A., 1980, Psychologie des Injures. Journal de Psychologie Normale et Pathologique, Paris 1, 31–62.

Chmielewska B., 1993, Graffiti erotyczno-obsceniczne. W: Eros. Psyche. Seks, red. R. Piętkowa, Katowice, 109–114.

Claire E., 1993, Niebezpieczny angielski. Leksykalna przygoda. Otwock.

Črnek F., 1927, Ze studiów nad eufemizmami w językach słowiańskich. Sprawozdania Towarzystwa Naukowego we Lwowie 8, 15–21.

Czarnecka K., Zgółkowa H., 1991, Słownik gwary uczniowskiej. Poznań.

Danninger E., 1982, Tabubereiche und Euphemismen. W: Sprachteorie und angewandte Linguistik. Festschrift für Alfred Wollman zum 60. Geburtstag. Tübingen.

Dąbrowska A., 1990, Zniekształcanie obrazu rzeczywistości poprzez użycie pewnych środków językowych (eufemizm i kakofemizm). W: Językowy obraz świata, red. J. Bartmiński, Lublin: UMCS, 231–244.

Dąbrowska A., 1991, Eufemizmy życia codziennego. Zarys problematyki na materiale polskiej powieści kryminalnej współczesnej i międzywojennej. W: Język a kultura 2, red. J. Puzynina, J. Bartmiński, Wrocław, 163–180.

Dąbrowska A., 1991, Kwalifikowanie eufemizmów przez niektóre współczesne słowniki języka polskiego. W: Język a kultura 1, red. J. Anusiewicz, J. Bartmiński, Wrocław, 131–136.

Dąbrowska A., 1991, Tekstowe sygnały wprowadzania eufemizmów. Biuletyn Polskiego Towarzystwa Językoznawczego 46, 105–109.

Dąbrowska A., 1992, Eufemizmy mowy potocznej. W: Język a kultura 5, red. J. Anusiewicz, F. Nieckula, Wrocław, 119–178.

Dąbrowska A., 1992, O eufemizmach w języku. Acta Universitatis Wratislaviensis. Studia Linguistica 15, 25–31.

Dąbrowska A., 1993, Eufemizmy współczesnego języka polskiego. Wrocław: Wydawnictwa Uniwersytetu Wrocławskiego.

Dąbrowska A., 1993, Niektóre problemy związane z definiowaniem w słowniku eufemizmów. W: O definicjach i definiowaniu, red. J. Bartmiński, R. Tokarski, Lublin: UMCS, 365–369.

Dąbrowska K., 1983, Napór na Redutę. Szkice literackie. Wrocław: Ossolineum.

Engelking A., 1984, Istota i ewolucja eufemizmów (na przykładzie zastępczych określeń śmierci). Przegląd Humanistyczny 6, 115–129.

Engelking A., 1987, Rozważania o magicznej mocy słowa. Zamawiania, zażegnywania i zaklinania. Regiony 1, 49–61.

Engelking A., 1989, „Kląć na czym świat stoi...” według „Księgi przysłów” i słowników języka polskiego. Przegląd Humanistyczny 7, 81–93.

Engelking A., 1990, Klątwa rodzicielska w kulturze ludowej. Etnolingwistyka 3, Lublin: UMCS.

Engelking A., 1991, Magiczna moc słowa w polskiej kulturze ludowej. W: Język a kultura 1, red. J. Anusiewicz, J. Bartmiński, Wrocław, 157–165.

Gläser R., 1966, Euphemismen in der englischen und amerikanischen Publizistik. Zeitschrift für Anglistik und Amerikanistik 14, 3, 229–258.

Grabias S., 1981, O ekspresywności języka. Ekspresja a słowotwórstwo. Lublin: Wydawnictwo Lubelskie.

Grochowski M., 1988, O zasadach wyjaśniania znaczeń jednostek leksykalnych nieneutralnych stylistycznie. Annales UMCS. Sectio FF, VI, 22, 249–256.

Grochowski M., 1990, Wprowadzenie do analizy pojęcia przekleństwa. Acta Universitatis Nicolai Copernici. Filologia Polska 34, 83–99.

Grochowski M., 1991, Przekleństwo i wulgaryzm jako kwalifikatory pragmatyczne jednostek leksykalnych. Acta Universitatis Nicolai Copernici. Filologia Polska 36, 3–26.

Grzegorczykowa R., 1991, Obelga jako akt mowy. Poradnik Językowy 5–6, 193–200.

Haas M., 1964, Interlingual Word Taboo. W: Language in Culture and Society, ed. D. Hymes, New York: Harper and Row, 489–494.

Handke K., 1994, Wulgaryzmy w języku Polek XX wieku. W: Polszczyzna dawna i współczesna. Materiały z ogólnopolskich konferencji językoznawczych, red. Cz. Łapicz, Toruń: UMK, 49–60.

Hedegüs L., 1958, Beiträge zur Problem des sprachlichen Tabu und der Namenmagie. Orbis 7, 79–96.

Hill D., 1985, The Semantics of some Interjectional Constructions in Australian English. Canberra.

Hyams P., 1981, Rhyming slang and the dictionary. Grazer Linguistische Studien, Graz 15, 129–142.

Kaczmarek L., Skubalanka T., Grabias S., 1994, Słownik gwary studenckiej. Lublin: UMCS.

Kania S., 1976, „Kobieta lekkich obyczajów" w języku polskim. W: Studia i materiały WSP w Zielonej Górze. Nauki Filologiczne 5, 53–64.

Kania S., 1978, O argotyzmach we współczesnej polszczyźnie. W: Z zagadnień słownictwa współczesnego języka polskiego, red. M. Szymczak, Wrocław: Ossolineum, 125–131.

Kania S., 1995, Słownik argotyzmów. Warszawa.

Kempf Z., 1985, Wyrazy „gorsze" dotyczące zwierząt. Język Polski 65, 2–3, 125–144.

Kempf Z., 1989, Dwa aspekty wyrazów negatywnych dotyczących zwierząt. Język Polski 69, 3–5, 208–209.

Kielbasa S., 1978, Dictionary of Polish Obscenities. Buffalo.

Kita M., 1989, Wypowiedzi przerwane we współczesnym polskim języku potocznym. Na materiale autentycznych tekstów potocznych i tekstów beletrystycznych. Katowice: Prace Naukowe Uniwersytetu Śląskiego 1036.

Kita M., 1991, Ekspansja potoczności. W: Prace Językoznawcze 19, Studia polonistyczne, red. A. Kowalska, A. Wilkoń, Katowice: Prace Naukowe Uniwersytetu Śląskiego 1178, 83–90.

Kita M., Perswazyjne użycie języka potocznego w kontakcie ogólnym. W: Z problemów współczesnego języka polskiego, red. A. Wilkoń, J. Warchala, Katowice: Prace Naukowe Uniwersytetu Śląskiego 1342, 33–41.

Klemensiewicz Z., 1965, Higiena językowego obcowania. Język Polski 45, 1, 1–8; przedruk w: Z. Klemensiewicz, Ze studiów nad językiem i stylem, Warszawa: PWN 1969, 7–14.

Koszyk S., 1956, Wyzwiska, przezwiska i dosadne wyrażenia Opolan. Kwartalnik Opolski 1, 107–119.

Kowalikowa J., 1991, Słownictwo młodych mieszkańców Krakowa. Zeszyty Naukowe Uniwersytetu Jagiellońskiego. Prace Językoznawcze 105, Kraków.

Kowalikowa J., 1994, Znaczenie i funkcja wyrazów tzw. brzydkich we współczesnej polszczyźnie mówionej. W: Współczesna polszczyzna mówiona w odmianie opracowanej (oficjalnej), red. Z. Kurzowa, W. Śliwiński. Kraków: Universitas, 107–113.

Krawczyk A., 1978, Bestia, czyli o pewnym tabu i eufemizmach w gwarach. Język Polski 58, 272–282.

Krawczyk-Tyrpa A., 1987, Frazeologia somatyczna w gwarach polskich. Związki frazeologiczne o znaczeniach motywowanych cechami części ciała. Wrocław: Ossolineum.

Krawczyk-Tyrpa A., 1994, Tabu językowe w czasie i przestrzeni. Przegląd problematyki. Opuscula polonica et russica 2, Toruń: UMK, 87–98.

Kuryło E., 1989, Elementy socjolingwistyczne w pragmatycznym opisie wyrazu. W: Wokół słownika współczesnego języka polskiego II, Wrocław: Ossolineum, 83–95.

Labov W., 1972, Rules for Ritual Insults. W: Studies in Social Interaction, ed. D. Sudnow. New York: The Free Press, 120–169.

Leach E., 1964, Anthropological Aspects of Language: Animal Categories and Verbal Abuse. W: New Directions in the Study of Language, ed. E. Lennberg. Cambridge, Mass: MIT Press, 23–65.

Leszczyński Z., 1988, Szkice o tabu językowym. Lublin: KUL.

Lewiński P. H., 1994, Elementy etosu rycerskiego w języku młodzieży szkolnej. W: Język a kultura 10, red. J. Anusiewicz, B. Siciński, Wrocław, 93–107.

Luchtenberg S., 1975, Untersuchung zu Euphemismen in der deutschen Gegenwartssprache, Bonn.

McDonald J., 1989, A Dictionary of Obscenity, Taboo and Euphemism. London: Sphere Books Ltd.

Montagu A., 1967, The Anatomy of Swearing. New York: Macmillian Publishing Co.

Nitsch K., 1952, Nagi — wyraz nieprzyzwoity. Język Polski 32, 36–37.

Nowak A., 1992, rec., Słownik wyrazów brzydkich (obelżywe słowa, wulgarne wyrażenia, przekleństwa polsko-angielsko-niemiecko-francusko-włosko-hiszpańskie) Kraków: Total Press 1992, W: Odra 12, 114–116.

Oliver M. M., Rubin J., 1975, The use of expletives by some American women. Anthropological Linguistics 17, 191–197.

Oryńska A., 1986, Dziedziny działania tabu językowego w żargonie więziennym. Rozprawy Komisji Językowej Łódzkiego Towarzystwa Naukowego 32, Wrocław: Ossolineum, 203–207.

Oryńska A., 1991, Zasady komunikowania w gwarze więziennej — tabu i eufemizmy. W: Język a kultura 1, red. J. Anusiewicz, J. Bartmiński, Wrocław, 191–203.

Oryńska A., 1991, Kategorie semantyczne leksyki języka potocznego i gwary więziennej. W: Język a kultura 2, red. J. Puzynina, J. Bartmiński, Wrocław, 81–106.

Oryńska A., 1991, Walka na słowa. O pewnych zachowaniach magicznojęzykowych w gwarze więziennej i w subkulturze dzieci i nastolatków. W: Język a kultura 3, red. J. Puzynina, J. Anusiewicz, Wrocław, 69–73.

Ożóg K., 1981, O współczesnych polskich wyrazach obraźliwych. Język Polski 61, 3–5, 179–187.

Parry R. D., 1976, On swearing. The Personalist, Los Angeles, 57, 266–271.

Przybylska R., 1986, Co się komu „ciśnie na usta", czyli o pewnym typie wyrażeń ekspresywnych. Język Polski 66, 5, 347–351.

Przybylska R., 1987, Współczesne polskie słownictwo erotyczne. W: Język-Teoria-Dydaktyka 8, Kielce, 97–109.

Rieber R. W., Wiedemann C., D'Amato J., 1979, Obscenity: Its frequency and context of usage as compared in males, nonfeminist females and feminist females. Journal of Psycholinguistic Research, New York, 8, 3, 201–223.

Rodríguez González F., 1992, Euphemism and political language. UEA Papers in Linguistics 33, 36–49.

Sagarin E., 1962, The Anatomy of Dirty Words. New York: Lyle Stuart Publisher.

Simons G. F., 1982, Word taboo and comparative Austronesian linguistics. W: Halim A., Carrington L., Wurm S. A., eds., Papers from the International Conference on Austronesian Linguistics 3, Pacific Linguistics, Canberra, 157–226.

Słownik wyrazów brzydkich (obelżywe słowa, wulgarne wyrażenia, przekleństwa polsko-angielsko-niemiecko-francusko-włosko-hiszpańskie), Kraków: Total-Press 1992.

Słownik wyrazów brzydkich (obelżywe słowa, wulgarne wyrażenia, przekleństwa polskie, angielskie, niemieckie, francuskie, włoskie, hiszpańskie, rosyjskie, słowackie), Kraków: Total-Trade 1994.

Słuszkiewicz E., 1955, „Jechać do Rygi" (uczciwszy uszy). Poradnik Językowy 6, 225–231.

Smal-Stocki R., 1950, Taboos on Animal Names in Ukrainian. Language 26, 489–493.

Sornig K., 1975, Beschimpfungen. Grazer Linguistische Studien, Graz 1, 150–170.

Spears R. A., 1982, Slang and Euphemism. New York: Signet.

Spears R.A., 1990, Forbidden American English. Lincolnwood: NTC Publishing Group.

Staley C. M., 1978, Male-female use of expletives: A heck of a difference in expectations. Anthropological Linguistics, Bloomington, 20, 8, 367–380.

Staszko-Maniawska E., 1989, Słownictwo potoczne o ograniczonym paradygmacie. W: Wokół słownika współczesnego języka polskiego II, red. W. Lubaś, Wrocław: Ossolineum, 69–81.

Steffen W., 1986, Wyrazy „lepsze" i „gorsze". Język Polski 66, 5, 336–340.

Stępniak K., 1974, Słowo i magia w świecie przestępczym. Poradnik Językowy 6, 296–300.

Stępniak K., 1986, Słownik gwar środowisk dewiacyjnych. Warszawa: Departament Szkolenia i Doskonalenia Zawodowego MSW.

Stępniak K., Podgórzec Z., 1993, Słownik tajemnych gwar przestępczych. Londyn: Puls.

Szczerbowski T., 1990, rec., Z. Leszczyński, Szkice o tabu językowym. Lublin: KUL 1988. W: Język Polski 70, 5, 238–240.

Szober S., 1932, Eufemistyczne przekształcenia wyrazów i zwrotów. Poradnik Językowy 9–10, 255–257.

Szwecow-Szewczyk M., 1974, Tabu i eufemizmy językowe dawniej i dziś. Poradnik Językowy 6, 285–293.

Taylor B.A., 1975, Towards a Structural and Lexical Analysis of 'Swearing' and the Language of Abuse in Australian English. Linguistics 164, 17–43.

Trost P., 1936, Bemerkungen zum Sprachtabu. Travaux du Cercle Linguistique de Prague 6, 288–294.

Truszkowski W., 1986, O eufemizmach we współczesnym języku polskim. Rocznik Naukowo-Dydaktyczny WSP w Krakowie, Prace Językoznawcze 5, 129–142.

Tuftanka U., 1993, Zakazane wyrazy. Słownik sprośności i wulgaryzmów. Warszawa: Wydawnictwo „O".

Walczak B., 1988, Magia językowa dawniej i dziś. W: Język zwierciadłem kultury czyli nasza codzienna polszczyzna, red. H. Zgółkowa, Poznań: Wydawnictwo Poznańskie, 54–68.

Walczak B., 1990, rec., Z. Leszczyński, Szkice o tabu językowym, Lublin: KUL 1988. W: Polonica 15, 172–176.

Widawski M., 1992, Słownik slangu i potocznej angielszczyzny. Gdańsk: Slang Books.

Widawski M., 1994, The Fucktionary. Słownik wyrażeń z *fuck*. Gdańsk-Elbląg: Wyd. Comprendo Publ.

Widłak S., 1963, Tabu i eufemizm w językach nowożytnych. Biuletyn Polskiego Towarzystwa Językoznawczego 22, 89–102.

Widłak S., 1965, Zagadnienie tabu i eufemizmu w językach romańskich. Kwartalnik Neofilologiczny 12, 1, 73–79.

Widłak S., 1968, Zjawisko tabu językowego. Lud 52, 7–23.

Widłak S., 1970, Moyens euphémistiques en italien contemporain. Zeszyty Naukowe Uniwersytetu Jagiellońskiego. Prace Językoznawcze 26, 173–184.

Widłak S., 1985, Sur les moyens paralinguistiques de l'expression euphémistique. Zeszyty Naukowe Uniwersytetu Jagiellońskiego. Prace Językoznawcze 81, 131–137.

Wierzbicka A., 1986, Analiza lingwistyczna aktów mowy jako potencjalny klucz do kultury. W: Problemy wiedzy o kulturze. Prace dedykowane Stefanowi Żółkiewskiemu, red. A. Brodzka, M. Hopfinger, J. Lalewicz, Wrocław: Ossolineum, 103–114.

Wierzbicka A., 1987, English Speech Act Verbs. A semantic dictionary. Sydney: Academic Press.

Zgółkowa H., 1988, „Miny na pokaz, czyny za grosz..." O tekstach polskiego rocka. W: Język zwierciadłem kultury, czyli nasza codzienna polszczyzna, red. H. Zgółkowa, Poznań, 69–83.

Zgółkowa H., 1991, Wulgaryzmy i eufemizmy w języku dzieci przedszkolnych. W: Zagadnienie komunikacji językowej dzieci i młodzieży, red. J. Porayski-Pomsta. Warszawa.

Zgółkowa H., 1992, Retoryka sarkazmu w gwarze uczniowskiej. W: Opisać słowa, red. A. Markowski, Warszawa, 233–242.

Zwoliński P., 1978, O pewnym typie eufemizmów we współczesnej polszczyźnie mówionej. W: Z zagadnień słownictwa współczesnego języka polskiego, red. M. Szymczak, Wrocław: Ossolineum, 251–257.

Zwoliński P., 1982, Redundancja frazeologiczna w eufemizmach wyzwiskowych. W: Z problemów frazeologii polskiej i słowiańskiej I, red. M. Basaj, D. Rytel, Wrocław, 145–148.

Nowa encyklopedia powszechna PWN
6-tomowa
wszechstronna, aktualna, nowoczesna!

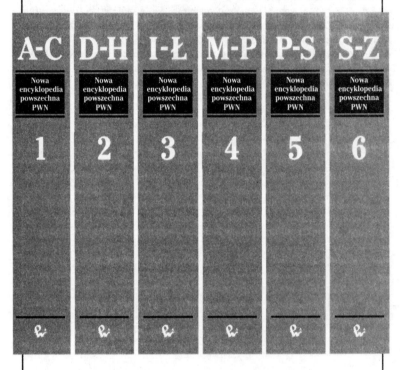

- 85 tysięcy haseł • 8 tysięcy ilustracji
- 300 kolorowych map
- Klasyczna, stylowa oprawa
- Nowoczesna, wielobarwna szata graficzna
- Najnowszy stan wiedzy

Wydawnictwo Naukowe PWN 00-251 Warszawa, ul. Miodowa 10 tel. (0 2) 635 09 76, fax (0 22) 26 09 50

Do słowników PWN możesz mieć zaufanie.

Są nowoczesne, lecz oparte na dobrej tradycji – opracowane w redakcji założonej przed blisko pół wiekiem przez profesora **Witolda Doroszewskiego**, *twórcę największego słownika języka polskiego.*

SŁOWNIK JĘZYKA POLSKIEGO T. 1 - 3

MAŁY SŁOWNIK JĘZYKA POLSKIEGO

SŁOWNIK ORTOGRAFICZNY JĘZYKA POLSKIEGO

SŁOWNIK POPRAWNEJ POLSZCZYZNY

SŁOWNIK WYRAZÓW OBCYCH Wydanie nowe

Wydawnictwo Naukowe PWN 00-251 Warszawa, ul. Miodowa 10 tel. (0 2) 635 09 76, fax (0 22) 26 09 50

Wydawnictwo Naukowe PWN Sp. z o.o.
Wydanie pierwsze
Arkuszy drukarskich 11,75
Skład i łamanie Fototype, Milanówek
Druk ukończono we wrześniu 1995 r.
Druk i oprawa Białostockie Zakłady Graficzne